Vaderwraak

ROSLUND & HELLSTRÖM

Vaderwraak

Uit het Zweeds vertaald
door Edith Sybesma

DE GEUS

0 8. 08. 2011

Zevende druk

Oorspronkelijke titel *Odjuret*, verschenen bij Pirat
Oorspronkelijke tekst © Anders Roslund en Börge Hellström 2004
Published by agreement with Salomonsson Agency
Nederlandse vertaling © Edith Sybesma en De Geus BV, Breda 2005
Deze editie © De Geus BV, Breda 2011
Omslagontwerp Mijke Wondergem
Omslagillustratie © Anders Engman/Megapix
ISBN 978 90 445 1861 0
NUR 302

Een jaar of vier eerder

H ij had het niet moeten doen.
Daar komen ze. Ze komen er nu aan.
Over de heuvel, langs het klimrek.

Twintig meter verderop, dertig misschien. Bij de rode bloemen, net zulke bloemen als voor de ingang van het gesloten paviljoen van Säter, die hij lange tijd voor rozen had aangezien.

Hij had het niet moeten doen.

Daarna voelt het anders. Hij lijkt wel kleiner, voelt bijna een beetje verdoofd aan.

Ze zijn met zijn tweeën. Ze lopen naast elkaar, praten, het zijn vriendinnen; vriendinnen praten op een bepaalde manier met elkaar, ook met hun handen.

De donkere lijkt het gesprek te leiden. Zij is het drukst, ze wil alles tegelijk zeggen. De blonde luistert voornamelijk. Misschien is ze moe. Of misschien is ze iemand die niet zoveel zegt, die niet de hele tijd ruimte nodig heeft om te weten dat ze leeft. Misschien zit het zo in elkaar: de ene is overheersend en de andere wordt overheerst. Is het niet altijd zo?

Hij had zich niet moeten aftrekken.

Maar dat was vanochtend. Twaalf uur geleden alweer. Misschien is het van geen betekenis. Het verschil is misschien niet eens te merken.

Bij het wakker worden wist hij het al. Dat vanavond goed uit zou komen. Het is donderdag, vorige keer was het ook donderdag. De zon schijnt en het is droog. Vorige keer scheen de zon ook en was het droog.

Ze hebben allebei hetzelfde jack aan. Dun, wit, een soort nylon, met een capuchon op de rug; van dat type heeft hij er meer gezien sinds afgelopen maandag. Een rugzakje over de schouders. Al die rugzakken, alles door elkaar in één groot vak, hij begrijpt het niet, zal het ook nooit begrijpen. Ze zijn dichtbij, heel dichtbij, hij hoort hun gesprek, hoort ze weer lachen, allebei nu, de donkere het hardst, de blonde voorzichtiger, niet bang, ze neemt alleen minder plaats in.

Hij heeft zijn kleren zorgvuldig uitgekozen. Een spijkerbroek, een T-shirt, een pet; die moet achterstevoren, dat heeft hij gezien, hij is vanaf maandag in het park geweest, ze hebben hun pet achterstevoren op.

'Hallo daar.'

Ze schrikken op, blijven staan. Het wordt stil, stil zoals wanneer een geluid waar niemand aandacht aan heeft geschonken plotseling wegvalt en het oor dwingt te luisteren. Misschien had hij met een Skåns accent moeten praten. Dat kan hij goed, sommigen luisteren dan beter, op de een of andere manier klinkt het belangrijk. Hij heeft drie dagen geluisterd wat voor stemmen er te horen waren. Geen Skåns of Norrlands accent. In deze stad spreken ze iets wat je algemeen beschaafd Zweeds zou kunnen noemen. Absoluut geen tweeklanken, weinig dialect. Behoorlijk treurig. Hij prutst aan de pet, draait die een slag, duwt hem steviger in zijn nek, nog steeds achterstevoren.

'Hallo, meisjes. Mogen jullie zo laat nog wel buiten?'

Ze kijken hem aan, kijken elkaar aan. Ze maken aanstalten om door te lopen. Hij probeert er ontspannen bij te zitten, leunt lichtjes tegen de rugleuning van de bank. Welk dier? Een eekhoorn of een konijn? Een auto? Snoep? Hij had niet moeten rukken. Hij had zich beter moeten voorbereiden.

'We zijn op weg naar huis. We mogen echt wel zo laat buiten.'

Ze weet dat ze niet met hem mag praten.

Ze mag niet praten met volwassenen die ze niet kent.

Dat weet ze.

Maar hij is niet volwassen. Niet echt. Hij ziet er in ieder geval niet volwassen uit. Hij heeft een pet op. En hij zit niet als een volwassene. Volwassenen zitten niet zo.

Ze heet Maria Stanczyk. Een Poolse achternaam. Ze komt uit Polen. Zijzelf niet, maar haar vader en moeder. Zij komt uit Mariefred.

Ze heeft twee zussen: Diana en Izabella. Oudere zussen die al haast gaan trouwen en niet meer thuis wonen. Ze mist hen, het was leuk met twee zussen in huis; nu is ze alleen met haar vader en moeder, ze maken zich eerder ongerust, vragen altijd waar ze heen gaat, naar wie ze toe gaat en hoe laat ze weer thuiskomt.

Ze zouden daar eens mee moeten ophouden. Ze is al negen.

De donkere doet het woord. Ze heeft een roze haarband in haar lange haar. Ze is bijna brutaal. Buitenlands. Een eigenwijsje. Ze kijkt uit de hoogte naar het blonde, wat dikkige meisje. De donkere bepaalt, dat ziet hij, dat voelt hij.

'Zulke kleine meisjes? Dat geloof ik niet. Wat zouden jullie hier op dit tijdstip te zoeken hebben?'

Het blonde, mollige meisje vindt hij het leukst. Ze heeft voorzichtige ogen. Zulke ogen heeft hij eerder gezien. Nu durft ze, ze gluurt eerst naar de donkere, dan naar hem.

'We hebben getraind.'

Altijd doet Maria alleen het woord. Zij moet altijd zeggen wat ze vinden.

Nu is het haar beurt. Zij gaat ook wat zeggen.

Hij lijkt niet gevaarlijk. Niet boos. Hij heeft een mooie pet, net zo een als haar grote broer Marwin. Ze heet Ida en ze weet waarom. Omdat Marwin dol was op Emil. Toen vonden haar vader en moeder dat ze Ida moest heten. Een lelijke naam, vindt ze. Sandra is veel leuker. Of Isidora. Maar Ida! Zo'n kind dat in vlaggenmasten gehesen wordt.

Ze heeft honger. Het is een hele poos geleden dat ze iets heeft gegeten, vies eten was het vandaag, de een of andere stoofschotel met vlees. Ze heeft altijd honger na de training. Ze gaan altijd snel naar huis om te eten, niet zoals nu, dat Maria zo nodig moet praten en dat die jongen met de pet vragen moet stellen.

Geen dier. Geen auto. Geen snoep. Dat is niet nodig. Ze praten met hem. Hij weet dat het voor elkaar is. Als ze zo praten, is het kat in 't bakkie. Hij kijkt naar de blonde mollige. Die durfde te praten. Hij had het niet gedacht. En naakt ook nog.

Hij glimlacht. Dat doet hij altijd. Daar houden ze van. Iemand die glimlacht vertrouwen ze. Naar iemand die glimlacht, glimlachen ze. Alleen de blonde mollige. Zij alleen.

'Zo? Jullie hebben getraind? Wat voor training dan, mag ik dat weten?'

De blonde mollige lacht. Hij wist het. Ze kijkt naar hem. Ze neemt hem als het ware op. Hij weet het. Hij pakt de pet, draait hem een halve slag, totdat de klep aan de voorkant zit. Hij buigt, neemt de pet af, tilt hem op en houdt hem boven haar hoofd in de lucht.

'Vind je hem leuk?'

Ze trekt haar wenkbrauwen op, gluurt omhoog zonder haar hoofd te bewegen. Alsof ze de kans liep tegen een onzichtbaar plafond te stoten. Ze duikt in elkaar, maakt zich klein.

'Ja, het is een mooie. Marwin heeft er zo een.'

Alleen zij.

'Marwin?'

'Mijn grote broer. Hij is twaalf.'

Hij laat de pet zakken. Die gaat door het onzichtbare plafond heen. Hij strijkt gauw even over haar blonde haar. Het is een beetje glad en tamelijk zacht. Hij zet de pet op haar hoofd. Op het gladde, zachte haar. Het rood-met-groen past goed bij haar.

'Je ziet er mooi uit. Hij staat je goed.'

Ze zegt niets. De donkere wil net iets gaan zeggen, dus hij moet snel zijn.

'Voor jou.'

'Voor mij?'

'Ja, als je hem wilt hebben. Je ziet er mooi uit met die pet op.'

Ze kijkt weg. Ze pakt de hand van de donkere vast. Ze wil hen wegtrekken, weg van het bankje in het park, weg van de jongen die net nog een rood-met-groene pet ophad.

'Wil je hem niet?'

Ze blijft staan, laat de hand van de donkere los.

'Jawel.'

'Nou, alsjeblieft.'

'Dankjewel.'

Ze maakt een knicksje. Dat zie je niet vaak meer. Zo deden meisjes vroeger. Nu niet. Nu moet iedereen gelijk zijn, niemand maakt een knicksje, niemand buigt ook meer.

De donkere is langer stil geweest dan ze gewend is, nu pakt ze de blonde mollige stevig bij de hand. Ze rukt er bijna aan, ze struikelen allebei.

'Kom. We gaan weg. Het is gewoon maar een vent met een pet.'

De blonde mollige kijkt eerst naar de donkere, dan naar hem, dan weer opstandig naar de donkere.

'Zo meteen.'

De donkere gaat harder praten.

'Nee. Nu komen.'

Ze keert zich naar hem toe. Haalt haar hand door haar lange haren.

'En trouwens. Het is een lelijke pet. Zo'n lelijke heb ik nog nooit gezien.'

Ze wijst naar de rood-met-groene pet. Drukt er met haar vinger hard tegenaan.

Een dier. Straks. Een kat. Een dode kat misschien. Ze zijn negen, hooguit tien jaar. Een kat is goed.

'Jullie hebben nog steeds niet verteld wat voor training jullie hebben gehad.'

De donkere heeft haar handen in haar zij. Ze is net een oud dametje, een verwijtend oud dametje. Net zo iemand als hij in het paviljoen van Säter had, de eerste keer. Iemand die wilde opvoeden en veranderen. Hij kan niet veranderen. Hij wil niet veranderen. Hij is zoals hij is.

'Turnen. We hebben geturnd. Dat doen we bijna altijd. Nu gaan we.'

Ze gaan weg, de donkere voorop, de blonde mollige erachteraan, minder snel, minder vanzelfsprekend. Hij kijkt naar hun ruggen, hun blote ruggen, blote achtersten, blote voeten. Hij holt achter hen aan, haalt hen in, gaat voor hen staan en strekt zijn handen uit.

'Wat doe je nou, Pettemans?'

'Waar?'

'Hoezo waar?'

'Waar trainen jullie?'

Twee oudere dames wandelen over de heuvel. Ze zijn bijna bij de bloemen die geen rozen zijn. Hij kijkt naar hen. Hij kijkt naar de grond, telt snel tot tien, kijkt weer op. Ze zijn er nog steeds, maar ze willen afslaan, het andere pad inslaan, dat naar de fontein leidt.

'Wat doe je, Pettemans? Ben je aan het bidden?'

'Waar trainen jullie?'

'Gaat je niets aan.'

De blonde mollige kijkt haar vriendin kwaad aan. Nu doet Maria weer voor hen allebei het woord. Ze is het niet met haar eens. Ze vindt niet dat ze zo lelijk hoeven te doen.

'We trainen in de Skarpholmshal. Je weet wel. Die ligt daar verderop.'

Ze wijst naar de heuvel, de kant op waar ze net vandaan gekomen zijn.

De kat. De dode kat. Laat maar. Laat die beesten maar.

'Is het een mooie hal?'

'Nee.'

'Nog viezer dan jij.'

Ze happen beiden. Zelfs de donkere kan haar mond niet houden.

Hij staat nog steeds voor hen. Hij laat zijn armen zakken. Hij gaat met zijn ene hand over zijn zwarte snor. Alsof hij hem aait.

'Ik weet een nieuwe hal. Een gloednieuwe hal. Hier vlakbij, daar, daar naast die hoge flat, dat witte, lage gebouw ernaast, zien jullie dat? Ik ken de eigenaar ervan. Ik ga er zelf altijd heen. Misschien kunnen jullie daar trainen? Met de hele club, dus.'

Hij wijst geestdriftig, ze volgen zijn arm en zijn vinger: de blonde mollige nieuwsgierig, de donkere hoer op haar eigenwijze manier.

'Daar staat geen hal, Pettemans. Echt niet.'

'Ben je er geweest?'

'Nee.'

'Nou dan. Daar staat een hal. Gloednieuw. En die is niet vies.'

'Dat lieg je.'

'Lieg ik?'

'Je liegt.'

Maria praat maar en praat maar. Ze moet niet voor haar spreken. Ze moet niet zo lelijk doen. Alleen omdat zij geen pet gekregen heeft.

Ze gelooft hem. Ze heeft zijn rood-met-groene pet gekregen. Hij kent de eigenaar van de sporthal. De Skarpholmshal vindt ze niks; hij ruikt oud en in de matten zit de stank van kots.

'Ik geloof je wel. Marwin heeft verteld dat daar een nieuwe sporthal is gekomen. Daar zouden we beter kunnen trainen.'

Ida gelooft het, dat daar een nieuwe sporthal staat. Ze gelooft altijd zoveel. Alleen maar omdat ze een lelijke pet heeft gekregen.

Ze weet hoe nieuwe sporthallen eruitzien. Ze heeft er een gezien in Warschau toen ze daar met haar ouders was.

'Ik weet dat daar geen nieuwe sporthal staat, Pettemans. Ik weet dat je het liegt. Als we er zijn en zien dat er geen nieuwe hal staat, zal ik het tegen mijn vader en moeder zeggen.'

Het is een mooie dag. Juni, zon, warm, een donderdag. Twee hoertjes lopen voor hem op het pad door het park. De donkere is de hoer van iedereen. De blonde mollige is alleen zijn hoertje. Hoeren, hoeren, hoeren. Met hun lange haren, hun dunne jacks, hun strakke broeken. Hij had niet moeten rukken.

Het blonde, mollige hoertje draait zich om en kijkt hem aan. 'We moeten zo naar huis. We moeten eten. Moeder en Marwin en ik. Ik heb zo'n honger. Ik heb altijd honger na de training.'

Hij glimlacht. Dat vinden ze immers leuk. Hij reikt naar de pet op haar hoofd, trekt voorzichtig aan de klep.

'Joh, het is toch zo gebeurd. Ik heb het toch beloofd? We zijn er bijna. Dan kunnen jullie zien of jullie hem mooi vinden. Of jullie daar willen trainen; het ruikt er nieuw, je weet toch wel hoe nieuw ruikt?'

Ze gaan naar binnen. Hij heeft er drie nachten geslapen. De deur was gemakkelijk te forceren. Een kelder, met bergingen waar alleen maar troep in staat: dozen met huisraad en boeken, kinderwagens, IKEA-boekenkasten, vloerkleden, een paar vloerlampen. Allemaal troep. Behalve de op een na verste, nummer drieëndertig, een zwarte kinderfiets met vijf versnellingen, die heeft hij verkocht voor tweehonderdvijftig kronen, een hele kelder en één luizige kinderfiets.

Hij pakt hen bij de arm vast als ze in de keldergang zijn. Hij knijpt, aan iedere hand één, ze schreeuwen zoals ze altijd schreeuwen, hij pakt hen nog steviger beet. Hij heeft het voor het zeggen. Hij maakt de dienst uit en de hoeren schreeuwen. Hij heeft daar drie nachten geslapen, hij weet dat hier geen sterveling komt, 's avonds niet, 's nachts niet. Op twee ochtenden heeft hij mensen in de keldergang gehoord, iemand in een berging, daarna was het weer stil. Hoeren kunnen schreeuwen. Hoeren moeten schreeuwen.

Ze denkt aan Marwin. Ze denkt aan Marwin. Ze denkt aan Marwin. Aan Marwins kamer. Is hij daar nu? Ze hoopt dat hij daar is, in zijn kamer. Thuis. Bij moeder. Hij ligt vast op zijn bed te lezen. Dat doet hij altijd 's avonds. Meestal Donald Duck-pockets. Nog steeds. Hij was begonnen met *In de ban van de ring*.

Maar hij houdt het meest van Donald in pocketvorm. Hij ligt vast op bed, dat weet ze.

Die rotvent. Die stomvervelende rotvent. Stomme, stomme rotvent.

Ze mag niet met zulke mensen praten. Vader en moeder vragen er altijd naar en dan zegt ze dat ze er nooit mee praat. Dat doet ze immers ook niet. Het is meer dat ze een grote mond tegen hen opzet. Ida durft dat niet. Maar zij wel. Vader en moeder worden boos als ze erachter komen dat ze met zo iemand heeft gepraat. Ze wil niet dat ze boos worden.

Nummer drieëndertig is het beste. Daar heeft hij de fiets gevonden. Daar heeft hij geslapen.

Ze schreeuwen niet meer. De blonde, mollige hoer huilt, het snot loopt uit haar neus, haar ogen zijn rood. De donkere hoer kijkt hem koppig aan, ze daagt hem uit, ze haat hem. Hij bindt hun handen vast aan een van de witte buizen die langs de cement-grijze muur lopen. De buis, vermoedelijk een waterleidingbuis, is heet en brandt tegen de huid van hun onderarm. Ze schoppen met hun benen naar hem en telkens als zij schoppen, schopt hij terug. Totdat ze het begrijpen. Dan schoppen ze niet meer.

Ze zitten stil. Hoeren moeten stilzitten. Hoeren moeten wachten. Hij bepaalt. Hij trekt zijn kleren uit. T-shirt, spijkerbroek, onderbroek, schoenen, sokken. In die volgorde. Hij doet het voor hun ogen. Als ze niet kijken, schopt hij ze totdat ze dat wel doen. Hoeren moeten kijken. Hij staat voor hen, naakt. Hij is mooi. Hij weet dat hij mooi is. Een atletisch lichaam. Gespierde benen. Stevig kontje. Geen buik. Mooi.

'Wat zeggen jullie ervan?'

Het donkere hoertje huilt.

'Stomme Pettemans.'

Ze huilt. Het duurde even, maar nu is ze net als alle hoeren.

'Wat zeggen jullie ervan, ben ik mooi?'

'Stomme Pettemans, ik wil naar huis.'

Hij heeft een erectie. Hij maakt de dienst uit. Hij gaat vlak bij hen staan, buigt zijn penis naar hun gezicht.

'Mooi hè?'

Hij had niet moeten rukken. Hij heeft het vanmorgen twee keer gedaan. Nu kan hij het nog maar twee keer. Hij masturbeert voor hun ogen. Hij ademt heftig, geeft de blonde mollige een schop als ze even wegkijkt, hij ejaculeert in hun gezicht, in hun haar, het plakt als ze met hun hoofd schudden.

Ze huilen. Hoeren huilen zo verschrikkelijk.

Hij kleedt hen uit. Hun shirtjes moet hij kapot knippen nu hun handen aan de hete buis vastzitten. Ze zijn kleiner dan hij had gedacht. Ze hebben niet eens borsten.

Hij trekt alles uit, behalve hun schoenen. Hun schoenen niet. Nog niet. De blonde, mollige hoer heeft roze schoenen aan. Een soort lakschoenen. De donkere hoer heeft van die witte gym-schoenen, die tennissers dragen.

Hij bukt. Voor de blonde, mollige hoer. Hij kust haar roze lakschoenen, op de bovenkant, aan de teen. Hij likt eraan, van de neus over de schoen naar de hiel, de hak. Hij trekt ze uit. Ze heeft zo'n mooi hoerenvoetje. Hij tilt het op, ze valt bijna nog verder achterover. Hij likt haar enkel, haar tenen, zuigt lang op iedere teen. Hij loert naar haar gezicht, ze huilt stilletjes, hij voelt een hevig verlangen.

Z e wordt wakker als de krant komt. Iedere ochtend. Een enorme bons op de houten vloer. De volgende deur, en weer een deur. Ze is wel eens achter hem aan gelopen om er wat van te zeggen, altijd te laat, ze heeft zijn rug verscheidene keren gezien. Een jonge vent met een paardenstaart. Als ze hem kan inhalen, zal ze hem vertellen hoe mensen zich op zondagochtend om vijf uur voelen.

Ze kan niet meer in slaap komen. Ze ligt te woelen en te draaien, ze zweet, ze moet, moet, moet weer in slaap komen, dit gaat niet langer. Vroeger had ze er nooit problemen mee, maar nu komen de gedachten op haar af en is ze gespannen om zes uur 's ochtends, die verdomde krantenjongen met zijn paardenstaart.

Dagens Nyheter is op zondag zo dik als een bijbel. Ze ligt met een katern in haar handen, zoekt woorden en nog meer woorden, te veel tekst, ze kan er geen geheel in zien, al die interessante reportages over interessante mensen die ze zou moeten lezen, maar waar ze geen puf voor heeft, die ze keurig op een stapeltje legt om ze in ieder geval later te lezen, wat ze nooit doet.

Ze is rusteloos. Al die uren. De krant, koffie, tandenpoetsen, ontbijt, het bed, de afwas, weer tandenpoetsen. Het is nog niet eens halfacht op een zondagochtend in juni, de zon zweept door de jaloezieën, maar ze wendt haar gezicht af, ze kan het licht nog niet verdragen, te veel zomer, te veel mensen die hand in hand lopen met andere mensen, te veel mensen die dicht bij andere mensen slapen, te veel lachende, spelende, liefhebbende mensen, ze kan er niet tegen, nu even niet.

Ze gaat naar de kelder. Naar de berging. Het is er donker, verlaten, onopgeruimd.

Ze weet dat ze daar minstens twee uur werk heeft. Dan is het in ieder geval halftien.

Het eerste wat ze ziet is dat het hangslot opengebroken is. Dat van de bergruimten ernaast ook, ze moet nagaan van wie die zijn, tweeëndertig en vierendertig; zeven jaar in de flat en ze heeft hen nog nooit gezien. Nu hebben ze iets gemeen, ze hebben allemaal een opengebroken hangslot. Nu kunnen ze met elkaar praten.

Het volgende is waarschijnlijk de fiets. Of liever: het feit dat die er niet is. Jonathans dure, zwarte fiets met vijf versnellingen. Die ze van plan was te verkopen, voor minstens vijfhonderd kronen. Nu moet ze hem bellen, bij zijn vader thuis, het is beter om dat nu te doen, dan is hij over de ergste schok heen als hij weer hier komt.

Naderhand vindt ze het moeilijk te begrijpen dat ze het niet heeft gezien. Dat ze kon nadenken over wie de eigenaar is van bergruimte tweeëndertig en van bergruimte vierendertig, dat ze aan Jonathans zwarte mountainbike kon denken. Net alsof ze het niet wilde zien, niet kon zien. Toen de politie haar verhoorde, begon ze hysterisch te lachen bij de vraag wat ze het eerst zag toen ze de berging opendeed. De belangrijke eerste indruk. Ze bleef een hele poos lachen, totdat ze moest hoesten; ze lachte, en terwijl de tranen over haar gezicht stroomden legde ze uit dat haar eerste en enige gedachte was dat Jonathan het erg zou vinden dat zijn zwarte mountainbike weg was, dat hij niet het videospelletje zou kunnen kopen dat ze hem beloofd had voor het geld dat ze zouden krijgen, minstens vijfhonderd kronen.

Ze had immers de dood nog nooit eerder gezien, ze was nooit eerder stille mensen tegengekomen die haar aankeken zonder te ademen.

Want dat deden ze. Ze keken haar aan. Ze lagen op de cementen vloer, met hun hoofd op een bloempot, als op een hard kussen. Het waren kleine meisjes, jonger dan Jonathan, niet ouder dan tien jaar. Een blonde en een donkere. Ze zaten onder het bloed, in hun gezicht, op hun borst, op hun onderlichaam, op hun bovenbenen. Overal opgedroogd bloed, behalve op hun voeten, hun voeten waren zo mooi schoon alsof ze gewassen waren.

Ze had hen nooit eerder gezien. Of misschien ook wel. Ze woonden immers in de buurt. Natuurlijk moest ze hen wel eens hebben gezien. Misschien in de winkel. Of in het park. Er waren altijd veel kinderen in het park.

Ze lagen al meer dan twee dagen op de vloer van haar bergruimte. Dat zei de patholoog. Zestig uur. Ze hadden sporen van sperma in hun vagina, in hun anus, op hun bovenlichaam, in het haar. Schede en anus waren blootgesteld geweest aan wat 'puntig geweld' genoemd werd. Een puntig voorwerp, vermoedelijk van metaal, was herhaalde malen naar binnen geduwd, wat hevige inwendige bloedingen had veroorzaakt.

Misschien zaten ze wel bij Jonathan op school. Er waren immers altijd zoveel meisjes op het schoolplein, ze zagen er hetzelfde uit, meisjes zien er altijd allemaal hetzelfde uit.

Ze waren naakt. Hun kleren lagen voor hen, vlak voor de deur van de berging. Allemaal kledingstukken op een rij, net een tentoonstelling. De jacks opgevouwen, de broeken opgerold, shirts, onderbroekjes, sokken, schoenen, haarband, alles keurig op een rij, voorzichtig precies zo neergelegd, met overal twee centimeter tussenruimte, twee centimeter tot het volgende kledingstuk.

Ze keken haar aan, maar ze ademden niet.

Nu ongeveer

I

(een etmaal)

H ij had altijd het idee dat hij voor gek stond met een masker op. Een volwassen man met een masker móét dat idee wel hebben. Hij had andere mannen een masker zien dragen, van Winnie de Poeh, Dagobert Duck en nog een, ze hadden het met een soort gewichtigheid gedaan, alsof het masker hun niet in de weg zat. Ik zal het nooit begrijpen, dacht hij. Ik wen er nooit aan. Ik word nooit zo'n vader als ik zelf had willen hebben en die ik me voorgenomen had te worden.

Hij prutste aan het plastic voor zijn gezicht. Een dun, strak zittend, kleurig geval. Een elastiekje aan de achterkant dat strak om zijn haar zat. Het was moeilijk ademhalen in het ding, het rook naar speeksel en zweet.

'Rennen, papa! Je loopt niet weg! Je staat daar gewoon maar! De Grote Boze Wolf rent altijd!'

Ze stond voor hem en keek hem aan met haar hoofd achterover, grassprietjes en aarde in haar lange, blonde haren. Ze probeerde boos te kijken, maar boze kinderen lachen niet, en zij lachte, ze lachte zoals een kind kan lachen dat keer op keer om het huis heen is gejaagd, achtervolgd door de Grote Boze Wolf, die nu doodmoe is en iemand anders wil zijn zonder masker, zonder plastic wolventong en plastic wolventanden.

'Marie, ik kan niet meer. De Grote Boze Wolf moet even zitten. De Grote Boze Wolf wil klein en lief worden.'

Ze schudde haar hoofd.

'Nog een keer, papa. Eén keertje nog.'

'Dat zei je zonet ook.'

'Dit wordt de laatste keer.'

'Dat zei je zonet ook.'

'Dit is absoluut de laatste keer.'

'Absoluut?'

'Absoluut.'

Ik hou van haar, dacht hij. Ze is mijn dochter. Het heeft even geduurd, ik zag het eerst niet, maar nu wel. Ik hou van haar.

Plotseling zag hij de schaduw vlak achter zich. Die bewoog langzaam, sluipend. Hij had gedacht dat die ergens voor hem was, bij een van de bomen, nu zat hij achter hem, hij bewoog eerst langzaam, toen sneller. Tegelijkertijd viel het meisje met gras en aarde in haar haar van voren aan. Ze duwden op hetzelfde moment elk van een kant tegen hem aan, hij wankelde en viel op de grond, ze wierpen zich allebei over hem heen, ze lagen boven op hem, het meisje hield haar ene hand hoog in de lucht en een donker jongetje van dezelfde leeftijd stak zijn hand op, ze sloegen hun handpalmen tegen elkaar aan, high five.

'Hij geeft zich over, David!'

'We hebben gewonnen!'

'De biggetjes zijn de besten!'

'De biggetjes zijn altijd de besten!'

Als twee vijfjarigen ieder van een kant de Grote Boze Wolf aanvallen, is hij kansloos. Dat is nooit anders. Daarom rolde hij om, de twee boven op hem rolden mee, hij ging op zijn rug liggen, schoof met zijn handen het stuk plastic van zijn gezicht en kneep zijn ogen dicht tegen het felle zonlicht. Hij lachte luid.

'Het is wel raar! Op de een of andere manier win ik nooit. Heb ik ooit één keer gewonnen? Kunnen jullie tweeën me vertellen hoe dat kan?'

Hij praatte tegen twee kinderen die niet luisterden. Twee kinderen die een trofee in hun handen hielden: een plastic masker. Eerst zouden ze het opzetten, plechtig een rondje maken met hun scalp, vervolgens het huis binnengaan, naar boven, naar Maries kamer, en daar zouden ze de buit op het kastje bij de rest neerleggen en even stil staan kijken naar de berg eeuwige roem in het Duckstad van twee vijfjarige vrienden.

Hij keek hun ruggen na toen ze van hem wegliepen. Hij keek naar het zoontje van de buren, naar zijn dochtertje. Zoveel leven, al die jaren die ze in hun handen houden, maanden die tussen hun vingers door zullen lopen. Ik benijd hen, dacht hij. Ik benijd hen om die oneindige tijd, het gevoel dat een uur lang is, dat aan de winter nooit een eind komt. Ze verdwenen door de deur en hij keerde zijn gezicht naar de hemel. Wat hij als kind had gedaan deed hij nu weer: hij zocht liggend op zijn rug verschillende kleuren blauw; er zitten altijd meer kleuren blauw in de lucht. Hij had het goed toen, als kind. Zijn vader was beroepsmilitair, kapitein, dat was belangrijk, dan was je hoofdofficier en had je een potentiële vervolgcarrière op de schouders geborduurd. Zijn moeder was huisvrouw, ze was thuis als hij en zijn broer weggingen en ze was thuis als ze terugkwamen. Hij had nooit begrepen wat ze in de tussentijd deed, in die vier kamers op de derde verdieping van een flat, die vraag was vaak bij hem opgekomen: hoe kwam ze de dagen door, die zich steeds herhaalden?

Alles was anders geworden toen hij twaalf werd. Of de dag daarna om precies te zijn. Het was net of Frans gewacht had tot zijn verjaardag geweest was, alsof hij die niet had willen bederven, alsof hij wist dat een verjaardag niet zomaar een verjaardag was voor zijn kleine broertje, maar een samenballing van verlangen.

Fredrik Steffansson kwam overeind, klopte het gras van zijn shirt en zijn korte broek. Hij dacht vaak aan Frans, nu vaker dan vroeger, hij herinnerde zich het gemis, plotseling was hij zomaar weg, zijn bed opgemaakt en leeg, hun gesprekken verstomd. Frans had hem die ochtend lang omarmd, langer dan anders, voorzover Fredrik zich kon herinneren, hij had hem vastgepakt en 'dag' gezegd, was naar station Strängnäs gegaan en had de trein genomen die in een uur naar Stockholm reed. Daar was hij uitgestapt en verder gelopen naar de metro; hij had weer een kaartje gekocht en in een rijtuig plaatsgenomen van de groene lijn naar het zuiden, naar Farsta. Bij Medborgarplatsen was hij uitgestapt, hij was van het perron gesprongen en was langzaam over de rails de tunnel naar Skanstull in gewandeld. Zes minuten later had een metrobestuurder iemand gezien in het schijnsel van het grote licht, hij had zich vol op de rem gegooid en had van paniek, afgrijzen en angst geschreeuwd toen het front van de voorste wagen het lichaam van een vijftienjarige raakte.

Sindsdien hadden ze het bed van Frans niet meer aangeraakt. De sprei gladgetrokken, de rode deken opgevouwen op het voeteneinde. Hij wist toen niet waarom, wist het nu ook niet, misschien stond het uitnodigend tegenover Frans als hij terugkwam; hij had lang gehoopt dat hij weer voor hem zou staan, dat het allemaal een vergissing was, zulke vergissingen komen voor.

Het was alsof de rest van het gezin die dag ook gestorven was, op het spoor in een tunnel tussen Medborgarplatsen en Skanstull. Zijn moeder was niet langer overdag in de flat blijven wachten, ze zei nooit waar ze heen ging, maar ze kwam altijd pas tegen donker thuis, ongeacht het jaargetijde. Zijn vader was ingezakt, de rechte rug van de kapitein was krom geworden; hij had voorheen al niet veel gepraat, maar nu zei hij bijna niets meer, en hij sloeg niet meer, Fredrik kon zich vanaf toen geen slaag meer herinneren.

Ze stonden weer in de deuropening. Marie en David. Ze waren even lang, zo lang als vijfjarigen zijn, hij was vergeten hoeveel centimeter het was, hij had van het kinderdagverblijf een briefje met lengte en gewicht meegekregen, maar hij was niet iemand van briefjes met statistieken, kinderen hadden gewoon de lengte die ze hadden. Marie had nog steeds aarde en gras in haar lange, blonde haar. Davids donkere haar zat tegen zijn voorhoofd en slapen geplakt, hij had binnen het masker opgehad, Fredrik zag het, wist het en lachte.

'Wat zien jullie eruit, zeg! Ikzelf waarschijnlijk ook. Een bad, dat hebben we nodig. Gaan biggetjes in bad, weten jullie dat?'

Hij wachtte hun antwoord niet af. Hij legde zijn handen op twee magere schouders, duwde hen langzaam het huis weer in, door de hal, langs Maries kamer, langs zijn slaapkamer, naar de grote badkamer. Hij liet water in de oude badkuip lopen, een hoge op poten, met twee zitplaatsen, hij had hem op een veiling in Svinnegarn gevonden, een boedelverkoping, vlak bij weg 55. Hij zat er elke avond een halfuur in, liet zijn huid afkoelen in heet water, hij dacht na, dacht gewoon na, bedacht de hoofdlijnen van wat hij de volgende dag zou schrijven, het volgende hoofdstuk, het volgende woord. Nu voelde hij bezorgd aan het water. Niet te heet, niet te koud, wit schuim uit een groene Alfons Åbergfles, dat zag er uitnodigend uit, zacht. Ze stapten er tot zijn verbazing uit eigen beweging in, gingen aan de ene kant zitten, hij kleedde zich snel uit en ging aan de andere kant zitten.

Vijfjarigen zijn zo klein. Als ze naakt zijn zie je dat pas goed. Hun zachte huid, hun tengere lichamen, hun voortdurend ver-wachtingsvolle gezichten. Hij keek naar Marie, witte schuimbel-len op haar voorhoofd, die langzaam over haar neus gleden, hij keek naar David met de Alfonsfles in zijn hand, op de kop en leeg en nog meer schuimbellen. Hij had geen foto's van zichzelf als vijfjarige, hij probeerde zijn gezicht op Maries schouders te zet-ten; ze leken op elkaar, dat constateerden de mensen in hun omgeving altijd triomfantelijk. Hijzelf verbaasde zich erover, Marie was er vooral verlegen onder. Zijn vijfjarige gezicht op haar lichaam en dan zou hij het zich moeten kunnen herinneren, voelen wat hij toen voelde. Hij wist alleen nog maar van het slaan, zijn vader en hijzelf in de woonkamer, die akelige, grote hand tegen zijn achterste, hij wist het nog en hij herinnerde zich Frans' gezicht tegen het glas in de deur van de woonkamer.

'Het schuim is op.'

David hield de fles naar hem toe, schudde er een paar keer mee met de tuit naar beneden om het te demonstreren.

'Ik zie het. Het kan ermee te maken hebben dat je alles eruit gegoten hebt.'

'Mocht dat dan niet?'

Fredrik zuchtte.

'Ja, natuurlijk wel.'

'Je moet een nieuwe kopen.'

Hij stond ook altijd te kijken als Frans slaag kreeg. Vader merkte het nooit als ze achter de ruit van de deur stonden. Frans was ouder. Hij nam meer klappen in ontvangst, het slaan duurde langer, in ieder geval voelde dat zo op een paar meter afstand. Pas op volwassen leeftijd was Fredrik het zich weer gaan herinneren. Het slaan was meer dan vijftien jaar weg geweest, vlak voor zijn dertigste had het plotseling toegeslagen, de grote hand en de ruit in de deur van de woonkamer. Hij was sindsdien vaak met zijn gedachten in die woonkamer geweest, hij was niet boos, merkwaardig genoeg was hij niet eens wraakzuchtig; verdriet, verdriet was de beste omschrijving die hij kon geven.

'Papa. We hebben er meer van.'

Hij keek Marie met een lege blik aan. Zij verjoeg die leegte.

'Hallo!'

'Meer?'

'We hebben meer flessen Alfonsschuim.'

'Is dat zo?'

'Onderin. Nog twee. We hadden er drie gekocht.'

Het verdriet van Frans was groter geweest. Hij was ouder, meer tijd, meer slaag. Frans stond altijd te huilen achter de ruit. Alleen dan. Alleen als hij toekeek. Hij leefde met zijn verdriet, verstopte het, droeg het totdat het van hem werd, totdat het zíjn pak slaag werd, op een ochtend uitmondend in één grote klap tegen een dertig ton zware wagen.

'Hier.'

Marie was uit de badkuip geklommen, was naar het kastje aan de andere kant van de badkamer gelopen, had het opengedaan. Ze wees trots.

'Nog twee. Ik wist het. We hadden immers drie tegelijk gekocht.'

De vloer van de badkamer was nat, er liepen schuim en water van haar lichaam, ze zag het natuurlijk niet, liep met een Alfonsfiguur in haar hand terug en stapte weer in bad. Ze maakte hem onverwacht gemakkelijk open, David pakte hem af en goot hem leeg, zonder op te kijken, zonder te aarzelen. Toen schreeuwde hij iets wat klonk als 'jippie' en ze deden voor de tweede keer in een uur een high five.

Hij had de pest aan kinderverkrachters. Net als de anderen. Maar hij was professioneel. Het was gewoon een baan. Dat hield hij zichzelf voor. Een baan, een baan, een baan.

Åke Andersson vervoerde al tweeëndertig jaar gedetineerden van en naar Zweedse penitentiaire inrichtingen. Hij was negenenvijftig. Zijn dikke, verzorgde haar werd al grijs. Hij was een paar kilo te zwaar en lang, langer dan al zijn collega's, langer dan alle boeven die bij hem gezeten hadden. Eén meter negenennegentig, zei hij altijd. Eigenlijk was het twee meter twee, maar als je langer was dan twee meter werd je door anderen als afwijking, als een speling van de natuur beschouwd en daar had hij zijn bekomst van.

Hij haatte die etterbakken die zo nodig minderjarige meisjes moesten verkrachten. Het meest haatte hij de lieden die kleine kinderen hadden verkracht. Dat was een sterk, verboden gevoel, dat elke keer dat ze hem groetten sterker werd; de enige keer dat hij überhaupt iets voelde ten aanzien van zijn dagelijks werk, een agressiviteit waar hij zelf bang van werd. Hij onderdrukte het verlangen om plotseling de motor uit te zetten, tussen de stoelen door te springen en die klootzak tegen de achterruit te drukken.

Hij liet niets blijken.

Hij had wel erger uitschot rondgereden. Tenminste, uitschot met zwaardere straffen. Hij had ze allemaal gezien. Uit elke categorie had hij wel iemand een handboei omgedaan, naast hem gelopen naar de bus, hem met een lege blik aangestaard in de achteruitkijkspiegel. Er waren een boel idioten bij. Gekken. Sommigen begrepen het. Ze begrepen dat het wat kost. Dat wie koopt, betaalt. Dat was zijn eenvoudige filosofie. Al dat geouwehoer van mensen van buiten over bejegening, respect en terugkeer naar de maatschappij. Als je koopt, dan betaal je de prijs. Gewoon.

Hij wist wie de kinderverkrachters waren. Stuk voor stuk. Ze hadden een bepaalde oogopslag. Hij had geen vonnis nodig. Geen papieren. Hij kon het aan hen zien en hij haatte hen. Hij had het een paar keer ter sprake gebracht in de kroeg bij een biertje, dat je het kon zien, dat híj het kon zien. Toen ze wilden weten hoe, had hij dat niet kunnen uitleggen en hadden ze hem voor homohater, antihumanist en vooringenomen uitgemaakt. Hij had het er nooit meer over, had er geen energie voor, maar hij zag het en die klootzakken wisten het, ze probeerden weg te kruipen als hun blikken elkaar kruisten.

Deze kinderverkrachter had hij minstens zes keer eerder gereden. In 1991 een paar keer heen en weer tussen het gerechtshof en Kronoberg; toen hij ontsnapt was in 1997; in 1999 vanuit het paviljoen in Säter ergens heen; en dan nu, midden in de nacht naar het Söderziekenhuis. Hij keek naar hem, ze keken elkaar aan, een zinloze wedstrijd wie het langst bleef kijken in de achteruitkijkspiegel. Hij leek normaal. Dat leken ze altijd. Voor anderen. Kort, een meter vijfenzeventig, niet dik, stoppeltjes, kalm. Een heel gewone kinderverkrachter.

Het stoplicht op de helling vanaf Ringvägen stond op rood. Weinig nachtverkeer. Een sirene en een blauw zwaailicht achter hem, hij bleef staan terwijl een ambulance hem inhaalde.

'We zijn er, Lund. Dertig seconden. Bereid je maar voor. We hebben gebeld, er komt zo meteen een dokter naar je kijken.'

Hij praatte niet met kinderverkrachters. Nooit. Zijn collega wist dat. Ulrik Berntfors dacht er net zo over als hij. Zo dachten ze er allemaal over. Maar hij haatte niet.

'Dan hoeven wij niet zo lang op ons ontbijt te wachten. En jij hoeft niet in de wachtkamer te zitten met dat aan.'

Ulrik Berntfors wees naar de man die Lund heette. Naar de ketting om zijn buik. De boei om zijn middel. Hij had die nog nooit eerder bij iemand gebruikt. Maar het was een bevel. Oscarsson had er speciaal over gebeld. Toen hij Lund gevraagd had zijn kleren uit te trekken, had hij gereageerd met een glimlach en langzame stotende bewegingen met zijn onderlichaam. Een ijzeren gordel om zijn middel, vier kettingen langs zijn benen naar de voetboeien, twee kettingen langs zijn bovenlichaam die vastzaten aan de handboeien. Hij had het wel eens op het nieuws gezien en hij had het tijdens een studiebezoek in India gezien, maar verder nooit, in het Zweedse gevangeniswezen was het de gewoonte de gedetineerden getalsmatig te overtreffen, meer bewaarders dan boeven, soms met handboeien, maar nooit met kettingen onder shirt en broek.

'Wat attent. Ik ben jullie innig dankbaar. Jullie zijn beste kerels.'

Lund praatte zachtjes. Nauwelijks hoorbaar. Ulrik Berntfors kon niet uitmaken of het ironie was. Totdat Lund bewoog en de kettingen met een metalen geluid tegen elkaar kletterden; hij boog voorover en zijn hoofd leunde op de rand van het luik in de scheidingswand tussen voor- en achterbank.

'Eerlijk gezegd, bewakers. Dit is niks. Kettingen in mijn reet. Doe me deze afgrijselijke blikken jurk uit, dan beloof ik dat ik niet wegloop.'

Åke Andersson staarde hem aan via de achteruitkijkspiegel. Hij gaf een dot gas de heuvel op naar de ingang van de eerste hulp en stond even plotseling op de rem. Lund stootte met zijn kin hard tegen de scherpe korte kant van het luik.

'Klerelijer! Wat doe je? Ben je net zo gek als je eruitziet?'

Lund was kalm, sprak beschaafd. Totdat hij zich aangetast voelde. Dan ging hij schreeuwen en schelden. Åke Andersson wist dat. Ze zien er niet alleen hetzelfde uit, ze zíjn ook hetzelfde.

Ulrik Berntfors lachte. Inwendig. Die verdomde Andersson, hij spoorde niet helemaal. Zulke dingen deed hij. Maar hij vertikte het om te praten.

'Helaas, Lund. Helaas. Orders van Oscarsson. Je bent gevaarlijk, Lund. Je staat als gevaarlijk te boek en dan is het niet anders.'

Hij kon de woorden maar moeilijk in bedwang houden. Ze deden wat ze wilden, drongen zich uit zijn mond naar buiten, ook al spande hij zijn gezicht, bang dat de bulderende lach daarbinnen eruit zou komen, zich zou laten horen en de man voor wiens vervoer ze betaald werden, nog meer zou provoceren. Hij praatte wel, maar keek net als Andersson voor zich uit.

'Als wij die rotzooi tegen Oscarssons orders in weghalen, begaan we een ambtsovertreding. Dat weet je wel.'

De ambulance die hen zojuist had ingehaald stond bij het laadbordes van de eerste hulp. Twee broeders renden met een brancard tussen hen in, met twee treden tegelijk, de trap op naar de ingang. Ulrik Berntfors ving een glimp op van een vrouw, haar lange haar plakte bloederig tegen het been van de ene broeder. Hij vond rood en oranje niet bij elkaar passen. Hij vroeg zich af waarom hun kleding nou net oranje was, terwijl je mocht aannemen dat er vaak bloed op kwam. Heftige gevoelens zorgden er altijd voor dat er onzinnige gedachten bij hem opkwamen.

'Verdomme. Die verrekte Oscarsson! Die vent is niet goed wijs. Waarom vertrouwt hij me niet gewoon als ik zeg dat ik niet van plan ben weg te lopen! Ik heb het in Aspsås nog tegen hem gezegd!'

Lund schreeuwde door het luikje de bestuurderscabine in, trok toen zijn hoofd terug en wierp zich plompverloren achteruit tegen de raamloze wand aan de bestuurderskant. De kettingen van de boei om zijn middel bonkten tegen het ijzer van het transportbusje, heel even dacht Åke Andersson dat hij ergens tegenaan gereden was, hij zocht een voertuig dat er niet was.

'Ik heb het tegen hem gezegd, klerelijers. En jullie luisteren ook niet. Nee, nee. Nou. Dan zal ik eens wat zeggen. Als jullie dit pokkending niet van mij afhalen, dan ontsnap ik. Begrijpen jullie dat, klerelijers, dan ben ik weg, dringt dat in jullie botte hersens door?'

Åke Andersson zocht zijn blik. Hij zette de achteruitkijkspiegel zo dat hij hem door het luik kon zien. Hij voelde de haat in zich opwellen, hij moest slaan, dit stuk vreten was te ver gegaan, een keer 'klerelijer' te veel.

Tweeëndertig jaar. Een baan, een baan, een baan. Hij kon er

niet meer tegen. Vandaag niet meer. Vroeg of laat loopt het toch mis.

Hij rukte zijn gordel los. Deed de deur open. Ulrik Berntfors begreep het, maar was er niet snel genoeg bij. Åke zou die kinderverkrachter ervan langs geven zoals nog geen kinderverkrachter er ooit van langs had gehad. Hij bleef glimlachend zitten. Hij had er niets op tegen.

E en paar minuten na vieren was het altijd het stilst. Vlak nadat de laatste bezoekers van bar Het Hoekje zich luidruchtig van de haven over de strandweg richting de oude brug naar Tosterö hadden begeven, vlak voordat de krantenjongens zich bij Storgatan opgedeeld hadden om snel voordeuren en brievenbussen open te maken voor de *Strengnäs Tidning*, een editie van de *Eskilstuna-Kuriren*, waarvan de voorpagina en pagina vier gevuld waren met plaatselijk nieuws.

Fredrik Steffansson wist dat. Het was lang geleden dat hij een hele nacht had doorgeslapen. Hij lag met het raam open naar het stadje te luisteren, hoe het lag te slapen en wakker werd, mensen die hij vermoedelijk kende of in ieder geval herkende, zo gaat dat, leef je in een kleine omgeving, dan is het niet ver naar de overkant. Hij woonde hier praktisch zijn hele leven al. Hij had *Jack* van Lundell gelezen en was in Stockholm, in de wijk Södermalm gaan wonen, hij had godsdienstgeschiedenis gestudeerd en was naar een kibboets in Noord-Israël verhuisd, een tiental kilometers van de grens met Libanon, maar hij was hier teruggekomen, bij de mensen die hij kende of in ieder geval herkende. Hij was nooit echt van huis weg gegaan, van zijn kindertijd, van zijn herinneringen, van het gemis van Frans. Hij had Agnes ontmoet, was tot over zijn oren verliefd geworden op de wereldwijze, zoekende vrouw in het zwart, ze hadden elkaar ontmoet en samen geleefd en ze zouden bijna gaan scheiden toen ze Marie kregen en een gezin werden en elkaar opnieuw ontmoetten, krap een jaar voordat ze voorgoed uit elkaar gingen. Zij woonde nu in Stockholm, waar haar chique vrienden ook woonden, daar was ze beter op haar plaats; ze waren geen vijanden, maar ze bespraken niet zoveel meer met elkaar, alleen wanneer Marie gehaald en gebracht moest worden en van de ene stad naar de andere moest.

Er liep iemand over straat. Hij keek op de klok. Kwart voor vijf. Ellendige nachten. Als hij nu nog over iets zinnigs na kon denken, over de volgende tekst, nog twee bladzijden, het leek onmogelijk, helemaal geen gedachten, alleen maar verknoeide tijd die door het openstaande raam wegglipte, terwijl voordeuren dichtsloegen en auto's werden gestart. Hij had nauwelijks energie meer om te schrijven. Als de dag goed en wel begonnen was, Marie naar het kinderdagverblijf was gebracht en hij achter de computer zat, sloeg de vermoeidheid toe vanwege de gemiste uren slaap. Drie hoofdstukken in twee maanden was een ramp en de grote uitgeverij had al gevraagd waar hij mee bezig was.

Een vrachtauto. Het klonk als een vrachtauto. Die kwam anders niet voor halfzes.

De dunne wand tussen zijn kamer en die van Marie. Hij hoorde haar door de muur heen. Ze snurkte. Hoe kon het dat lieve kinderen van vijf met heldere stemmetjes net zo hard snurkten als zwaarlijvige oude mannen? Hij dacht eerst dat Marie de enige was, maar David bleef soms slapen en dan maakten ze samen dubbel zoveel lawaai, ze vulden de stilte tussen elkaars ademhalingen op.

Het was geen vrachtauto maar een bus. Hij wist het zeker.

Hij draaide zich van het raam weg. Micaela lag bloot, altijd het dekbed en het laken op een bult bij haar voeten. Ze was zo jong, vierentwintig jaar. Door haar voelde hij zich hitsig en bemind en soms, op bepaalde momenten, opeens oud; vaak als ze het over muziek, boeken of films hadden. Als een van hen verwees naar een compositie, een tekst of een scène, werd het duidelijk dat zij een jonge volwassen vrouw was en hij een man van middelbare leeftijd. In zestien jaar tijd verouderen filmdialogen en gitaarsolo's en worden ze vervangen.

Ze lag op haar buik. Haar gezicht naar hem toe. Hij streelde over haar wang, kuste haar zacht op haar bil. Hij gaf heel veel om haar. Was het liefde? Hij had niet de puf erover na te denken.

Hij was er blij mee dat ze daar naast hem lag, dat ze zijn uren met hem wilde delen, hij vond de eenzaamheid een verschrikking, eenzaamheid was zinloos, verstikkend, en niet kunnen ademen betekende vermoedelijk de dood. Hij haalde zijn hand van haar wang, streelde haar rug, ze bewoog onrustig. Waarom lag ze daar? Een oudere man, met een kind, hij zag er niet bijzonder goed uit, niet lelijk, maar ook niet knap, hij was niet rijk, hij was waarschijnlijk niet eens aardig. Waarom koos ze voor nachten bij hem, zo mooi, zo jong, zoveel levensuren méér? Hij kuste haar weer, op haar heup.

'Slaap je nog niet?'

'Sorry. Heb ik je wakker gemaakt?'

'Weet ik niet. Heb je niet geslapen?'

'Je weet hoe dat gaat.'

Ze trok hem naar zich toe, haar naakte lichaam tegen het zijne, ze was warm van de slaap, wakker maar toch ook weer niet.

'Je moet slapen, ouwe.'

'Ouwe?'

'Anders trek je het niet. Dat weet je. Ga nu slapen.'

Ze keek hem aan, kuste hem, hield hem vast.

'Ik denk aan Frans.'

'Fredrik, niet nu.'

'Jawel, ik denk aan hem. Ik wil aan hem denken. Ik hoor Marie in haar kamer en dan moet ik eraan denken dat Frans ook een kind was toen hij geslagen werd, toen hij zag dat ik slaag kreeg, toen hij de trein naar Stockholm nam.'

'Doe je ogen dicht.'

'Waarom slaat iemand een kind?'

'Als je je ogen lang genoeg dichthoudt, val je vanzelf in slaap. Echt waar.'

'Waarom slaat iemand een kind dat op zal groeien, dat het zal gaan begrijpen en gedwongen zal worden om een oordeel te vellen over degene die slaat, of in ieder geval over zichzelf?'

Ze duwde tegen hem aan, draaide hem op zijn zij met de rug naar haar toe, ging zelf dicht achter hem liggen, net twee grote takken naast elkaar.

'Waarom slaat iemand een kind, dat het slaan zal omvormen

tot vaders plicht, dat de verklaring zal zoeken in zijn eigen tekort aan kracht en goedheid, dat zichzelf zal wijsmaken dat hij een deel van de schuld draagt? Als je denkt dat je de ellende over jezelf hebt afgeroepen, hoef je je niet vernederd en overgeleverd te voelen.'

Micaela sliep. Ze ademde langzaam en regelmatig in zijn nek, van zo dichtbij dat die vochtig werd. Hij hoorde door het raam de bus buiten stoppen, hij reed achteruit, stopte weer, reed nog een keer achteruit. Misschien dezelfde touringcar als gisteren, een vrij grote bus.

L ennart Oscarsson droeg een geheim mee. Hij was niet de enige, dat wist hij, maar toch droeg hij het geheim alsof het wel alleen van hem was. Het rustte op zijn rechterschouder, het sliep in zijn borst, het nam alle plaats in zijn maag in. Hij nam zich iedere avond voor om het de volgende ochtend prijs te geven, het los te laten en dan rustig de dagen zonder geheimen af te wachten.

Hij kreeg het niet voor elkaar. Het ging niet. Hij schreeuwde luid en niemand hoorde het. Moet ik mijn mond opendoen als ik schreeuw?

Hij zat net als iedere dag in de keuken aan de ronde grenen tafel van het gezin en lepelde yoghurt uit een glas. Maria aan zijn zij, zijn leven, de mooie vrouw van wie hij waanzinnig veel hield sinds hij haar zestien jaar geleden voor het eerst had ontmoet. Ze dronk haar koffie met warme melk, at haar donkere knäckebröd, las het culturele supplement van *Dagens Nyheter*.

Nu. Nu!

Hij zou het nu kunnen zeggen, dan was het gezegd. Ze had het recht het te weten. Anderen niet, maar zij wel.

Zo eenvoudig. Een minuut, een paar zinnen, dat was alles.

Ze konden verder eten, elk naar hun werk gaan en dan thuiskomen en niets hoeven te verbergen. Hij legde de lepel neer, liet de laatste yoghurt uit het glas in zijn mond lopen.

Lennart Oscarsson was trots op zijn functie in de Aspsåsinrichting. Hij was brigadier en hij had de ambitie om nog verder te stijgen. Iedere cursus, iedere opleidingsmogelijkheid binnen het gevangeniswezen greep hij aan; wie iets wil, moet dat tonen. Hij toonde het en hij wist dat iemand er nota van nam.

Hij was zeven jaar eerder chef geworden van een van de afdelingen voor zedendelinquenten binnen Aspsås.

Dagelijkse omgang met mensen die opgesloten zitten omdat ze andere mensen, die op hun bescherming aangewezen zijn, krenken. Die de laatste taboes doorbreken die de maatschappij nog heeft. Hij had de verantwoording voor die mensen en voor het personeel dat hen moest verzorgen en straffen. Daar waren ze voor, dat was hun enige taak. Verzorgen en straffen en het verschil begrijpen. Hij vond wat hij vond, hij voelde wat hij voelde, maar hij toonde dat hij iets wilde en iemand ging door met noteren.

Dat ellendige geheim was ongeveer op hetzelfde moment gaan groeien. Hij wilde dat hij het kon vertellen. Erger kon het in ieder geval niet worden. Het verraad woonde bij hen in, bezoedelde ieder woord.

Hij stond op, ruimde het serviesgoed op en zette het in de vaatwasser. Hij veegde de tafel af en wrong het vaatdoekje uit.

Hij droeg een blauw uniform. De uniformen van de bewaarders zagen er in iedere Zweedse gevangenis hetzelfde uit. Net taxichauffeurs. Hij kleedde zich in de keuken aan, broek, overhemd, stropdas, bleef wachten tot ze een gesprek zouden beginnen, onverschillig waarover, als het maar niet zo verdomd leugenachtig was.

'Het waait vandaag behoorlijk, Lennart.'

Nu stond Maria naast hem, ze streelde zijn wang. Hij duwde zijn gezicht tegen haar hand, wreef erover met zijn wang, daar had hij behoefte aan. Ze was zo mooi. Hij wilde dat ze het wist.

'Het blijft de hele dag zo hard waaien. Je moet handschoenen aan.'

'Het wordt warm vandaag. En het is maar honderd meter.'

'Je weet dat dat niet uitmaakt. Achteraf heb je altijd spijt. Als je pijnlijke gewrichten hebt.'

Ze hield zijn leren handschoenen in haar hand. Hij nam ze in ontvangst en trok ze aan. Hij kuste haar, eerst haar mond, toen haar schouder. Zijn jasje hing aan de kapstok in de gang. Hij deed

de deur open, stapte de tuin in, ginds lag Aspsås, de grijze betonnen muur domineerde het hele dorp; twee minuten lopen en
hij was er.

T oen Åke Andersson het voorportier van het gevangenis-
busje opendeed en snel uitstapte, had hij een gevoel dat hij
nooit eerder had gehad. Dat hij zijn razernij, zijn verschrikkelijke
haat niet meer de baas kon. Meer dan dertig jaar lang wierpen de
gedetineerden hem al van alles en nog wat naar het hoofd. Hij had
gehaat, maar was blijven zitten, in stilte had hij hen van het huis
van bewaring naar het gerechtsgebouw gereden, en van de eerste
hulp naar de inrichting. Hij had het communiceren aan zijn
collega's overgelaten, hij had uitschot vervoerd en voor zich uit
gestaard terwijl hij zijn werk deed. Maar tegen deze vervloekte
kinderverkrachter kon hij niet op. Hij had zijn zelfbeheersing al
bijna een keer eerder verloren tegenover hem, hij wist wat hij had
gedaan en hoe de meisjes er nadien hadden uitgezien. Na de
vorige rit had hij nachten gedroomd van de hoonlach en de
afwezigheid van inlevingsvermogen; hij had dezelfde misdaad
keer op keer herhaald zien worden en op een ochtend was hij
wakker geworden en had het toilet niet op tijd kunnen bereiken,
hij had op de vloer van de gang overgegeven, alsof zijn beheersing
in zijn maag zat en eruit moest toen er geen plaats meer was.

Hij had er geen idee van wat hij ging doen. Hij had het zelf
immers niet meer in de hand. Toen er voor de derde keer 'klerelijer' door het luikje kwam, waren er geen plicht en geen gevolgen meer, er waren alleen beelden van naakte kleine meisjes
met kapotgeknipte geslachtsdelen, puntig geweld met een metalen voorwerp. Zijn grote lichaam rende bijna naar de achterdeur
van het busje.

Ulrik Berntfors had Lund nog maar één keer eerder vervoerd. Op
de tweede dag van het proces van de meisjes in de kelderberging.
Hij was nog maar net in dienst en het was de grootste zaak waar
hij mee te maken had gehad, de journalisten en fotografen
stonden in de rij, op elkaar, voor elkaar, twee negenjarigen:

43

dat kwam aan, dat verkocht. Hij schaamde zich over zijn reactie van dat moment, hij had waarschijnlijk geen moment over de meisjes nagedacht, hij had het niet begrepen, hij was onervaren en had zich uitverkoren en bijna trots gevoeld toen hij naast Lund op tv voortschreed. Dat kwam pas later, toen zijn dochter vroeg waarom Lund twee meisjes had gedood, waarom hij ze had kapotgemaakt. Ze was maar een jaar ouder dan die meisjes en ze had ieder artikel zorgvuldig gelezen, ze had aldoor nieuwe vragen, haar vader kende de man die het had gedaan immers, ze hadden verscheidene keren naast elkaar gelopen op tv. Uiteraard had hij geen antwoorden gehad. Maar hij was het langzamerhand gaan begrijpen. Zijn dochter had hem met haar vragen en haar angst meer geleerd over zijn beroepsmatige rol dan hij ooit op een cursus had geleerd.

Hij wist dat Andersson haatte. Ze hadden het er nooit over, maar hij had het gezien, gehoord en begrepen. Misschien zou het met hem ook zover komen. Als figuren zoals Lund maar vaak genoeg tegen je schreeuwden. Dus had hij de communicatie voor zijn rekening genomen. Iémand moest met hen praten. Dat was hun werk. Vervoeren.

Toen Lund voor de derde keer 'klerelijer' schreeuwde, begreep hij het. De maat was vol. Toen Andersson overeind kwam wist hij het al.

Als hij strak naar de ingang van de eerste hulp aan de voorkant van de bus keek, hoefde hij niets te zien. Als hij niets zag, hoefde hij niet te liegen als er een onderzoek kwam.

Er was niemand op de parkeerplaats van de eerste hulp. Geen auto's en geen mensen. Dat zei Åke Andersson naderhand. Hij zei ook dat hij het niet zou hebben gemerkt als er wel iemand was geweest, als er andere mensen hadden gestaan of langs hem heen waren gelopen. Toen hij naar de achterkant van de bus was gerend hadden zijn haat en razernij het hem belet verder nog iets te zien.

Hij rukte de deur open. Een kleine handgreep. Met handen die net zo groot waren als de rest van zijn lichaam kon hij die nauwelijks omvatten.

Vanaf dat moment ging het mis.

Bernt Lund schreeuwde. 'Klerelijer', met overslaande stem, verscheidene keren. En hij sloeg. Hij hield de kettingen in zijn ene hand. De kettingen die onder zijn broek en zijn hemd zaten, die de hand- en voetboeien verbonden met de boei om zijn middel. Åke Andersson zag het zo snel niet, begreep het zo snel niet, de zware, ijzeren schakels reten zijn gezicht al open voordat hij op de grond neerkwam. Lund sprong door de open deur van de bus naar buiten, ging weer slaan, sloeg Andersson herhaalde malen in zijn gezicht totdat hij het bewustzijn verloor. Hij schopte hem in zijn buik, tegen zijn heup, tegen zijn onderlichaam. Hij schopte totdat de lange bewaker stil bleef liggen.

Ulrik Berntfors had lang voor zich uit zitten staren. Andersson gaf de kinderverkrachter er flink van langs. Hij luisterde, Lund schreeuwde nog steeds 'klerelijer', hij kon nogal wat hebben. Hij wachtte totdat hij een naar gevoel begon te krijgen, Andersson ging te lang door, nu was het mooi geweest, als hij nu niet stopte, liep het nog verkeerd af. Hij wilde net de deur opendoen en uitstappen om Andersson te stoppen en verder onheil te voor-komen, toen Lund naast hem stond. Met een lange ketting sloeg hij de ruit kapot, sloeg Berntfors ook in het gezicht, trok hem naar buiten en ging door met slaan. Het enige wat hij naderhand nog wist, was het vervloekte geschreeuw, dat Lund hem zijn broek uitgetrokken had en met het ijzer tegen zijn penis had geslagen en riep dat hij hen allebei in hun kont geneukt zou hebben als ze niet zo groot geweest waren; grote mensen verdienden zijn liefde niet, alleen kleine billetjes verlangden, alleen kleine hoertjes mochten hem binnen in zich voelen.

H onderdtachtig stappen. Van zijn eigen voordeur tot aan de opening in het ijzeren hek. Lennart Oscarsson telde ze. Hij had het een keer in honderdeenenzestig stappen gedaan. Dat was zijn record. Van een paar jaar geleden, hij had toen veel met de gedetineerden in de sportzaal van de inrichting getraind. Tot aan die mishandeling, een langgestrafte was op een ochtend door een of meer medegevangenen in elkaar geslagen. Halters en stalen schijven volgens de arts, duidelijke en makkelijk te identificeren tekenen. Geen kip die iets had gezien natuurlijk, niemand wist iets. Iemand was tot moes geslagen en moest moord en brand geschreeuwd hebben en de hoek waar de halters stonden baadde in het bloed en niemand had iets gehoord of gezien of ook maar een flauw idee gehad. Hij kon er niet meer heen, hij was niet bang, niemand was zo gek om een nieuw proces te riskeren vanwege een afdelingschef, het was geen angst, maar walging, hij kon niet in een vertrek verblijven waar een van degenen voor wie hij de verantwoordelijkheid had van het recht op leven was beroofd.

Hij drukte op de bel aan de muur, wachtte op het gevoel dat hij bekeken werd door de camera vlak boven zijn hoofd, op de stem uit de luidspreker. Terwijl hij stond te wachten draaide hij zich om naar het huis dat hij zojuist had verlaten. Hij zocht in de ramen van de woonkamer en de slaapkamer. Donker. Half neergelaten gordijnen. Geen gezicht te zien, geen rug bij het plankje met de telefoon erop.

'Ja?'

'Oscarsson hier.'

'Ik laat je erin.'

Het hek ging open en hij liep naar binnen. Hij knipperde even met zijn ogen tegen de muur om hem heen, twee werelden, hij kon van de ene naar de andere lopen. Hij kwam bij de volgende deur, klopte op het glas van het hokje van de bewaker, zwaaide naar Bergh, een imbeciel van wie hij nooit hoogte had gekregen, Bergh zwaaide terug en drukte weer op een knop. Er klonk gezoem en hij deed de deur open, in de gang rook het naar schoonmaakmiddel en nog iets.

Het was een tamelijk trieste dag. Unitvergadering. Afdelingsvergadering. Ze waren bezig zichzelf in te bouwen in vergaderdoolhoven, zinloze besluiten over zinloze procedures, ze klampten zich vast aan structuur. Problemen oplossen vereiste een scherpe geest en bergen energie; door de herhaling zorgde de vergaderroutine ervoor dat ze zich er gerust op voelden, maar het ontbrak aan inhoud.

De koffieautomaat was kapot. Hij schopte ertegen. Hij vond twee munten van vijf kronen in de zak van zijn jasje, legde die in het geldbakje en pakte een cola uit de koelkast. Coffeïne.

'Lennart, goeiemorgen.'

'Goeiemorgen Nils.'

Brigadier Nils Roth. Ze waren tegelijkertijd op Aspsås gekomen, hadden tegelijkertijd promotie gemaakt. Ze hadden iets gedeeld, de ongerustheid van de beginner die langzaam was overgegaan in het gevoel van verzadiging van de oudgediende. Nu liepen ze samen naar de vergaderkamer, naar de lange tafel, het whiteboard en de overheadprojector, het was er net als bij iedere andere overheidsinstelling.

'Goeiemorgen.'

Iedereen groette elkaar. Acht hoofden en Arne Bertolsson, de directeur van de inrichting. Ze gingen zitten, sommigen met koffiekopjes voor zich waar ze uit dronken, en Lennart keek lang naar hen.

'Waar hebben jullie dat vandaan?'

Hij richtte zich tot Månsson.

'Uit de automaat.'

'Maar die is kapot. Doet niets meer.'

'Net wel. Toen ik er was.'

Bertolsson maande hen met een geïrriteerd sissen tot stilte. Hij

47

zette de overheadprojector aan. Het apparaat maakte geluid, maar projecteerde niets.

'Ik word zo moe van dit ding.'

Bertolsson ging op zijn hurken zitten en drukte op alle knoppen die hij kon vinden. Lennart keek naar hem, naar zijn collega's om de tafel. Acht brigadiers. Zijn naaste collega's. De mensen met wie hij elke dag optrok, maar die hij niet echt kende. Afgezien van Nils. Hij was bij geen van hen ooit thuis geweest, en zij ook niet bij hem. Een biertje in de stad, een voetbalwedstrijd, maar nooit bij elkaar op bezoek. Kende je elkaar dan eigenlijk wel? Ze waren allemaal van dezelfde leeftijd, ze zagen er hetzelfde uit, een kamer vol taxichauffeurs.

Bertolsson gaf het op.

'Laat ook maar. We doen het zonder agenda. Wie wil er beginnen?'

Geen reactie. Niemand zei iets. Gustafsson dronk zijn koffie, Nils noteerde iets in zijn schrijfblok, de anderen zeiden ook niets. Iemand had hun vergaderroutine van hen afgepakt en ze waren allemaal het spoor bijster, wisten niet wat ze moesten doen.

Lennart schraapte zijn keel.

'Ik wil wel beginnen.'

De anderen haalden opgelucht adem. Nu was er in ieder geval een tijdelijke agenda.

Bertolsson knikte naar hem.

'Ik heb het hier al eerder over gehad. Jullie vinden het misschien gezeur, maar ik weet waar ik het over heb. Is iemand de mishandeling in de zaal vergeten? Nee? Dacht ik wel. Ik ook niet. Het is een geloop van jewelste van de normale afdelingen naar de kiosk en de sportzaal op hetzelfde moment dat mijn mensen daar ook zijn. Gisteren hadden we weer een voorval. Dat had echt lelijk uit de hand kunnen lopen als Brandt en Persson niet hadden ingegrepen.'

Geen kik van het beklaagdenbankje. Hij was verdorie niet van plan terug te krabbelen. Hij had gezien hoe halters het lichaam van een mens misvormen.

Lennart had hen allemaal aangekeken terwijl hij sprak. Zijn blik bleef het langst gevestigd op Eva Bernard, de enige vrouw in het vertrek. Met haar had hij het wel eens eerder aan de stok gehad. Hij kon niet met haar overweg. Ze begreep de regels niet die al van oudsher bestonden in de gevangenis, die traditie waren, die niet in de mappen stonden, maar gewoon bestonden en van kracht waren.

Bertolsson zag de beschuldigende blik van Lennart, hij wilde geen ruzie, niet nu, niet weer. Hij kwam ertussen.

'Je hebt het over coördinatie?'

'Ja. Dit is de maatschappij niet. Dit is niet het echte leven. De gevangenis staat overal los van. Iedereen in dit vertrek weet dat. Iedereen zóú dat tenminste moeten weten.'

Lennart wendde zijn blik niet af van Eva Bernard. Bertolsson, die zo bang was voor conflicten, kwam er niet onderuit. Hij zou het probleem verdorie niet nog een keer van tafel vegen.

'Als de verkeerde persoon van een gewone afdeling tegen een van mijn jongens aanloopt, dan heb je de poppen aan het dansen. Dat weten we. Iedereen juicht het toe als een kinderverkrachter in elkaar wordt geslagen.'

Hij wees naar haar.

'Die ellendeling die gisteren zat te stoken is er zo een. Van jouw afdeling.'

Hun irritatie was wederzijds. Eva Bernard reageerde niet laf. Dat moest hij toegeven. Ze staarde terug. Ze was lelijk en dom, maar niet bang.

'Als je 0234 Lindgren bedoelt, zeg dat dan.'

'Ik bedoel Lindgren.'

'Stig Lindgren, bijgenaamd "Broekie", is een klootzak. Als hij wil. Als hij niet wil, is hij een modelgevangene. Rustig. Doet helemaal niets. Ligt shagjes te roken in zijn cel, leest niet, kijkt geen tv, laat de uren gewoon voorbijgaan. Hij zit al zevenentwintig jaar. Tweeënveertig verschillende veroordelingen. Hij is een van de weinigen die nog Romani spreekt. Hij komt alleen in actie als er een nieuwe op de afdeling komt en hij moet laten zien wie de oudste rechten heeft. Hiërarchie. Hiërarchie en respect.'

'Ga toch weg. Gisteren ging het niet om een nieuwe. Hij had die van mij doodgeslagen als hij niet ontdekt was.'

De anderen in het vertrek werden onrustig. Waar was de agenda? Bertolsson zei niets. Omdat hij het interessant vond, of er niets tegen in wist te brengen?

'Mag ik uitspreken? Zedendelinquenten. Alleen bij hen. Dan wordt het hem zwart voor de ogen. Bij hem is het erger dan haat. Ik heb zijn dossier gelezen. Het is te verklaren waarom hij hen dood probeert te slaan. Hij is zelf als kind slachtoffer geweest. Meerdere keren.'

Lennart Oscarsson dronk het aluminium blikje leeg. Zoet prikwater. Coffeïne. Hij wist heel goed wie 'Broekie' Lindgren was. Hij had geen behoefte aan preken. Een kleine crimineel die vaste bewoner geworden was, die het iedere keer dat hij vrijkwam zo te kwaad kreeg dat hij tegen de buitenmuur moest piesen en hoopte dat een van de bewaarders het zag, en als dat niet mooi genoeg was, sloeg hij de chauffeur neer van de eerste de beste bus daarvandaan, dat had hij de vorige keer gedaan, hij zorgde er altijd voor dat hij binnen een maand weer terug was in de enige maatschappij waarin hij het leven aankon, waarin de anderen wisten hoe hij heette.

Hij verplaatste zijn blik van die zeur van een Bernard naar Nils. Nils keek naar de tafel, kliederde in zijn schrijfblok, onzinnige poppetjes. Hij wilde Nils' ogen zien. Vond hij dit vervelend? Schaamde hij zich? Lennart wist dat hij het onaangenaam vond, hij had hem zelfs gevraagd Bernard niet meer aan te vallen, hij had gezegd dat ze zo'n hekel aan haar hadden dat ze het goede niet opmerkten dat ze ondanks alles ook presteerde. Lennart wilde met Nils praten over dat ellendige geheim. Hún geheim. Hij wachtte totdat Nils op zou kijken, al was het maar even, maar hij koos ervoor naar beneden te blijven kijken. Ik heb je hulp nodig, Nils, kijk me aan, wat moeten we doen, verdorie, ik moet het aan Maria vertellen.

'Romani, zei je.'

Månsson uit Malmö, de nieuwe tijdelijke medewerker van wie hij niet op de voornaam kon komen, keek Eva Bernard vragend aan.

'Ja.'

'Je zei dat Stig Lindgren Romani sprak.'

'Ja.'

'Wat bedoel je daarmee?'

Eva Bernard glimlachte. Superieur, die grijns die ervoor had gezorgd dat de anderen een hekel aan haar hadden. Ze was blij dat ze de mishandeling niet verder hoefde te bespreken met Oscarsson, nu had zij de leiding, de overhand. Ze richtte zich tot Månsson uit Malmö.

'Ja, hoe zou je dat ook moeten weten?'

Månsson was nieuw, maar hij had zojuist zijn lesje geleerd. Voor haar ging hij niet weer met de billen bloot.

'Laat maar.'

'Vroeger was het Romani gewoon. De gedetineerden spraken het met elkaar. Een gevangenistaal. Niet het Romani dat de zigeuners spreken, maar een soort Bargoens, voor gebruik in de gevangenis. Nu is het bijna verdwenen. Alleen van die figuren zoals Lindgren kennen het. Die langer binnen de muren hebben geleefd dan erbuiten.'

Ze was tevreden. Oscarsson had haar aangevallen en had gebrek aan kennis van de gevangenistraditie geïnsinueerd en zij had laten zien dat ze die wel had. Wat een nul, hoe kon hij zo stom zijn te denken dat zij niet het laatste woord zou hebben; dat had ze iedere keer nog gekregen als hij zich met haar had trachten te meten.

Bertolsson had de overheadprojector aan de praat gekregen. Een plaatje, een agenda, hij keek opgelucht, het was bijna uit de hand gelopen, nu kon hij opnieuw beginnen. Hij wilde net het ironische applaus van de acht hoofden in ontvangst nemen toen hij een telefoon hoorde. Niet die van hemzelf, die had hij uitgezet.

Dat had iedereen moeten doen. De vermoeide inrichtingsdirecteur kreeg bijna een uitbarsting toen Lennart Oscarsson opstond.

'Dat ben ik. Dat is de mijne. Verdomme. Ik ben vergeten hem uit te zetten.'

Twee signalen. Hij herkende het nummer niet. Drie signalen. Hij zou niet moeten opnemen. Vier signalen. Hij nam op.

'Oscarsson.'

Acht personen luisterden naar zijn gesprek. Daar was hij zich van bewust. Het maakte hem geen ene moer uit.

'Ja?'

Hij ging zitten.

'Wat zeg je, verdorie?'

Zijn stem was dun. Wie hem goed kende, hoorde dat hij van slag was. Nils kende hem goed. Het was iets ernstigs, daar was hij van overtuigd, hij wist niet of hij Lennart ooit zo bang had gehoord.

'Hij niet!'

Een uitroep, nog steeds met ijle stem.

'Hij niet! Hoor je me niet, hij niet!'

Zijn collega's bleven doodstil zitten. Oscarsson stond op het punt in te storten. Terwijl hij altijd zo in de plooi bleef. Nu stond hij voor hen te trillen.

'Stomme kloothommels!'

Lennart zette zijn mobieltje uit. Hij was rood in zijn gezicht, hij ademde heftig, hij had al zijn waardigheid verloren. De mensen in het vertrek wachtten.

Hij stond weer op. Deed een stap achteruit. Net alsof hij hen beter wilde kunnen zien.

'Dat was de bewaking. Bergh, die sukkel. Hij zei dat we een ontsnapping hebben. Eentje van mij. Bij het Söderziekenhuis. Bernt Lund. Hij heeft tijdens een transport twee bewakers neergeslagen en de bus gestolen.'

H et politiebureau in Bergsgatan in Stockholm baadde in Siw Malmkwist. In ieder geval de verste gang op de eerste verdieping. Iedere ochtend, hoe eerder, hoe harder. Een cassetterecorder van het grote formaat dat je in de jaren zeventig had met een cassettebandje van 120 minuten. Dertig jaar lang dezelfde plastic doosjes, dezelfde cassettes. Drie verzamelcassettes met de nummers van Siwan in verschillende volgordes. Vanochtend *Moeder lijkt op haar moeder* en *Er gaat niets boven het oude Skåne, Metronome 1968*, de A- en B-kant van dezelfde single, Siw in zwart-wit; met een korte schort aan en een stoffer in de hand achter een microfoon.

Ewert Grens had de muziekinstallatie gekregen toen hij vijfentwintig werd, hij had hem meegenomen naar zijn werk en op de boekenplank gezet, hij was een paar keer van kamer verhuisd voordat hij inspecteur werd en iedere keer had hij hem zelf in zijn armen gedragen. Hij was er altijd het eerst, nooit na halfzes, twee uur zonder idioten in de deuropening en aan de telefoon. Om halfacht draaide hij het geluid zachter, er werd altijd heel wat afgemopperd door degenen die over de gang liepen. Hij liet hen altijd even wachten, hij zou het geluid echt niet uit eigen beweging zachter zetten; als ze iets van hem wilden, moesten ze het zeggen.

Bij hem was het zwart-wit, net een toonsoortverandering van Siwan.

Groot, log en moe. Een grijze krans op zijn kruin. Een merkwaardige, schokkerige manier van lopen, bijna mank. Hij had een stijve nek, hij was een aantal jaren geleden in een strik vast komen te zitten toen de eenheid die hij leidde een inval moest doen bij een Litouwse huurmoordenaar, hij had toen een hele poos in het ziekenhuis gelegen.

Grens was een goed politieman geweest. Hij wist niet of hij dat nog steeds was. Of hij er nog wel zin in had om dat te zijn. Werkte hij omdat hij niet wist wat hij anders moest doen? Had hij het werk groter gemaakt dan het was, tot iets wat belangrijk was en alles voor het moment? Over een paar jaar zou echt niemand hem meer kennen. Er kwam een nieuwe en weer een nieuwe, zonder geschiedenis, die geen benul had van wat er kortgeleden zo groots geweest was, wie de informele macht had gehad en waarom. Dat moeten we leren, dacht hij. Dat mogen we niet vergeten. We moeten onszelf opnieuw programmeren, dat zou bij de opleiding moeten horen, dat je gedwongen wordt in te zien hoe weinig het voorstelt, hoe kort het is, dat je er een tijdje bent en dat is het dan; er waren immers anderen hem voorgegaan en die hadden hem ook geen moer kunnen schelen.

Er werd aangeklopt. Een van de idioten. Iemand die hem voorzichtig zou vragen het geluid zachter te zetten. Stomme angsthazen.

Het was Sven. De enige op het bureau die ermee door kon.

'Ewert.'

'Ja?'

'Shit!'

'Waar heb je het over?'

'Over Bernt Lund.'

Hij werd wakker. Fronste zijn wenkbrauwen. Hij hield op met waar hij mee bezig was.

'Bernt Lund? Wat is daarmee?'

'Hij is ontsnapt.'

'Verdomme!'

'Alweer.'

Sven Sundkvist mocht zijn collega graag. Hij nam zijn sarcastische opmerkingen op de koop toe, zijn bitterheid, zijn angst om op een dag te moeten stoppen met werken en te beseffen dat vijfendertig jaar gewoon vijfendertig jaar was en meer niet. Ewert wilde tenminste iets. Hij mokte en zeurde, maar geloofde in wat hij deed. In dat opzicht onderscheidde hij zich van een heleboel collega's.

'Vertel op, Sven!'

Sven deed verslag van het transport van de Aspsåsinrichting naar de eerste hulp van het Söderziekenhuis. Vertelde hoe Bernt Lund met zijn boeien twee bewakers in elkaar geslagen had en hun bus had gestolen. Hoe Bernt Lund zich nu vrij bewoog, dat hij vermoedelijk nu al ergens meisjes zat te bekijken, kleine kinderen, die net naar school gingen.

Ewert was opgestaan. Hij ijsbeerde door de kamer terwijl Sven vertelde, hij schommelde om het bureau met zijn manke been, met zijn grote lichaam tussen stoelen en plantentafeltjes door. Hij ging voor de prullenmand staan, mat de afstand met zijn gezonde voet en schopte hem hard door de lucht.

'Hoe kunnen ze Bernt Lund nou verdorie de stad in sturen met maar twee bewakers! Hoe is het in vredesnaam mogelijk dat Oscarsson dat goedkeurt? Als hij de moeite had genomen de telefoon op te pakken en ons te informeren, hadden we een wagen gestuurd. Dan hadden we nu die duivel niet op vrije voeten gehad!'

De prullenbak had vol gezeten. Bananenschillen, pruimtabakdozen en lege enveloppen over de vloer.

Sven had het eerder meegemaakt. Hij hoefde alleen maar even te wachten.

'Åke Andersson en Ulrik Berntfors. Die zijn goed. Andersson is die lange, een negenennegentig geloof ik. Van jouw leeftijd.'

'Ik ken Andersson wel.'

'Ja?'

'Dat vertel ik je een andere keer. Nu niet.'

Sven werd plotseling overvallen door een vlaag van vermoeidheid. Hij wilde naar huis. Naar Anita en Jonas. Zijn dienst zat erop. Hij durfde er niet over na te denken dat er ieder moment een kind verkracht kon worden. Hij durfde niet aan Bernt Lund te denken. Hij had immers geruild voor een ochtenddienst. Ze zouden feestvieren. Hij had wijn en taart in de auto staan. Ze zouden straks samen klinken.

Ewert zag dat Sven even ergens anders was. Dat zijn ogen moe werden. Hij kreeg spijt, hij had die verrekte prullenbak niet door de kamer moeten schoppen, Sven houdt niet van die dingen. Hij nam het woord weer, rustiger nu.

'Hoe gaat het met je? Je ziet er moe uit.'

'Het gaat wel. Ik was van plan naar huis te gaan. Ik ben vandaag jarig.'

'Verrek zeg. Gefeliciteerd. Hoe oud ben je geworden?'

'Veertig.'

Ewert floot hard. Hij maakte een buiging.

'Nee maar. Nee maar. Laat me je de hand schudden.'

Hij stak zijn hand uit. Sven pakte hem aan. Hij drukte hem lang. Kneep er stevig in toen hij begon te spreken.

'Helaas, jongeman. Veertig of niet. Je blijft nog even.'

Ewert had een slechte adem. Zo dicht stonden ze anders nooit naast elkaar.

'Je maakt een grapje.'

'Ik moet je iets vertellen.'

Ewert gebaarde naar zijn bezoekersstoel. Hij was ongeduldig, maande hem met zijn wijsvinger. Sven maakte zijn hand los, ging op het puntje van de stoel zitten, hij stond nog steeds op het punt om te gaan.

'Ik was er de vorige keer bij.'

'Die meisjes.'

'Twee meisjes van negen. Hij had hen vastgebonden, op hen gemasturbeerd, hen verkracht, kapotgesneden. Net zoals de keer daarvoor. Ze lagen ons op een keldervloer aan te staren. De schouwarts beweerde dat ze nog leefden toen hij in hen aan het snijden ging, een metalen voorwerp in de vagina en de anus. Ik geloof het niet. Ik kan het niet geloven. Heb je daar wel eens over nagedacht, Sven? Als je dat zo besluit, kun je geloven wat je maar wilt.'

Zijn verkreukelde overhemd, zijn te korte broekspijpen, zijn rusteloze lichaam. Hij schrikte velen af, je hoorde Ewert Grens als het ware aankomen. Sven begreep dat hij een afstotende uitwerking had, hij was hem zelf ook uit de weg gegaan; niemand moest een ander voor het hoofd stoten, zo simpel was het. Dus ging hij hem uit de weg, totdat hij, zonder dat hij begreep waarom, geaccepteerd was, bijna uitverkoren, hij had zeker iemand nodig en die iemand was Sven.

Hij zag er niet meer gevaarlijk uit. Hij was groot, grijs en zeer aanwezig, maar hij was niet gevaarlijk. Het was verdriet. Twee meisjes. Hij huilde niet. Niet echt.

'Ik heb hem verhoord. Ik probeerde hem in de ogen te kijken. Dat lukte niet. Dat lukte verdomme niet. Hij keek over me heen, langs me heen, door me heen. Hij keek me niet in de ogen. Ik heb het verhoor verscheidene keren onderbroken en hem gevraagd me aan te kijken.

Je begrijpt het niet, Grens.
Grens, verdomme.
Ik dacht dat jij het wel zou begrijpen.
Ik word echt niet heet van alle kleine meisjes.
Hoe kun je dat beweren?
Ik hou alleen van de wat grotere.
Van de blonde, wat dikkige.
Zulke meisjes.
Dat is belangrijk, Grens.
Hoertjes.
Kleine hoertjes met kleine kutjes.
Die aan een pik denken.
Dat moeten ze verdorie niet doen.
Hoertjes met kleine kutjes moeten verdorie niet aan een pik lopen denken.

Zie je, Sven. Mensen kijken elkaar aan als ze met elkaar praten. Dat lukte niet. Dat lukte niet.'

Hij keek Sven aan. Sven keek hem aan. Zij waren mensen.

'Ik begrijp het. Ik begrijp het niet. Als hij nou zo iemand was die je niet aankijkt. Als hij zo iemand was. Waarom werd hij dan niet in een gesloten psychiatrische inrichting geplaatst? In Säter? Karsudden? Sidsjön?'

Ewert bukte zich om de prullenbak overeind te zetten. Een vinger achter zijn bovenlip om de pruimtabak eruit te halen.

'Dat is gebeurd. De eerste keer. Drie jaar in het gesloten paviljoen van Säter. Maar de laatste keer werd zijn stoornis als licht beoordeeld. En dan kom je tegenwoordig in de gevangenis. Niet in een gesticht.'

Ewert slikte datgene weg wat niet echt huilen was. Hij was weer terug. Hij liep naar de cassetterecorder, deed er een ander bandje in, weer een van Siwan. Hij bleef even stil met zijn ogen dicht voor de luidspreker staan. *De jazzbacil, origineel: The Preacher, 1959.* Hij zette het geluid nog wat harder, ging op zijn hurken zitten en raapte bananenschillen en verfrommelde blaadjes op, leegde zijn handen in de prullenmand, hield die omhoog, deed drie stappen achteruit, hij nam een forse aanloop en schopte hem ditmaal verder weg, naar de muur met het raam.

Hij ging verder.

'Sven, verdorie, snap je zoiets? Lichte psychische stoornis. Hij heeft twee negenjarige meisjes verkracht en kapotgesneden, als dat een lichte psychische stoornis is, Sven, dan moet jij me eens vertellen wat dan in vredesnaam een ernstige psychische stoornis is.'

Het was nog ochtend. Vierentwintig graden. Het zou weer heet worden, tegen de dertig graden, nu al bijna drie weken achtereen. *Augustin, Eurovisie Songfestival, winnaar van de Zweedse voorronde, duur 2.08, 1959.*

Hij hield hem in zijn armen. Trok hem naar zich toe. Ze waren even lang, hij kon makkelijk om hem heen reiken, zijn schouders strelen, zijn nek en wangen, hem zoenen, hij had zachte lippen.

'Ik heb je nodig.'

'Hier ben ik.'

Lennart Oscarsson kuste hem weer, uit warmte en gewoonte die ochtend, hij was zo blij dat ze daar stonden, dat ze elkaar hadden, op deze ellendige ochtend.

'Nils, heb je de deur dichtgedaan?'

'Ja.'

'Bedankt.'

Hij keek Nils aan, zijn collega, zijn geliefde, zijn vreselijke geheim, hij kon nog steeds niet naar hem kijken zonder op hetzelfde moment aan Maria, zijn vrouw, zijn leven, zijn geliefde te denken.

Nils ging op zijn bureaustoel zitten, een leren stoel met armleuningen, hij dwong Lennart met zijn hand mee te komen, bij hem op schoot te gaan zitten, ze hielden elkaar vast.

'Kleed je nu uit.'

'Dat wil ik ook, geloof me, ik wil het met heel mijn lichaam, maar nu niet, het kan nu niet, ik moet erbij zijn, bij die persconferentie, ik moet hun vragen beantwoorden, ik heb geen keus, het is niet anders.'

'We hebben nog tijd genoeg.'

'Nils, ik hou van je. Ik verlang naar je. Maar niet nu.'

Hij was teleurgesteld, dat zag Lennart wel, maar hij dramde niet door, hij wist het immers wel. Voor Nils was het moeilijker, dacht hij. Hij had niemand anders die op hem wachtte, niemand anders om naast te liggen, niemand anders met wie hij rustig kon vrijen. Hij spaarde, verzamelde, droomde alleen voor hem, bij hem was het Nils en Lennart en verder niet, hij had geen geheimen.

Lennart streelde zijn wang en kuste hem op zijn voorhoofd, hij was zo mooi, twee jaar ouder, donker met een beetje grijs en op de een of andere manier trots. Hij kuste hem zoals hij Maria kuste, hij hield van twee mensen.

'Ik moet weg.'

'Zien we elkaar vandaag nog?'

'Na afloop moet ik naar Bertolsson. Die biedt me een lunch aan. Ik weet niet of het een kwestie van dreigen of goedmaken is. We kunnen daarna nog een wandeling maken, naar de watertoren en weer terug?'

'Ik wacht op je.'

Lennart omhelsde hem langer dan waar hij eigenlijk tijd voor had, liet hem langzaam los en stond op.

De zeven meter hoge muur van grijs beton wachtte aan de bosrand, kronkelde over een lengte van anderhalve kilometer langs vijf lage, bakstenen gebouwen.

Buiten tegenover binnen.

De Aspsåsinrichting was een van de twaalf Zweedse gevangenissen in veiligheidscategorie twee. In Kumla, Hall en Tidaholm, veiligheidscategorie één, zaten de moordenaars en de zware drugscriminelen opgesloten. In Aspsås verbleven de kleine criminelen, met gevangenisstraffen van twee tot vier jaar, de draaideurcriminelen. Acht afdelingen, honderdzestig gedetineerden. De meesten drugsverslaafden en beroepscriminelen: een inbraak, wat geld, drugs, nog een inbraak, nog wat geld, weer drugs, een inbraak, de politie, zesentwintig maanden, ontslag, een inbraak, wat geld, drugs, nog een inbraak, nog wat geld, weer drugs, een inbraak, de politie, vierendertig maanden, ontslag, een inbraak.

Hier was het net als elders. Ik tegen jou, jij tegen de bewaarders. Slechts twee regels: je verlinkt niemand en je neukt niemand die dat niet wil.

Aspsås had ook twee afdelingen voor zedendelinquenten. Die neuken anderen die dat niet willen.

Gehaat worden ze. Naar het leven gestaan.

Alsof de collectieve schaamte en zelfverachting van alle gedetineerden ergens naartoe moet – ik kan het niet aan door de maatschappij aan de andere kant van de muur vernederd te worden, dus verneder ik iemand anders die een andere misdaad heeft begaan, ik haal gemakkelijker adem als wij samen bepalen dat iemand anders nog lelijker is, nog meer beschadigd, nog meer een buitenstaander, een oeroude afspraak in gevangenissen over de hele wereld: ik als moordenaar sta hiërarchisch boven jou, want jij bent een verkrachter, ik die iemand het recht op leven heb ontnomen, heb meer waardigheid dan jij, die met je pik een kut hebt opengereten, ik heb gekrenkt, maar ik ben niet zo'n erge misdadiger als jij, die ook hebt gekrenkt.

In Aspsås was de haat misschien wel groter dan in andere penitentiaire inrichtingen. Hier zaten ze bij elkaar in één gebouw, de normale afdelingen en de afdelingen voor zedendelinquenten. Een eenvoudig vonnis van achttien maanden wegens mishandeling werd daarom na een plaatsing in Aspsås een potentieel doodvonnis. Iedereen die hier gezeten had, werd voor zedendelinquent aangezien; wie van Aspsås naar een andere inrichting werd verhuisd, kreeg er flink van langs als zijn papieren niet in orde waren. Iedere nieuwkomer die geen uitspraak kon laten zien, was pleger van een seksueel misdrijf totdat het tegendeel bewezen was.

Afdeling H was een van de acht gewone afdelingen, voor de kleine criminelen: de kleinste dealers, de villa-inbrekers, nogal wat mishandeling, wat fraude, degenen die aan het opklimmen waren in de criminele hiërarchie en die de volgende keer een hogere straf konden verwachten, of degenen die steeds maar weer hetzelfde onbenullige misdrijf begingen, maar die je niet meer tussen de dronken bestuurders kon zetten of tussen degenen die voor het eerst veroordeeld waren voor een licht vergrijp. Een afdeling die eruitzag als alle andere afdelingen in alle andere gevangenissen voor alle andere recidivisten met middellange straffen. Een gesloten, gepantserde deur naar het trappenhuis. Een gang met geel instituutslinoleum. Halfopen cellen aan beide kanten, tien aan de rechter- en tien aan de linkerkant. Een keukentje. Een paar eettafels. Een tv-hoek. Vlak daarnaast het groene laken van een snookertafel. Gedetineerden die langzaam heen en weer lopen, ergens heen bewegen om de tijd te doden, die nooit denken aan de uren die voorbij zijn en de uren die nog komen, die alleen maar in het nu verblijven; ernaar verlangen vrij te komen is je leven verspillen en leven is het enige wat er is als de deur op slot zit.

Stig Lindgren zat in het hoekje bij de tv. De kaarten voor zich op tafel, de tv stond aan zonder geluid, er werd gegeven, hij en vijf andere kaarters zaten op vrouwen en heren te wachten. Stig Lindgren heette hier en in de andere gevangenissen van het land 'Broekie'. Hij had bijna overal gezeten, tweeënveertig veroordelingen, bij elkaar zevenentwintig jaar.

Hij pakte zijn kaarten. Grijnsde. Zijn gouden tand glinsterde.

'Verdomme, heb ik weer alle azen. Jullie spelen als oude wijven.'

De anderen zeiden niets. Keken in hun kaarten. Draaiden ze om.

'Laat me je kaarten niet zien, verdorie.'

Hij was achtenveertig jaar, zag er ouder uit, gerimpeld, afgeleefd. Vijfendertig jaar drugsgebruik, hij had tics in zijn gezicht van de amfetamine, van zijn wang naar zijn oog, dat onregelmatig knipperde. Zijn donkere haar werd steeds dunner. Om zijn hals droeg hij een dikke gouden ketting. Tachtig kilo, gespierd nu, na negentien maanden Aspsås; als hij vrij was en weer een tijdje had gebruikt, ging hij terug naar zestig.

Plotseling stond hij op. Met drukke bewegingen zocht hij de afstandsbediening tussen de kaarten en kranten op tafel.

'Waar is dat klereding?'

'We zijn aan het kaarten, verdorie.'

'Kop houden. Waar is dat ding, de afstandsbediening? Verdorie, Hilding, leg je kaarten neer en ga zoeken!'

Hilding Oldéus legde snel zijn kaarten op tafel, begon nerveus dezelfde kranten om te draaien die Lindgren net opzij had gelegd. Mager, klein van gestalte, schelle stem. Tien straffen in elf jaar. Een grote wond op zijn neus, bij zijn rechterneusgat, een infectie die chronisch geworden was op de plek waar hij onophoudelijk krabde als hij heroïne had genomen.

Hij lag er niet, niet op tafel. Hilding sprong op en begon in het wilde weg op de eettafel en in de vensterbanken te zoeken, terwijl Lindgren de salontafel voor zich aan de kant schoof, tussen de geïrriteerde, maar zwijgende kaarters door stapte, met zijn vingers over de knoppen van het tv-toestel gleed en het volume hand-matig aanpaste.

'Stil, meiden! Hitler is op de buis.'

In de tv-hoek, in de keuken en op de gang staakte iedereen zijn bezigheden, iedereen liep gauw naar Lindgren toe, ging vlak achter hem staan, er was een lunchnieuwsuitzending op het scherm. Iemand floot bewonderend bij een beeldwisseling in het item.

'Stil, zei ik!'

Lennart Oscarsson achter een microfoon. Op de achtergrond de Aspsåsinrichting.

Oscarsson keek benauwd, hij was niet gewend aan de tv-ca-mera, hij had geen ervaring in uitleggen waarom iets waarvoor hij de verantwoording had fout was gelopen.

… hoe kon hij ontsnappen

… zoals ik zei

… van de inrichting wordt toch beweerd dat je er niet uit kunt ontsnappen

… het is hier niet gebeurd

… hoe bedoelt u hier niet

… een bezoek aan de eerste hulp van het Söderziekenhuis onder begeleiding

… hoezo onder begeleiding

… twee van onze meest ervaren bewakers

... twee maar

... twee van onze meest ervaren bewakers en een boei om zijn middel

... wie maakte die afweging

... hij overmeesterde hen allebei

... wie had bepaald dat twee genoeg was

... en ging ervandoor met het busje van de inrichting

Oscarssons gezicht lang close-up in beeld, hij zweette, het zweet parelde van zijn haargrens over zijn voorhoofd, de camera genoot van zijn naaktheid. Televisie was oppervlakkigheid en waan van de dag, maar je voelde het in je maag, zoals nu, hij keek onrustig heen en weer, slikte, hij had cursussen voor leidinggevenden gevolgd, met mediatraining, maar dit was echt en hij dacht te lang na en stotterde te vaak en vergat om het antwoord dat hij ingestudeerd had te herhalen; stel voor jezelf vast wat je wilt zeggen en herhaal dat antwoord, hoe de vraag ook luidt; hij kende de basisregel voor het geven van een interview wel, maar met de camera en de drammerige verslaggever en de microfoon onder zijn neus verdronk die kennis in angst en hij stond in zijn hemd voor alle kijkers van Alvesta tot Gällivare. Hij probeerde te antwoorden, maar zag alleen Nils en Maria maar, beiden voor hun tv. Schaamden ze zich? Begrepen ze het? Hij verlangde naar hun handen over zijn gezicht, langs zijn hals, zijn borst, zijn heup.

'Wat een loser!'

Hildings doordringende stem tastte de stilte aan die Lindgren had uitgevaardigd.

'Hitler zet zichzelf straal voor gek!'

Lindgren deed snel een stap naar voren en sloeg met zijn vuist hard op zijn achterhoofd.

'Kop houden! Snap je het vandaag allemaal niet zo goed? Ik wil het horen!'

Hilding schoof onrustig heen en weer op zijn stoel, hij krabde hard aan de wond op zijn neus, maar hij zei niets. Hij had het tijdens zijn eerste keer zitten al geleerd. Acht maanden voor een overval op een 7-Elevenwinkel in Södermalm in Stockholm, hij was toen zeventien, stoned en in paniek en hij had een jonge caissière met een keukenmes bedreigd, twee briefjes van vijfhonderd uit de kassa gegrist en was toen pal voor de deur van de winkel gaan afrekenen met een kleine dealer. Toen de politie kwam, stond hij er nog steeds. In de gevangenis, waar het leven anders en bedreigend was, had hij de hielen leren likken van degenen die de dienst uitmaakten op de afdeling; onderdanigheid leverde bescherming op en bang zijn kostte hem te veel energie. De hielen van Lindgren had hij al twee keer eerder gelikt, in '98 in de Mariefredinrichting en in '99 in Frituna bij Norrköping; hij was niet erger dan anderen.

Er werd overgeschakeld. Oscarssons getergde ogen bleven nog even hangen, terwijl het beeld al was veranderd. De muur van Aspsås van een afstandje, slowmotion boven de rand van de muur uit naar de hemel en weer terug, clichés in een snel geproduceerd nieuwsitem. Een zakelijke, bijna gortdroge stem verklaarde dat Bernt Lund 's ochtends tijdens een begeleid verlof ontsnapt was, dat hij vier jaar geleden na een serie brute verkrachtingen van minderjarigen, die geculmineerd was in de zogenaamde keldermoord op twee negenjarige meisjes, was gevangengenomen en veroordeeld, dat hij die jaren in isolatie in Kumla had doorgebracht en kortgeleden was overgeplaatst naar een van de speciale afdelingen voor zedendelinquenten in Aspsås om daar zijn straf verder uit te zitten, dat hij als zeer gevaarlijk werd beschouwd en dat de redactie in het belang van de burgers beelden van hem toonde.

Bernt Lund glimlachte. Op de getoonde zwart-witfoto's zat hij gekleed in een overhemd en een broek naar de camera te lachen. Lindgren deed nog een paar stappen naar voren, ging voor de tv staan.

'Verdomme. Verdomme! Dat is die kinderverkrachter die ik gisteren een trap tegen zijn kont heb gegeven in de sportzaal! Verdomme, die klootzak!'

Lindgren schreeuwde, sommigen die dicht bij hem stonden, gingen van schrik gauw een stukje opzij. Ze hadden hem wel eerder over de rooie zien gaan als het over de seksafdeling ging.

'Wat doen ze hier? Waarom moeten ze hier verdorie een afdeling voor verkrachters hebben?'

Hij schreeuwde en hield beelden op afstand. Zo deed hij dat. Telkens weer. Thuis in Svedmyra. Dat ellendige beeld. Zijn oom. Op de begrafenis van zijn vader. Hij was vijf jaar en hij voelde dat Per over zijn rug streek, over zijn achterste.

'Ik snijd hun pik eraf!'

De beelden blokkeerden zijn gedachten, hij moest ze denken, ze zien, ze steeds opnieuw beleven. Per nam hem mee naar de werkkamer van zijn vader. Hij legde zijn hand op zijn mooie broek. Hij trok hem uit, eerst de broek en toen de onderbroek. Toen trok hij zijn eigen broek uit. Hij drukte zich tegen hem aan, met zijn piemel raakte hij zijn achterste aan.

'Bij hen allemaal, stuk voor stuk. Verdomme, Hilding, kom mee, dan snijden we hun pik eraf!'

Hij stond een hele poos te kuchen, verzamelde speeksel, spuugde naar de tv, op het zwart-witte gezicht van Bernt Lund. Hij volgde de klodder spuug, die langzaam over de starre glimlach liep, totdat die van het glas van de tv losraakte en op de grond viel.

De meute ging uiteen. De een naar zijn cel, de ander naar de gang, weer iemand anders pakte de kaarten van de tafel bij de tv. Lindgren ging weer zitten, op dezelfde stoel, wuifde afwerend toen Hilding hem de kaarten wilde geven. Het was alsof de beelden weigerden, ze stribbelden tegen, hij schreeuwde en hij concentreerde zich en hij sloeg hard met zijn handen op zijn dijen terwijl het ene beeld na het andere de plaats innam waar hij geen zeggenschap over had. Per weer. In hun zomerhuisje in Blekinge. De grote handen deden hetzelfde als de vorige keer en er kwam een heleboel bloed uit zijn achterste. Hij verstopte zijn onderbroek voor zijn moeder. Ze keek nooit in de kast van het schuurtje.

'Broekie, verdorie, natuurlijk moet je meedoen.'

'Hou op. Doe het maar zonder mij.'

'Trek je maar niets meer van Hitler aan.'

'Trek jij je maar niets meer van mij aan. Anders krijg je nog een dreun.'

De beelden. Hij was dertien. Hij was zo high als het maar kon van preludine en bier. Hij had Larren bij zich, die groot was en nooit bang. Ze liftten naar Blekinge en stapten het huisje binnen. Laila stond in de keuken af te wassen en Per zat in de woonkamer. Ze begrepen niet wat er gebeurde, nog niet eens toen Larren Per voor hem vasthield en hij Pers scrotum met een ijspriem doorboorde.

'Full house!'

'Hoezo full house?'

'Achten en zessen.'

'Dat is helemaal geen full house.'

'Natuurlijk is dat full house. Broekie, leg het die sukkel uit.'

'Ik doe niet mee. Dat zei ik toch? Jullie zoeken het zelf maar uit.'

Gerammel van sleutels. Twee bewaarders aan de andere kant van de afdelingsdeur.

Lindgren keek hun kant op. Ze hadden iemand bij zich. Een nieuwe. Vast de opvolger van Bojan, diens cel stond leeg, hij was gisterochtend inderhaast naar Hall overgeplaatst, het had er slecht voor hem uitgezien en iemand had de bewaarders en de leiding getipt, die meteen actie ondernomen hadden, geen bloed op deze afdeling, even een poosje niet.

De nieuwkomer was een grote kerel. Kale kop, diepbruin, een solariumnicht. Lindgren slaakte een zucht en volgde hem met zijn blik toen hij door de deur kwam met de bewaarders naast zich, alsof hij op zijn hoede was. Ze liepen langs de tafel in de tv-hoek, nu ontdekten ook Hilding en de drie andere kaarters hen, ze draaiden zich om. De nieuwkomer staarde voor zich uit, zei niets, zag niets. De bewaarders brachten hem naar zijn cel, de oude cel van Bojan, hij ging naar binnen en liet de deur wijd openstaan.

'Wat was dat voor een figuur?'

Lindgren wees de kant van de nieuwkomer op. Hilding haalde diep adem, leek na te denken, te zoeken tussen herinneringen aan eerdere gevangenisverblijven.

'Ik weet het niet. Ik heb hem nog nooit gezien. Jullie wel?'

Dragan schudde zijn hoofd. Skåne haalde zijn schouders op. Bekir pakte twee kaarten van tafel.

'Laat hem. Laten we doorgaan, ik heb goede kaarten!'

Lindgren hield zijn blik op de celdeur van de nieuwkomer gericht. Hij wachtte. Dat deed hij altijd, hij wachtte totdat ze kwamen en dan gaf hij uitleg.

Een uur en twintig minuten. Toen kwam hij naar buiten.

'Hé, kom es hier!'

Lindgren wenkte bevelend met zijn ene hand. De nieuwe hoorde hem wel, maar hij keek recht voor zich uit en deed net of hij de dwingende stem aan het eind van de gang niet hoorde. Hij liep langzaam, bijna demonstratief naar de keuken, dronk water uit de kraan, zijn grote, gladde hoofd onder de waterstraal.

'Jij daar, kom hier!'

Lindgren was geïrriteerd. Dit was zíjn afdeling. Hij bepaalde wanneer iemand hem antwoord moest geven of niet. Deze kaalkop snapte er niets van.

'Hier!'

Lindgren wees op de vloer voor zich. Hij wachtte. De nieuwe bleef doodstil staan.

'Nu!'

Hij snapte het niet. De nieuwe snapte het niet. Hilding voelde de stilte. Hij gluurde ongerust naar Lindgren. Hij pakte de kaarten, gaf met een opgestoken vinger aan dat de anderen moesten afwachten. Dragan, Skåne en Bekir hadden het al begrepen, dit werd vechten en zij deden er niet aan mee, ze zaten op de eerste rang en hoopten in de tastbare stilte op een voorstelling.

De nieuwe bewoog. In de richting van Lindgren. Ze joegen op elkaar. Hij liep naar het stukje vloer waarnaar Lindgren had gewezen, hij liep er voorbij, liep door tot er nog tien centimeter ruimte tussen hen in was.

Lindgren had zijn ogen nog nooit neergeslagen. Dat was hij nu ook niet van plan. De nieuwe was langer dan hij. Zo'n een meter vijfentachtig. Hij had een enorm litteken van zijn linkeroor tot aan zijn mond, van een mes leek het wel, misschien een scheermes, hij had wel eerder littekens van scheermessen gezien, die waren scherp en diep, net als dit.

'Ze noemen me hier Broekie.'

'Nou en?'

'We stellen ons hier altijd voor.'

'Daar heb ik schijt aan.'

De beelden van Per en Larren en het hevig bloedende scrotum, van tante Laila die schreeuwend bij het aanrecht stond en van hemzelf terwijl hij rondrende met de ijspriem en vroeg of er verder nog iets moest gebeuren, of hij hem nog ergens anders in gestoken wilde hebben. Per huilde. Toen hij een gebaar maakte naar zijn ogen, liet Larren zijn greep op Per verslappen; niet zijn ogen, daar lag voor Larren de grens.

Lindgren trilde. Hij probeerde het te verbergen, maar iedereen zag het, hij trilde en weifelde en spuugde, ditmaal op de vloer.

'Waar kom je vandaan?'

De nieuwe geeuwde. Twee keer.

'Uit het huis van bewaring.'

'Dat snap ik godsamme ook wel, dat je uit het huis van bewaring komt, praatjesmaker. Heb je je papieren bij je?'

Drie keer.

'Pikkie, zei je toch? Je weet heel goed dat ik mijn vonnis niet mee krijg naar de afdeling.'

Lindgren wiegde heen en weer, zijn gewicht op zijn rechterbeen, zijn gewicht op zijn linkerbeen. Per was al lang dood, scrotumloos gestorven, en de ijspriem was in beslag genomen en had tot aan de tuchtschool als corpus delicti gediend.

'Het zal me aan mijn reet roesten of je je vonnis mee mag nemen of niet! Ik wil weten wat je gedaan hebt, ik wil hier geen kinderverkrachters of matennaaiers hebben!'

Raar, hoe krap een ruimte kan worden, hoe letters die woorden worden, die boodschappen worden, op de muren afketsen, hoe ze alle plaats innemen, alle energie absorberen, alsof er niets anders is, ademhaling, stilte en afwachting op één hoop.

De nieuwe kon eigenlijk niet dichterbij komen, maar deed dat toch. Hij siste, druppeltjes speeksel tussen hen in.

'Zoek je moeilijkheden, mietje?'

Iémand moest uitwijken, naar de vloer kijken of nergens naar. Ze bleven staan.

'Je moet één ding heel goed begrijpen, Pikkie. Niemand, en dan bedoel ik niemand, noemt mij matennaaier of kinderverkrachter. En als een geflipte rukker van een junk dat wel doet, kan het heel slecht aflopen.'

De nieuwe prikte Lindgren met een uitgestoken middelvinger in zijn borst. Hij deed dat een paar keer achterelkaar, hard. Hij siste nog steeds en herhaalde zijn vraag in het gevangenis-Romani: *'Honkar di rotepa, buråbeng?'*

Hij prikte Lindgren nog een keer in zijn borst en draaide zich toen om, liep weer naar zijn cel een stukje verderop, die met de wijd openstaande deur.

Lindgren bleef doodstil staan. Hij volgde hem, blanco, hij zag hem achter de deur verdwijnen en daarna keek hij naar Hilding en vervolgens naar de anderen. Hij riep naar een uitgestorven gang.

'Verdomme. Verdomme!'

Niemand. Een open deur en een middelvinger die in zijn borst prikte. Lindgren riep weer.

'Shit, spreek je Romani, *tjavon?*'

L ennart zag hem onder de toren aan de oostkant van de muur
staan. Daar ontmoetten ze elkaar altijd, in de lunchpauze, of
's middags na de overdracht. Nils had zijn jasje uitgedaan, hield
dat over zijn schouder, hij zag er jong uit, een jongen die op zijn
geliefde wachtte.

Lennart kwam dichterbij, kon hem een paar seconden gade-
slaan voordat hij zelf werd ontdekt. Nils keek de verkeerde kant
uit, naar de kant van de muur waar Lennart anders altijd vandaan
kwam. Vandaag had hij met Bertolsson in het dorp geluncht. Ze
hadden bij Gästgivaregården gegeten, aan het plein, runderfilet
met gekookte aardappelen en verse sperzieboontjes. Bertolsson
had hem daarna op de landweg uit laten stappen, Lennart had
gezegd dat hij het laatste stukje terug wilde lopen, hij moest even
alleen zijn, moest proberen te begrijpen wat er gebeurd was,
microfoons en pennen en een camera voor zijn neus. Hij was
tijdens een paar lunchminuten binnen geweest in iedere huiskamer, waar kant-en-klare opvattingen heersten over hoe het er in
het gevangeniswezen eigenlijk aan toe hoorde te gaan.

Het waaide nog steeds.

Dat was voor het eerst in drieënhalve week. Heet, windstil, een
eeuwigdurend hogedrukgebied boven Scandinavië, waarvan de
mensen bezweet en prikkelbaar werden, altijd wel iets wat jeukte,
altijd wel iemand die in de weg stond.

Nils glimlachte. Hij zag Lennart aankomen en kon niet stil
blijven staan, hij kwam hem langzaam tegemoet, liet hem niet los,
een kus op zijn voorhoofd en een hand tegen zijn wang.

'Heb je het gezien?'

'Ik heb het gezien.'

Ze liepen over het gras, een eindje van elkaar. Zeventig meter
naar de bosrand. Ter hoogte van de eerste spar zochten ze elkaars
hand, hielden die tijdens het lopen stevig vast.

'Het is allemaal de schuld van het gevangeniswezen.'

'Zit het niet te herkauwen.'

'Resocialisatie. Medicijnen. Groepstherapie, individuele therapie.'

'Het gaat er niet om wat jij hebt gedaan of wat het gevangeniswezen heeft gedaan. Het was een tv-show, een vorm van entertainment. Richt de camera op de zondebok en kleed hem uit, laat hem staan zweten en stotteren en schichtig kijken en dan maakt de redactie een wave en thuis op de bank kunnen ze om iemand anders lachen, ze kunnen hun eigen ellende vergeten en die domme, lelijke sukkel van een ambtenaar uitlachen, die nergens verstand van heeft. Laat ze! Het gaat niet om de inhoud. Het gaat erom iemand voor gek te zetten en punten te scoren.'

'Nils, begrijp je het niet? Bernt Lund heeft alles gehad wat er te krijgen is en hij grijpt de eerste de beste gelegenheid aan, hij slaat twee bewakers neer en holt een stad binnen om op dode kleine meisjes te gaan masturberen.'

Ze merkten niets meer van de wind. Het bos was dicht en werd niet onderhouden, oude dennen en sparren, ze volgden het pad naar de watertoren, tweeënhalve kilometer heen en terug. Dat kostte een halfuur, dan konden ze nog hoogstens een halfuur achter het huisje naast de watertoren blijven zitten, een plaats waar ze al vaker gevrijd hadden. Daar kwam bijna nooit iemand en als er wel iemand kwam, konden ze die op tijd zien aankomen, je kon maar van één kant komen, het ondoordringbare bos vormde ook weer een muur.

Nils pakte Lennarts hand steviger vast, trok hem naar het huisje toe.

'Kom.'

'Sorry, maar het gaat niet. Ik weet dat ik eerst wat anders zei, maar het gaat niet. Ik wil met je praten. Alleen praten. Ik moet van die verdomde camera af. Jij bent zo verstandig, Nils. Help me. Praat met me. Leg het me uit.'

Nils streelde hem over zijn slaap, zijn haar.

'Schat van me.'

Lennart deed zijn ogen dicht. Nils ademde tegen hem aan terwijl hij praatte.

'Weet je, ergens houdt het op. Dat weet ik. Bert Lund is zo iemand die je niet kunt begrijpen. Hij is gevaarlijk voor ons. Hij is gevaarlijk voor zichzelf. Soms kun je je niet tegen iemand wapenen. Dat is een gegeven. De mens is het enige zoogdier dat zichzelf vernietigt. Een mens kan een medemens haten of vermoorden, een mens kan het voortbestaan van de eigen soort op het spel zetten, geen enkele andere diersoort is zo zelfdestructief. Zo is het en dat zul je toch nooit begrijpen.'

Ze omhelsden elkaar. In de verte kwam er iemand aan, gevangen in de muur van dichte naaldgroei en gedwongen hun kant op te komen, hij zou zonder iets te zien het huisje voorbij lopen, zoals iedereen altijd deed. Lennart hield Nils vast, voelde plotseling verlangen, hij voelde een hevige passie in zijn omarming, hij verlangde naar Maria, naar haar lichaam, hij zag haar dijen, haar schoot, hij zocht haar, miste haar.

Ze hielden samen het zilverpapier vast, haastige vingers die elkaar in de weg zaten.

Er zat een plat, bruin, vierkant blokje in.

Ze hadden Turkse hasj besteld. Die gaf de beste kicks, daar werd je hartstikke high van. Ze probeerden door Aspsås en afdeling H te vliegen, en door de uren van wachten. Ze probeerden ze door te komen.

Ze hadden besteld bij de Griek, hij had geleverd en ze hadden de helft betaald. Ze hadden nu meer schuld dan gezond was. Ze hadden genoegen moeten nemen met geperste Marokkaanse hasj of gele libanon, maar Hilding had gezeurd, gesmeekt en geslijmd en Lindgren had toegegeven, ze hadden een bestelling voor Turkse hasj geplaatst en drie dagen gewacht. Nu glimlachten ze naar de stukjes, die begonnen te glinsteren toen ze het klompje hasj tegen de lamp van de doucheruimte hielden.

'Zie je het glas?'

'Natuurlijk zie ik dat.'

'Lijkt goed spul.'

'Dat Turkse spul is altijd goed.'

Hilding haalde een aansteker uit zijn zak en gaf hem aan Lindgren. Die zei niets, hij liet een vlam opkomen, warmde het zilverpapier aan de onderkant op. Een minuut was meestal genoeg. Het platte, bruine vierkantje werd een zachte massa die hij brak en vormde met zijn vingertoppen. Hilding had de tabak in zijn andere zak, ze mengden altijd één deel hasj met drie delen tabak.

'Ruikt goed.'

'Potverdomme, Broekie.'

Hilding ging op zijn tenen staan, duwde met zijn handen tegen de plafondplaat het dichtst bij de lamp. Een paar seconden, hij gaf gemakkelijk mee, hij stak één hand naar binnen en viste een maïspijp op. Lindgren maakte het mengsel klaar, stopte de pijp, stak hem aan, trok eraan om hem aan de gang te krijgen, nog een trekje, gaf hem toen aan Hilding, die niet kon wachten om hem aan zijn mond te zetten.

Ze namen steeds twee trekjes, gaven de pijp door, namen weer twee trekjes. Het was stil in de doucheruimte, een paar kranen drupten, een van de lampen aan het plafond flikkerde, drup blikker, drup blikker, drup blikker, het was goeie hasj, beter nog dan de vorige keer.

'Verdomme, Wilde Hilding, verdomme.'

Lindgren nam weer twee trekjes, stak de pijp naar hem uit. Hij giechelde.

'Weet je, Wilde, we staan hier in een douche prima waar te roken en we denken er niet bij na dat dit absoluut de beste plek is wanneer je een kinderverkrachter wilt lozen.'

Lindgren giechelde nog steeds. Hilding keek hem verwonderd aan.

'Waar heb je het over?'

'Het komt niet eens bij ons op.'

'Heb je het over deze kleredouche? Wat is daarmee? We hebben hier genoeg verkrachters en matennaaiers een lesje geleerd. Hoe nieuw is dat nou helemaal? In Amerikaanse gevangenissen rammen ze tussen de wastafels de vuist in elkaars aars.'

Lindgren bleef maar giechelen. Zo werkte de Turkse hasj, eerst werd hij giechelig en dan werd hij zo geil als boter en als ze een tijdje gerookt hadden, werd hij weer bang voor de beelden, dan kwamen Per en zijn piemel en zocht hij naar ijspriemen en een bloedend scrotum.

Hij inhaleerde diep, met de pijp in zijn hand, die bleef hij vasthouden om Hilding te jennen en hij gaf tegelijkertijd een klopje tegen zijn hoofd.

'Je snapt er niets van Wilde, hier wordt niet meer geslagen, hier gaat meer gebeuren.'

Hilding stak zijn hand uit naar de pijp, Lindgren trok hem terug, hield hem koppig vast.

'Snap het dan! De volgende keer dat we een kinderverkrachter op de afdeling krijgen, wachten we de ellendeling op, we wachten totdat hij in de douche is. Als hij eronder staat, dan zet je het hele circus op de luchtplaats in werking, zodat alle bewaarders daarheen gaan.'

Hilding luisterde niet. Hij zocht de pijp, reikte er weer naar met zijn hand.

'Verdorie, nu ben ik aan de beurt.'

Lindgren giechelde, gooide de maïspijp in de lucht, tegen het plafond, ving hem weer op. Hij gaf hem aan Hilding, die twee forse trekken nam.

'Snap het dan, zei ik. Dan hebben we hem in de douche. Dan ga ik of gaat Skåne naar binnen en dan slaan we die kerel op zijn donder tot hij er dood bij neervalt. Dan komt de slacht. We snijden de klootzak in heel kleine stukjes en slaan alle botten die overblijven stuk. De hele pot hier tillen we op en we stoppen het slachtafval in de buis in de vloer. Dan zetten we het porselein weer terug en spoelen een paar keer door. Dan nog even met de handdouche het bloed wegspoelen.'

Hilding was vergeten om te roken, om de pijp weer terug te geven. Hij zag er aangedaan uit; zijn gezicht, anders altijd ontdaan van gevoelens, diffuus, alsof hij een masker ophad met altijd dezelfde starre gelaatsuitdrukking, ging heen en weer tussen afschuw en verrukking, hij kende Lindgrens haat en het was een trip om samen met hem te haten, maar Lindgren was ook iemand die op de rand balanceerde en hij wist nog hoe het eruitgezien had toen hij die kerel in de sportzaal in elkaar geslagen had met gewichten en halters, totdat hij niet meer bewoog.

'Verdorie, Broekie, je maakt een gebbetje.'

Lindgren rukte de pijp naar zich toe. Hilding was er nog niet toe gekomen hem uit handen te geven, hij was tevreden als hij rookte.

'Ik maak geen gebbetje. Waarom zou ik? Ik wil het uitproberen. De eerste de beste kinderverkrachter die hier komt, daar wil ik het op uitproberen. Ik wil zien of het werkt. Ik wil weer eens weten hoe het voelt om met een ijspriem te steken en die om te draaien.'

Lennart Oscarsson had haast. Hij was veel te lang bij het huisje naast de watertoren gebleven, hij had moeilijk weg kunnen komen, Nils wilde hem niet loslaten en hij wilde niet losgelaten worden. Hij liep langs de bewaking, die verrekte Bergh weer – hadden ze niemand anders? –, snel naar afdeling A, met twintig gedetineerden die allemaal waren veroordeeld wegens zware zedendelicten, die niet op gewone afdelingen opgesloten konden worden, die haat- en wraakgevoelens opriepen en onder in de pikorde werden ingedeeld. Geef hun maar op hun donder, dan hoef ik mijzelf niet op mijn donder te geven.

Bergh wuifde en stak zijn duim omhoog. Lennart kon niet uitmaken of het ironie was of dat die stomme sukkel niet had begrepen dat hij echt een paar minuten voor paal had gestaan op tv.

Hij nam niet de moeite om erop te reageren.

Hij haastte zich door de eerste gang, besloot halverwege het trappenhuis aan zijn rechterhand in te gaan, naar boven te gaan, dwars door afdeling H heen, dat zou hem een minuut en een heleboel stappen uitsparen.

Hij liep met twee treden tegelijk de trap op en dacht aan Maria en de leugen die hij de volgende dag op haar ontbijtbordje zou moeten leggen, aan Nils die hem elke keer na het vrijen vroeg de banden met haar te verbreken en met hem verder te gaan, aan Åke Andersson en Ulrik Berntfors, met wie hij zoveel jaren had gewerkt en die om de een of andere reden de achterdeur van de bus opengemaakt hadden en een van de gevaarlijkste mensen van het land hadden losgelaten, aan Bernt Lund, die vrij rondliep en naar negenjarige meisjes zocht en hunkerde en zijn keuze bepaalde, aan de persconferentie waar hij zich jaren op had voorbereid en die zijn springplank had moeten worden, maar in een verkrachting was ontaard.

Niemand had zijn geslacht aangeraakt, maar een camera en een microfoon hadden hem gekrenkt zoals een aanrander iemand krenkt.

Hij was er zelf bij geweest. Door het zo voor te stellen dat hij er zelf aan had meegedaan, kon hij zichzelf laten geloven dat hij niet helemaal aan iemand anders was overgeleverd. Het had even geduurd voordat het tot hem doordrong dat iemand hem voor zijn eigen doeleinden had gebruikt.

Hij dacht aan de paar uren die voorbij waren gegaan sinds hij vanochtend wakker was geworden.

Dacht na over het leven, dat zo verdraaid omstandig was.

Soms had hij het idee dat hij het niet meer kon bijhouden. Hij werd van de middelbare leeftijd naar de ouderdom gejaagd en hij kon het tempo niet bijbenen. Er was geen tijd voor reflectie, de gebeurtenissen volgen elkaar op en vaak wilde hij gewoon zijn ogen dichtdoen, hij wilde zijn ogen sluiten en er gerust op zijn dat alles voorbij was, dat iemand anders de beslissing had genomen en dat alles klaar was, net als toen hij klein was. Toen was hij met zijn ogen dicht op de vloer gaan zitten, terwijl vader en moeder in huis aan het werk waren en als hij zijn ogen weer opendeed waren ze altijd klaar; er was iets gebeurd in de tijd dat hij stil had gezeten en had geweigerd om mee te doen, iemand anders had de leiding gehad en beslissingen genomen en hij had alleen maar even zijn ogen dicht hoeven doen en toen was het voorbij.

Hij ontgrendelde de deur van afdeling H. Hij wist dat zowel collega's als gedetineerden er een hekel aan hadden, geen onnodig geloop, maar het was een kortere route en hij had haast. Hij groette een bewaarder van wie hij zich de naam niet herinnerde, knikte naar enkele gedetineerden, die in de hoek bij de tv zaten te kaarten. Hij liep voor de deur van de doucheruimte langs en het scheelde maar tien centimeter of hij was recht tegen Lindgren en zijn lakei aangelopen. Ze waren knetterstoned. Hun starende ogen, hun wapperende bewegingen, uit de douches kwam zelfs de geur van hasj. De lakei mompelde 'hallo Hitler' en 'Broekie' Lindgren giechelde en wilde hem de hand drukken, hem feliciteren met zijn tv-optreden. Lennart Oscarsson deed net of hij de uitgestoken hand niet zag, hij wist net zo goed als het overige personeel dat Lindgren een van zijn gedetineerden in de sportzaal had doodgeslagen, hij wist het, maar niemand had iets gezien of gehoord en zonder bewijzen kwamen ze nergens, zelfs in de bajes niet.

Door de volgende gesloten deur, de trap af, de binnenplaats over naar het volgende gebouw, twee trappen op, afdelingen A en B, de seksafdelingen, zijn domein.

Ze zaten op hem te wachten. Op een rij in de vergaderzaal.

'Sorry. Ik ben laat. Veel te laat. Wat een gedoe vandaag.'

Ze glimlachten, ze wilden waarschijnlijk laten blijken dat ze meeleefden, ze hadden natuurlijk ook tv-gekeken, het toestel in de tussenkamer had nog aangestaan toen hij er net langs liep. Vijf nieuwe tijdelijke medewerkers, vijf personen die een verkorte opleiding hadden gevolgd en die vanaf morgen geïntroduceerd zouden worden op afdelingen met pedofielen en verkrachters. Ze zaten met hun pen en schrijfblok aan de ovale tafel en dit was de eerste dag van hun nieuwe leven.

'Kinderverkrachters.'

Daar begon hij altijd mee. Hij trok de dop van een groene viltstift af, die rook sterk, hij schreef met blokletters op een glanzend whiteboard.

KINDERVERKRACHTERS.

De vijf zeiden niets. Ze prutsten aan hun pen, wogen voors en tegens, moet ik dit opschrijven? Is het goed om aantekeningen te maken of sta ik dan voor gek? Ze wisten het niet, ze waren hier nog maar net en hij hielp hen niet, hij praatte verder en schreef zo nu en dan iets op het bord, een steekwoord, een getal.

'Ze wonen hier. Zo'n twee tot tien jaar, afhankelijk van de ernst van hun vergrijp, van hoe ziek ze zijn.'

Nog steeds stilte. Het zwijgen duurde langer dan gewoonlijk.

'Vijfenvijftigduizend vonnissen het afgelopen jaar in strafzaken in dit luizige landje. Ik begrijp niet hoe we dat bij kunnen houden. Daarvan waren vijfhonderdzevenenveertig zedendelicten. Minder dan de helft ervan kreeg uiteindelijk een gevangenisstraf opgelegd.'

Enkelen maakten aantekeningen. Getallen waren gemakkelijker. Statistiek vereiste geen afweging.

'Als we weten dat er op ieder willekeurig moment ongeveer vijfduizend personen in Zweedse gevangenissen zitten, dan zouden tweehonderdtwaalf zedendelinquenten geen probleem moeten opleveren. Zou je zeggen, toch? Vier procent. Eén op de vijfentwintig. Maar dat doen ze wel. Ze zijn een probleem. Ze zijn een risico. Ze zijn haat. Daarom hebben ze eigen afdelingen. Hier ook. Maar soms, soms is er gewoon geen plaats. Dan staan ze op de wachtlijst, dan moeten we ze een tijdje stiekem op een gewone afdeling plaatsen. Als en wanneer andere gedetineerden – zoals hier op Aspsås – erachter komen dat er om de een of andere reden een kinderverkrachter bij hen op de afdeling zit, dan breekt de

79

pleuris uit. Ze slaan hem tot gort als wij niet tussenbeide komen.'

Een man van een jaar of veertig, omgeschoold van het een of ander, stak zijn hand op alsof hij in de klas zat.

'Kinderverkrachters? Dat zei je en dat woord heb je ook opgeschreven.'

'Ja?'

'Is het belangrijk?'

'Dat weet ik niet. Dat zijn het. Jij gaat hen over twee dagen ook zo noemen, omdat het een goede omschrijving is. Want dat doen ze immers: kinderen verkrachten.'

Lennart wachtte. Hij wist wat er ging komen. Hij vroeg zich af wie van hen zou beginnen. Hij hield het op een jonge vrouw die vooraan zat. Zij had er het uiterlijk voor. De jongsten waren degenen die het langst te gaan hadden, die nog geloofden dat er verandering mogelijk was. Ze hadden nog niet de ervaring opgedaan met de tijd, dat die leven en kracht nam in ruil voor ervaring en aanpassing.

Hij kreeg geen gelijk. Het was weer de man die omgeschoold was van iets.

'Waarom zo cynisch? Wat geeft je het recht om dat te zijn?'

Hij zat zich op te winden.

'Ik begrijp het niet. Tijdens de opleiding heb ik geleerd wat ik eerder al wist. Dat mensen geen objecten zijn. Dat jij, als mijn toekomstige chef, zo'n instelling hebt, vind ik beangstigend.'

Lennart zuchtte. Hij had verscheidene keren aan deze voorstelling meegewerkt. Hij kwam ze vaak later wel tegen, een aantal jaren ouder en in een andere gevangenis, als ze opgeklommen waren en een andere beroepsrol aangenomen hadden, dan maakten ze grapjes en haalden herinneringen op en verdedigden samen de gedachtewisseling als de oningeloste ambities van een beginner.

'Jij mag vinden wat je wilt. Dat is je goed recht. Noem mij maar cynisch, als je daar wat aan hebt. Maar geef eerst hier eens antwoord op: ben jij naar de vieze afdeling van de Aspsåsinrichting

80

gekomen om van kinderverkrachters mensen te maken? Omdat het je droom is hen te bekeren?'

De man die de volgende dag zijn dienst op afdeling A zou beginnen, liet zijn hand langzaam zakken, hij zei niets.

'Ik hoorde het niet. Is dat het geval?'

'Nee.'

'Waarom dan?'

'Ik ben hiernaartoe gestuurd.'

Lennart probeerde niet te laten merken hoezeer hij hiermee ingenomen was. Hij wist immers al hoe de voorstelling afliep, dit was zijn hoofdrol. Hij keek hen lang zwijgend aan, alle vijf, een voor een. De een schoof heen en weer, een ander bleef ijverig getallen overnemen in zijn opschrijfboekje.

'Nu eerlijk. Heeft iemand van jullie vrijwillig gesolliciteerd naar de vieze afdeling van de Aspsåsinrichting?'

Hij wist het antwoord al. Hij was in zeventien jaar Aspsås nog nooit één collega tegengekomen die droomde van een carrière bij de pedofielen op de afdelingen A en B. Je werd hiernaartoe gecommandeerd. Je solliciteerde om hier weer weg te komen. Hij was zelf hoofd geworden. Een beter salaris en de hoop om de hogere functie te kunnen gebruiken om door te stoten naar een volgende leidinggevende functie elders. Hij liep langzaam achter de vijf langs door de vergaderzaal. Hij liet de laatste vraag in de lucht hangen, zo konden ze het proberen te begrijpen en een eigen antwoord formuleren, dan alleen zouden ze hun eigen positie in de komende maanden kunnen vinden en accepteren. Hij bleef voor het raam staan, met zijn rug naar zijn cursisten toe. De zon stond hoog, het had een hele tijd niet geregend, er waaide stof op als de gedetineerden over de luchtplaats liepen. Sommigen waren aan het voetballen, sommigen jogden langs het prikkeldraad. In de ene hoek wandelden er twee langzaam en schokkerig heen en weer, hij herkende Lindgren en zijn lakei, ze waren nog steeds high van de hasj.

M icaela was vroeg weggegaan, waarschijnlijk toen hij sliep. Nacht na nacht hetzelfde ritueel: terwijl de stad achter het raam wakker werd en nadat hij de eerste krantenjongens en de vroegste vrachtauto's had geïdentificeerd, viel hij tegen halfzes eindelijk in slaap. Uren vol gedachten verdrongen zich in een uitgeput lichaam en ten slotte hield de rusteloosheid geen stand meer, hij viel in slaap en droomde in een leegte tot ver in de ochtend.

Fredrik had diffuse beelden van de ochtend, Micaela die naakt op hem gaat liggen, hij begrijpt het niet en zij fluistert 'dooie pier' en kust hem lichtjes op zijn wang, gaat naar de badkamer om te douchen. Maries kamer lag aan de andere kant van de badkuip en zij werd altijd wakker als Micaela ging douchen, een knarsend geluid dat het water langs de buizen stuurde. David was er vanochtend ook en Micaela had ontbijt voor zichzelf en de beide kinderen klaargemaakt. Hij was in bed blijven liggen, aangezien zijn benen geweigerd hadden op te staan om hen gezelschap te houden, hij was de leegte en de droom weer binnengegleden en was pas na elven opgestaan, toen Marie een nieuwe videofilm had gestart met tekenfilmfiguren die schreeuwden met overslaande stem.

Hij moest 's nachts slapen.

Het kon zo niet langer.

Het kon niet.

Hij werkte niet en hij nam geen deel aan het leven van andere mensen.

De ochtend was de tijd van de dag geweest waarop hij het meest schreef, van acht uur 's ochtends tot vlak na de lunch, maar hij had geen ochtenden meer, hij had niet eens tijd om van Strängnäs naar zijn schrijvershut op Arnö te rijden, iedere ochtend en middag een kwartiertje met de auto. Marie had geleerd zich gedurende de ochtenduren zelf te vermaken en Micaela, die godzijdank op dezelfde crèche werkte waar Marie ook ingeschreven stond, zorgde er dagelijks voor dat de rest van het personeel niet moeilijk deed als een van de kinderen pas tegen lunchtijd opdook.

Hij schaamde zich.

Hij voelde zich net een alcoholist die de avond tevoren de drank had afgezworen maar de volgende ochtend wakker wordt met een kater, hij was moe en had hoofdpijn en het benauwde hem de dag weer te moeten beginnen met het voornemen om het de volgende dag beter te doen.

'Hallo.'

Zijn dochtertje stond voor hem. Hij tilde haar op.

'Hallo, lief meisje van me. Krijg ik een kus?'

Marie duwde een natte mond tegen zijn wang.

'David is weggegaan.'

'O ja?'

'Zijn vader is hem komen halen.'

Ze kennen me toch, dacht hij. Ze weten dat ik mijn verant-woordelijkheid ken. Dat weten ze. Hij schudde het gevoel van onbehagen van zich af en zette Marie op de grond neer.

'Heb je al gegeten?'

'Micaela heeft ons ontbijt gegeven.'

'Dat is al een hele tijd geleden. Wil je nog iets?'

'Ik wil op de crèche eten.'

Het was kwart over een. Hoe lang was de crèche nog open? Kon ze daar nog wel lunchen? Aankleden duurde tien minuten en het was vijf minuten rijden met de auto. Halftwee. Om halftwee konden ze er zijn.

'Oké. We kleden ons aan. Je kunt op de crèche eten.'

Fredrik haalde een spijkerbroek uit de kast, er lag een wit overhemd op zijn stoel. Het was warm buiten, maar hij droeg niet graag een korte broek. Hij zag er mallotig uit met zijn witte benen. Marie holde door de hal met een T-shirt en een korte broek in haar hand, hij stak zijn duim omhoog en hij hielp haar met het omkeren van het shirt, dat binnenstebuiten zat.

'Mooi. Welke schoenen?'

'De rode.'

'Goed, de rode.'

Hij tilde haar voeten een voor een op, maakte twee druk-knopen dicht die aan een soort decoratieve metalen gesp zaten. Klaar waren ze.

De telefoon.

'De telefoon gaat, papa.'

'Daar hebben we geen tijd voor.'

'Jawel hoor.'

Marie rende naar de keuken, met haar schoenen aan kon ze precies bij de telefoon, die aan de muur naast de koelkast hing. Ze zei 'hallo' en begon te stralen: iemand die ze graag mocht. Ze fluisterde tegen Fredrik: 'Het is mama.'

Hij knikte. Marie vertelde van de Grote Boze Wolf die haar gisteren achterna had gezeten en waarvan de biggetjes hadden gewonnen en van de Alfonsfles die opgegaan was en dat zij toen wist dat er nog twee van die flessen op de onderste plank van het badkamerkastje stonden. Ze lachte en ze gaf een zoen in de hoorn en gaf die aan hem.

'Voor jou, papa. Mama wil je spreken.'

Hij was nog steeds niet wakker. Hij stond rechtop en hield de hoorn vast, maar zijn lichaam vond het moeilijk de stemmen van de twee vrouwen uit elkaar te houden: van de vrouw in de hoorn, die Agnes heette, die hij meer dan enig ander begeerd had en die hem had gevraagd weg te gaan, en van de vrouw die een paar uur geleden naakt op hem was komen liggen, die Micaela heette, zestien jaar jonger was en net was weggegaan. Hij voelde Micaela's naaktheid en hij hoorde Agnes' stem in de hoorn en hij bevond zich in heden en verleden tegelijk, hij werd duizelig en kreeg ademnood en een forse erectie. Hij draaide zich om, Marie mocht het niet zien.

'Ja?'

'Wanneer komen jullie?'

'Komen?'

'Marie is vandaag bij mij.'

'Nee.'

'Hoezo "nee"?'

'Ze gaat maandag naar jou. We hebben toch geruild?'

'We hebben helemaal niet geruild.'

Hij was te moe. Nu niet. Vandaag niet.

'Agnes, ik heb hier geen puf voor. Ik ben moe, ik heb haast en Marie staat naast me, ik ga geen ruzie maken waar zij bij staat.'

Hij gaf de hoorn weer aan Marie en draaide toen zijn handen om elkaar heen, hun gezamenlijke teken dat ze moesten opschieten.

'Mama, ik heb geen tijd meer, we moeten naar de crèche.'

Agnes was verstandig genoeg om haar ongenoegen niet op Marie af te reageren. Dat deed ze nooit. Daarom hield hij van haar.

'Mama, nu ga ik.'

Marie ging op haar tenen staan, legde de hoorn tegen de haak. Die viel eraf, met een knal tegen de magnetron op het aanrecht. Fredrik deed een stap naar voren, tilde de hoorn op en hing hem aan de muur.

'Kom, meis. We gaan gauw.'

Ze liepen door de keuken. Hij keek op de klok boven de eettafel. Vijf voor halftwee. Dan redden ze het nog om halftwee. Ze kon tot kwart over vijf blijven, dat wist hij. Dan kon ze nog een late lunch eten en er 's middags nog een paar uur blijven. Als hij haar weer kwam halen, zou ze bijna net zo tevreden zijn als na een hele dag.

H alftwee. Sven keek op de groene wekker die op Ewerts bureau stond. Zijn dienst was al een paar uur geleden afgelopen. Hij had wijn en taart in de auto staan. Hij wilde gewoon naar huis, naar Anita en Jonas, nu! Naar een ongestoorde maaltijd. Hij werd vandaag veertig.

Het leek wel of het werk, de dagen en nachten bij de citypolitie, niet meer belangrijk was. Kortgeleden was hij bereid geweest om tijdens zijn huwelijksnacht een dienst te draaien, had hij wel willen scheiden om niet in de knoop te komen met de nacht-diensten. Hij had er de laatste tijd meermalen met Ewert over gepraat. Ze waren steeds meer bevriend geraakt dit jaar, Sven had geprobeerd het verboden gevoel over te brengen dat het hem eigenlijk geen barst uitmaakte welke halve zool wat gedaan had en of hij in de bak kwam of niet. Alsof hij het wel had gehad met alles. Op veertigjarige leeftijd begon hij met wachten, op zijn pensioen, op de rest; nu wilde hij in alle rust op zijn terras zitten ontbijten, lange wandelingen maken langs het water van Årstaviken, thuis zijn als Jonas uit school kwam hollen met het leven in zijn rugzak. Hij had twintig jaar gewerkt. Hij moest nog vijfentwintig jaar. Hij ademde zwaar, kon en wilde niet accepteren dat hij de tijd die voorbijvloog op een luizig politiebureau moest doorbrengen, tussen steeds dikkere mappen met zaken die ze in behandeling hadden. Jonas was tweeëndertig als zijn vader met pensioen ging. Dan zouden ze echt geen tijd meer voor elkaar maken.

Ewert begreep het. Hij had geen gezin en voor hem was de dag in uniform alles; hij at, dronk en ademde politiewerk. Maar wat Sven wist, wist hij ook; hij zag hoe weinig het voorstelde en hoe gevaarlijk het was om helemaal op te gaan in een baan die op een dag plotseling afgelopen was, hij zei altijd dat het met hemzelf dan ook afgelopen was, dat hij dat begreep, maar geen zin had erover in te zitten.

'Ewert.'

'Ja?'

'Ik wil naar huis.'

Ewert lag op zijn knieën op de grond om andermaal de inhoud van de prullenbak bij elkaar te rapen. Twee bananenschillen waren gespleten, gepureerd, grote vlekken op de beige vloerbedekking.

'Dat weet ik wel. En jij weet dat we pas naar huis gaan als we Lund weer te pakken hebben.'

Hij tilde zijn hoofd op, wilde over de rand van het bureau kijken en zocht de groene wekker.

'Zes en een half uur. En we weten geen fluit. Helemaal niets. Het kan nog wel even duren voordat je aan de taart kunt beginnen.'

Ontzie mijn hart, origineel: Pick up the pieces, met koor en orkest, opgenomen in Zweden 1963. Siw Malmkwist op de derde verzamelcassette, die met een foto van Siwan op het plastic doosje, een brede, onscherpe glimlach naar de bewonderende camera.

'Die heb ik zelf genomen. Had ik je dat al verteld? In het Volkspark in Kristianstad, negentienhonderdtweeënzeventig.'

Hij liep naar Sven toe, die nog steeds op de bezoekersstoel zat, boog zich naar hem toe, zwaaide met zijn arm.

'Mag ik deze dans?'

Zonder op antwoord te wachten draaide hij zich om, maakte een paar danspassen. Een merkwaardig gezicht, de manke, norse Grens die om zijn bureau heen schommelde op nostalgische muziek uit het begin van de jaren zestig.

Ze gingen met de auto van Sven. Ewert had de taartdoos en de plastic tas met dure wijn van de passagiersstoel gehaald en op de hoedenplank gelegd. Door de stad, van Kronoberg over Sveavägen naar de E18. De straten van de hoofdstad waren nog leeg, de hitte joeg degenen die vakantie hadden naar het park, het strand, het water; donker asfalt reflecteerde al het leven, alsof de ademhalingen van de mensen op de harde ondergrond afketsten.

Sven reed hard. Eerst reed hij twee keer door bijna oranje, toen twee keer door helemaal rood, en de weinige auto's die op groen stonden te wachten toeterden nijdig. Ze hadden nationaal alarm geslagen, ze hadden een twintigtal dienstdoende agenten in Stockholm tot hun beschikking, ze wisten helemaal niets.

'Hij likt hun voeten af.'

Ewert had niets gezegd sinds de motor was gaan draaien, hij staarde recht voor zich uit terwijl hij sprak. Sven schrok ervan, hij kwam bijna op de middelste baan terecht, tegen de bus aan die hij net aan het inhalen was.

'Dat heb ik nog nooit eerder gezien. Ik heb verkrachte kinderen gezien, vermoorde kinderen, zelfs kinderen die met scherpe metalen voorwerpen waren bewerkt, maar dit heb ik nog nooit gezien. Ze lagen op de betonnen vloer, alsof ze daar neergesmeten waren, vuil en bebloed, maar met schone voeten; de schouwartsen constateerden verscheidene lagen speeksel. Hij had minutenlang hun voeten gelikt.'

Sven ging harder rijden. De plastic tas gleed van de ene kant van de hoedenplank naar de andere, de flessen rinkelden hardnekkig.

'Hun schoenen ook. Alle kleren lagen op een rij op de grond, met twee centimeter tussenruimte. Hun schoenen achteraan. Een paar roze lakschoenen, een paar witte gymschoenen. Hun kleren waren even vies als de meisjes zelf. Stof, gruis, bloed. Maar hun schoenen niet. Die glommen. Nog meer lagen speeksel. Daar was hij nog langer mee bezig geweest.'

Ook op de E18 was niet veel verkeer. Sven bleef op de linkerbaan rijden, passeerde met hoge snelheid de weinige auto's die onderweg waren. Hij had geen puf om te praten, om meer vragen over Lund te stellen, hij wilde niet meer weten, nu niet. Hij was bijna de afrit voorbijgereden, hij remde in paniek op het laatste moment af, stak drie banen over en sloeg de smallere weg naar Aspsås in.

Lennart Oscarsson stond op het parkeerterrein te wachten.

Hij zag er gestrest uit, nerveus, enigszins gejaagd. Hij was de zondebok. Hij had op tv met zijn billen bloot gestaan. Hij wist ook wat Ewert Grens vond van het besluit om twee eenzame bewakers midden in de nacht het vervoer van Bernt Lund te laten uitvoeren.

'Hallo.'

Ewert Grens wachtte een ogenblik te lang met het uitsteken van zijn hand, hij genoot ervan een van al die idioten om hem heen even in verlegenheid te brengen.

'Hallo.'

Oscarsson nam zijn hand aan, liet hem snel weer los, keek naar Sven.

'Hallo. Lennart Oscarsson. Wij kennen elkaar geloof ik nog niet.'

'Sven. Sven Sundkvist.'

Ze liepen samen naar de grote poort van de Aspsåsinrichting, die openzwaaide toen ze naderden, en ze gingen naar binnen. Bergh zat in de portiersloge. Hij herkende Ewert, ze knikten naar elkaar. Sven niet, zij zagen elkaar voor het eerst.

'En u gaat naar?'

Oscarsson bleef staan, liep terug naar het loket, geërgerd.

'Hij is bij mij. Van de citypolitie.'

'Hij is niet aangemeld.'

'Ze zijn met Lund bezig.'

'Dat maakt mij verder niet uit. Wat mij daarentegen wel uitmaakt is waarom hij niet is aangemeld.'

Sven viel Oscarsson in de rede, die net iets wilde schreeuwen waar hij waarschijnlijk later spijt van zou krijgen.

'Hier, mijn legitimatie. Oké?'

Bergh bestudeerde het pasfotootje een hele poos, tikte Svens persoonsnummer in in de database.

'Maar u bent vandaag jarig.'

'Ja.'

'Wat doet u hier dan?'

'Laat u me er nog in?'

Bergh wuifde met zijn hand dat hij door kon lopen, ze liepen achter elkaar de eerste gang in. Ewert lachte luid.

'Die stomme idioot. Wat doen jullie hier in vredesnaam nog met die man? Als hij in dat hokje zit, is het verdorie moeilijker om erin te komen dan eruit.'

Ze liepen door de keldergang. Ewert keek om zich heen, hij zuchtte, de muren zagen eruit zoals alle muren in keldergangen van Zweedse gevangenissen. Uitgestrekte wandschilderingen, de een artistieker dan de ander, therapieprojecten voor gedetineerden onder leiding van ingehuurde adviseurs. Altijd een blauwe ondergrond, altijd massa's overduidelijke symbolen: open gevangenispoorten en vogels in de lucht en ander vrijheidsgeneuzel. Een soort graffiti door volwassenen, gesigneerd Benke, Lelle, Hinken, Zoran, Jari, Geten 1987.

Oscarsson liep met zijn sleutelbos door de lange gang, maakte een stalen deur open. Ze kwamen een schreeuwende groep gedetineerden tegen, op weg naar de sportzaal, twee bewaarders voorop en twee bewaarders achteraan. Ewert zuchtte weer, hij was verscheidene van hen eerder tegengekomen. Sommigen had hij verhoord, tegen anderen had hij getuigd, sommigen waren oude mannen die hij al had opgepakt in de tijd dat hij nog op straat surveilleerde.

'Ha die Grens. Aan de wandel?'

Stig Lindgren, een van de inwoners van de samenleving binnen de samenleving, een van degenen die nooit ergens anders dan binnen deze muren zouden kunnen leven, doe de deur op slot en gooi de sleutel maar weg, dat geteisem wil toch niet naar buiten. Ewert had schoon genoeg van dat type.

'Hou je kop, Lindgren, anders zal ik je mislukte vrienden eens vertellen hoe je aan je bijnaam komt.'

Een trap op, naar afdeling A, een van de twee zedenafdelingen.

Lennart Oscarsson liep een paar stappen vooruit, Sven en Ewert volgden langzamer, ze keken om zich heen. Net als andere afdelingen. Net zo'n tv-hoek, snookertafel, keuken, net zulke cellen. Het verschil was dat de misdrijven waarvoor ze hier hun straf uitzaten dezelfde haat opriepen in deze samenleving binnen de samenleving als buiten op straat; de gevangenen torsten een doodvonnis mee als ze zich in een verkeerd gedeelte van het gebouw ophielden.

Oscarsson wees naar een celdeur. Nummer elf. Een leeg metalen oppervlak. Alle andere deuren waren uitgebreid versierd door degene die de ruimte erachter voor een aantal jaren betrokken had. Posters, krantenknipsels, hier en daar een foto. Maar cel nummer elf niet.

Ewert Grens dacht net dat hij ruim een halfjaar geleden een kijkje achter die deur had moeten nemen. In de cel van Lund. Toen hij onderzoek deed naar die lastige kinderpornozaak, zijn eerste kennismaking met het nieuwe, gesloten rijk van de pedofielen, dat van de databases en de internetverbindingen. Hij had foto's van kinderen gezien, foto's waarvan hij nooit eerder had hoeven beseffen dat ze bestonden: uitgeklede kinderen, gepenetreerde, vernederde, gepijnigde, eenzame kinderen. Verspreiding van kinderporno, waarbij hij en zijn collega's tijdens het onderzoek eerst hadden gedacht aan buitenlandse connecties, pedofilie, winstbejag en duistere contracten, maar die algauw beperkter bleek te zijn, selecter, uitdagender.

Ze waren met zijn zevenen.

Een illuster gezelschap recidiverende zedendelinquenten.

Eén achter de tralies, de meeste anderen net vrijgelaten.

Ze hadden een eigen virtuele showroom gecreëerd. Voorstellingen die via de computer en het internet op vaste tijden werden uitgezonden, alsof het een aflevering van een tv-serie betrof. Iedere week op dezelfde tijd, zaterdag om acht uur. Dan zaten ze allemaal achter hun computer te wachten op de voorstelling, de beelden van die week, waaraan voortdurend hogere eisen werden gesteld. Iedere keer moest het beter dan de vorige keer, naakte kinderen die de vorige keer goed genoeg geweest waren, waren het vanaf nu niet meer. Kinderen die stilzaten moesten elkaar aanraken, kinderen die elkaar aanraakten moesten worden verkracht, kinderen die verkracht werden moesten nog meer verkracht worden. De vorige fotograaf moest koste wat het kost overtroffen worden. Zeven pedofielen, een gesloten gezelschap, eigen foto's van eigen misdrijven, netjes gescand en verzonden.

Ze waren al bijna een jaar bezig toen ze ontdekt werden.

Het was net een wedstrijd kinderporno, met verschillende onderdelen.

Bernt Lund was een van de zeven. De enige die in de gevangenis zat, de enige aan wie het daarom toegestaan was om via de computer in zijn cel oude, eerder gemaakte en vertoonde beelden te leveren. Er werd gekeken naar zijn misdaden en dus was zijn status desondanks onbetwist, evenals zijn recht om mee te doen. Drie anderen hadden ze na de ontdekking tot lange gevangenisstraffen kunnen veroordelen. Een vierde, Håkan Axelsson, stond op dit moment terecht. Tegen twee anderen was het bewijs minder sterk, die kwamen waarschijnlijk wel onder een aanklacht uit; iedereen wist het, maar dat maakte weinig uit, wat je niet kon bewijzen, was niet zo en ze konden rustig in de luwte van het onderzoek nieuwe contacten opbouwen, de basis leggen voor een nieuwe uitwisseling van kinderporno.

Er waren er veel daarbuiten, ging er één weg, dan kwam er een nieuwe voor in de plaats.

Ewert kon zichzelf wel voor het hoofd slaan. Hij had Lunds cel moeten bezoeken, toen, tijdens het vooronderzoek. Ze hadden in tijdnood gezeten, ze voelden de hete adem van de verontwaardigde media in de nek, en hij had tegen zijn principes in afgezien van een persoonlijk bezoek aan de Aspsåsinrichting, had twee jongere collega's in zijn plaats bij Lund op bezoek laten gaan in een cel propvol zelf gebrande cd-roms met duizenden foto's van aangerande kinderen. Als hij toen al cel nummer elf van de zedenafdeling had laten openmaken, had hij misschien meer geweten, als hij toen al opnieuw kennisgemaakt had met Lunds dagelijkse bezigheden, had hij nu misschien niet die onzekerheid gehad, was hij niet zo achter de feiten aan gelopen.

'Hier.'

Oscarsson draaide de sleutel om en opende de deur.

'Zoals jullie zien is hij erg netjes.'

Sven en Ewert liepen de cel binnen. Ze bleven abrupt staan. Het was een raar kamertje. Qua basisinrichting leek het op de vertrekken ernaast. Een raam, een bed, een kast, een paar planken, een wastafel, zo'n acht vierkante meter. Het verschil zat hem in de rest: kandelaars, stenen, blokjes hout, pennen, touwtjes, kleren, mappen, batterijen, boeken, schrijfblokken. Alles lag op een rijtje. Op de vloer, op het opgemaakte bed, op de vensterbank, op de planken. Net een tentoonstelling. Twee centimeter ruimte tussen het ene voorwerp en het volgende. Net als bij dominostenen, een ellenlange rij precies achter elkaar, raakt er één van zijn plaats, dan is alles voorbij.

Ewert zocht in de zak van zijn colbert. Op de zijkant van zijn agenda was een maatverdeling aangebracht, zoals op een liniaal. Hij liep naar het bed, hield de agenda voor de rij stenen. Twee centimeter. Twintig millimeter. Niet meer en niet minder. Hij mat de tussenruimte van pen tot pen in de vensterbank: twee centimeter. Twintig millimeter. Op de planken, tussen de boeken: twee centimeter. Het eindje touw op de vloer twee centimeter van de batterij, twintig millimeter van het schrijfblok, twintig millimeter van het pakje sigaretten.

'Ziet het er hier altijd zo uit?'

Oscarsson knikte.

'Ja. Altijd. Als hij 's avonds de sprei van zijn bed haalt, legt hij de stenen weer op een rijtje op de grond. Hij meet de afstand af. 's Ochtends maakt hij het bed weer op en legt de stenen weer op de gladgetrokken sprei, precies twintig millimeter uit elkaar.'

Sven schoof een paar pennen opzij. Heel gewone pennen. Hij rolde een paar stenen heen en weer. Heel gewone, grijze stenen, de ene nog onbeduidender dan de andere. De mappen, de schrijfblokken. Niets. De mappen leeg, de schrijfblokken onaangeraakt, nog geen bladzijde ervan gebruikt. Hij richtte zich tot Oscarsson.

'Ik begrijp er geen klap van.'

'Wat valt er te begrijpen?'

'Ik weet het niet. Iets. Waarom je de voeten van kinderen likt, misschien.'

'Waarom zou je dat moeten begrijpen?'

'Ik wil weten waar hij is. Waar hij heen gaat. Ik wil die ellendeling pakken, zodat ik naar huis kan om taart te eten en me een stuk in de kraag te drinken.'

'Helaas. Je zult het nooit kunnen begrijpen. Er zit niets rationeels in. Hij weet zelf niet eens waarom hij die voeten likt. Ik denk dat hij er ook geen benul van heeft waarom hij dingen op een rijtje legt met twee centimeter tussenruimte.'

Ewert hield zijn agenda vast, hield zijn duim achter het streepje dat twee centimeter aangaf. Hij tilde die op tot ooghoogte, ze moesten allemaal wel naar zijn duim en de twintig millimeter kijken.

'Controle. Dat is het. Zo is het bij al die lieden. Ze genieten als ze verkrachten, want dan hebben ze de controle. Macht en controle. Hij hier is extreem. Maar daar gaat het om bij die stenen op een rij: ordening, structuur, controle.'

Hij liet de agenda op het bed zakken, hield hem achter de rij stenen, trok hem toen snel naar voren, ze vielen op de vloer, een voor een.

'We weten dat hij een sadist is. We weten ook dat figuren zoals Lund een stijve krijgen van macht. Zo werkt dat immers. Als hij de macht heeft, als iemand anders machteloos is, als hij beslist of hij schade zal toebrengen en hoeveel. Daar krijgt hij een stijve van. Daarom krijgt hij een zaadlozing bij vastgebonden en bont en blauw geslagen negenjarigen.'

Met de rij pennen in de vensterbank deed hij hetzelfde: de agenda erachter en een haal naar voren totdat ze allemaal op de grond lagen.

'Trouwens, de foto's in de computer, hoe had hij die geor-dend?'

Oscarsson keek lang naar de pennen op de vloer, die door elkaar heen lagen, zonder regelmaat. Toen keek hij Ewert ver-baasd aan, alsof het een vreemde vraag was.

'Geordend? Hoe bedoel je?'

'Hoe waren ze gesorteerd? Dat weet ik toch niet meer, verdorie. Ik kan me de gezichten, de ogen, hun vreselijke eenzaamheid herinneren, maar niet de afstand, hoeveel tijd er zat tussen de beelden.'

'Ik weet het niet, ik weet het echt niet. Daar heb ik geen moment over nagedacht. Maar ik kan het uitzoeken. Als jij denkt dat het belangrijk is.'

'Ja. Het is belangrijk.'

Oscarsson ging op het bed zitten.

'Morgen, is dat vroeg genoeg?'

'Nee.'

'Je krijgt het straks. Als we hier klaar zijn. Ik heb het materiaal op mijn kamer.'

Ze keerden gezamenlijk de cel binnenstebuiten. Aan ieder hoekje van wat vier jaar lang Bernt Lunds thuis geweest was, voelden ze, roken ze.

Er was geen informatie te vinden.

Hij had geen plan gehad.

Hij had niet geweten dat hij ergens naartoe zou gaan.

F redrik opende zijn portier. Hij had te hard gereden door
Strängnäs, dat wist hij, je mocht dertig op de Tosteröbrug en
hij had zeventig gereden, maar hij had Marie nu eenmaal beloofd
dat ze om halftwee op de crèche zouden zijn en dan moest dat ook.

Zij ging naar de crèche omdat papa moest werken. Vandaag
dezelfde leugen als gisteren. Ze ging naar de crèche om haar plaats
te kunnen houden, omdat het in het plaatje paste dat ze een
hardwerkende vader had, die schreef en alleen moest zijn als hij
groots denkwerk verrichtte. Hij had al een maand geen grootse
gedachte meer gehad. Hij had al weken geen woord meer geschreven. Hij had een writer's block en hij had er geen idee van
wat hij daaraan moest doen.

Daarom achtervolgde Frans hem 's nachts, daarom dacht hij
weer aan het slaan, daarom kon hij niet houden van de jonge,
mooie vrouw die vanochtend naakt op hem was gaan liggen, maar
moest hij haar vergelijken met de relatie die er niet meer was, die
met Agnes, en zich daarin verliezen. Met werken en schrijven had
hij de boot afgehouden en had hij geen tijd gehad om na te
denken. Zo had hij het eigenlijk altijd gedaan: werken, werken,
werken om niet te hoeven voelen; hij had een draaiende motor,
die gewoon vooruit wilde en als hij onderweg was, was hij ook
buiten het bereik van het verleden.

Hij parkeerde langs de weg voor de crèche. Dat mocht niet,
aangezien het een keerzone was, hij had daar al eerder een bekeu-
ring gekregen, maar hij had geen energie om in het wilde weg
verder te rijden op zoek naar een parkeerplaats. Hij hielp Marie
om haar gordel los te maken en deed het achterportier open. Ze
stapten uit. Buiten was het nog heter dan in de auto, ruim dertig
graden in de schaduw, de zon stond op dit tijdstip op zijn hoogst.
Het was een vreemde zomer, die al vroeg in mei begonnen was en
sindsdien maar voortduurde, ruim een maand lang slechts een
enkele keer een bewolkte of regenachtige dag.

Ze liepen naar de ingang. Marie sprong voor hem uit, twee benen, rechterbeen, twee benen, linkerbeen, ze was vrolijk, daarbinnen wachtten Micaela en David en vijfentwintig andere kinderen van wie hij de namen zou moeten leren, maar waar hij nog geen moeite voor had gedaan.

Ze liepen langs een bankje vlak voor de gesloten poort, waar de vader van een van de kinderen zat te wachten; hij herkende hem, knikte naar hem, zonder dat hij hem aan een van de gezichtjes binnen de muren van het gebouw kon koppelen.

Micaela stond bij de garderobe. Ze kuste hem, vroeg of hij wakker was, of hij haar had gemist. 'Ja', zei hij. 'Ik heb je gemist.' Was dat zo? Hij wist het niet. 's Nachts als hij niet kon slapen miste hij haar zachte lichaam, dan kroop hij altijd dicht tegen haar aan, leende haar warmte; als hij dicht bij haar lag was hij niet zo bang. Maar overdag? Niet vaak. Hij keek haar aan. Ze was jong, zestien jaar jonger dan hij. Te jong, te mooi. Alsof hij te min was. Alsof hij haar niet waard was. Je moest allebei even jong, even mooi zijn. Wie had hem die flauwekul aangepraat? Geloofde hij dat echt? Die gedachten had hij, diep in zijn hart. Waar ook het slaan zat, ver weggestopt. Hij had haar nabijheid gezocht na de scheiding, zij was daar op de crèche waar hij Marie iedere ochtend weer naartoe had gebracht. Op een dag hadden ze samen een stukje gelopen en hij had verteld van de pijn en het gemis en ze had geluisterd en ze waren nog vaker een wandeling gaan maken en hij was doorgegaan met zichzelf beklagen en zij was blijven luisteren en op een dag waren ze naar zijn huis gegaan en hadden de hele middag met elkaar gevrijd, terwijl Marie en David in de woonkamer, aan de andere kant van de gesloten deur, rondsprongen.

Hij hielp Marie om andere schoenen aan te trekken. De rode met de metalen gespen maakte hij los en zette ze op haar plank met de olifant erop, dat was haar plaatje. De anderen hadden rode brandweerauto's en voetballers en Disneyfiguren, maar zij wilde per se een olifant. Hij gaf haar de witte sloffen voor binnen.

'Niet weggaan, papa.'

Ze hield zijn arm stijf vast.

'Maar je wilde hier toch heen? Micaela is er, en David.'

'Blijf alsjeblieft, papa.'

Hij tilde haar op, hield haar in zijn armen.

'Maar meisje, je weet dat papa moet werken.'

Haar ogen in de zijne. Ze trok rimpels in haar voorhoofd. Ze keek smekend.

Hij zuchtte.

'Goed, dan blijf ik nog wel even. Heel, heel even.'

Marie bleef naast hem staan. Ze gaf haar olifant een zoen. Ze volgde zijn contouren met haar vinger, van de poten, over de rug naar de slurf. Fredrik keerde zich naar Micaela, maakte zwijgend een gebaar van berusting. Zo ging het al zolang ze hier zat, vier jaar al, sinds Agnes verhuisd was. Hij hoopte iedere keer dat het de laatste was, dat hij haar de volgende keer kon afzetten, dag kon zeggen en zonder gewetenswroeging weg kon gaan.

'En hoe lang had je vandaag gedacht te blijven?'

Het enige punt waarover ze het oneens waren. Micaela vond dat hij weg moest gaan, dat hij voor eens en voor altijd duidelijk moest maken dat het niet uitmaakte als hij meteen wegging, maar dat hij haar 's middags gewoon weer kwam halen. Dat zou wat traantjes kosten, maar dat beetje leed moest hij volgens haar maar accepteren. Daarna zou het overgaan en zou ze eraan wennen. Hij antwoordde dan altijd dat ze zelf geen kinderen had, dat ze niet begreep hoe het voelde, niet echt.

'Een kwartier. Hooguit.'

Marie hoorde hem.

'Papa moet bij me blijven.'

Ze hield de arm van haar vader nog steviger vast. Totdat David plotseling aan kwam rennen, met waterverf beschilderd in oorlogskleuren, hij holde langs haar heen, riep 'kom'. Ze liet Fredriks arm los en holde achter hem aan. Micaela lachte.

'Kijk nou eens. Zo snel is het nog nooit gegaan. Nu is ze je vergeten.'

Ze deed een stap naar voren, ze stond heel, heel dichtbij.

'Maar ík niet.'

Een lichte zoen op zijn wang, en toen ging zij ook weg. Fredrik bleef besluiteloos achter, keek Micaela en Marie na. Hij stapte de speelzaal binnen. Marie en David en nog drie even grote kinderen lagen boven op elkaar en beschilderden elkaars gezichten, ze werden Sioux of zoiets. Fredrik zwaaide naar Marie, ze zwaaide terug. Hij liep weg, de strijdkreten van de indianen volgden hem toen hij de voordeur opendeed.

Meteen de zon in zijn gezicht. Een kopje koffie in de schaduw? Een krantje op het plein? Hij besloot naar het eiland te gaan, naar Arnö, naar zijn schrijvershut. Daar zou hij gaan zitten wachten. Waarschijnlijk zou hij geen woord schrijven, maar er in ieder geval wel klaar voor zijn; hij zou de computer aanzetten en zijn aantekeningen doorlezen.

Hij deed het hekje open, knikte weer naar de vader die op het bankje zat te wachten en liep door naar zijn auto.

Deze crèche beviel hem wel. Hij zag er net zo uit als vier jaar geleden. Met het poortje, het witgeschilderde hout, de blauwe luiken. Hij zat er nu al vier uur. Er waren minstens twintig kinderen binnen. Hij had kinderen zien komen en gaan met hun vader of moeder, de een na de ander. Geen enkel kind kwam alleen. Dat was jammer. Het was makkelijker als ze alleen kwamen en gingen.

Hij had drie meisjes met gymschoenen gezien. Twee met van die sandalen met lange leren riemen om de benen. Sommigen waren op blote voeten gekomen. Het was weliswaar ondraaglijk heet, maar op blote voeten lopen vond hij maar niets. Eén meisje droeg rode lakschoenen met metalen gespen. Die waren het mooist. Ze was laat gekomen, halftwee was het bijna, ze had haar vader bij zich. Het was een blond hoertje, ook nog met krullen van zichzelf, ze schudde met haar hoofd toen ze met haar vader praatte. Haar kleren waren niet veel bijzonders, een korte broek en een simpel T-shirtje, ze zou zich zelf wel aangekleed hebben. Ze leek vrolijk, hoeren zijn meestal vrolijk, en ze hinkelde het hele stuk naar de voordeur, afwisselend met twee benen tegelijk en op één been. Haar vader had naar hem geknikt, had hem gegroet. Hij had teruggegroet, dat was beleefd. Toen hij weer naar buiten kwam – bij hem duurde dat langer dan bij de anderen – groette hij weer, een rare vent.

Hij probeerde de hoer door het raam te zien. Er kwamen verscheidene gezichten voor het raam, maar niet het blonde met krullen. Ze was zeker op zoek naar een pik. Hoeren hebben veel pik nodig. Ze verstopte zich in het gebouw, met haar T-shirt, haar korte broek en haar rode lakschoenen met metalen gespen. Ze had blote benen, hoeren moeten huid showen.

L indgren zat in de tv-hoek van afdeling H. Hij was moe, dat werd hij daarna altijd, hoe beter het spul, hoe vermoeider hij werd, van de Turkse hasj het meest. Dat was verdraaid goed spul geweest, de Griek die het had geleverd, had geen woord te veel gezegd, hij had beweerd dat het het beste was wat hij te koop had en Lindgren kon nu, achteraf, geen reden vinden om dat tegen te spreken, hij had zelden iets beters gerookt en dat wilde heel wat zeggen. Hij keek naar Hilding, die net nog Wilde Hilding geweest was, maar die nu lag te dommelen, het was lang geleden dat zijn gezicht er zo vredig had uitgezien, hij krabde niet eens aan die verdomde korst op zijn neus, zijn hand, die hij anders meestal op neushoogte hield, lag stil op zijn ene knie. Hij boog zich naar hem toe, sloeg hem op de schouder, Hilding schrok wakker en Lindgren stak zijn duim omhoog. Zijn duim omhoog en een wijsvinger in de richting van de douches. Daarbinnen lag nog meer op de plafondplaat bij de tl-buis. Voor nog minstens twee keer. Hilding begreep het, zijn gezicht was één grote glimlach, hij stak zijn duim ook omhoog en ging toen weer op zijn stoel hangen.

Het was vandaag een roerige boel geweest op de afdeling. Eerst die verrekte nieuwe met zijn kaalgeschoren kop, die niet begreep hoe de regels hier waren. Die met dat litteken op zijn gezicht had staan staren als een prijsvechter. Hij had nadien nagevraagd hoe die klootzak heette, een van de jonge bewaarders had het braaf verteld toen hij het hem vroeg. Jochum Lang. Wat een naam. Een zware jongen, iemand die schulden inde. Een hele waslijst van gevallen van mishandeling en doodslag, maar slechts korte straffen, aangezien niemand durfde te getuigen. Maar op deze afdeling zou hij zich wel moeten aanpassen. Op deze afdeling waren er regels en zo. En toen Hitler. Die het bijna in zijn broek gedaan had in een rechtstreekse uitzending en toch stompzinnig genoeg geweest was om een afsnijweg over de afdeling te nemen op weg naar de zedenbunker. Die afgezeken bewaarder-Hitler was tegen hen aan gelopen toen de hasj op zijn best was, maar hij had niets durven zeggen, hij moest het geroken hebben en toch maar zijn doorgelopen, naar het zedenuitschot, dat afgemaakt moest worden. En dan Grens. Niet te geloven dat die opeens ook langs was komen rennen. Even mank als altijd. Hij had dood moeten zijn, zolang als hij al meeliep, hij kreeg vast nog steeds een stijve als hij in gedachten terugging naar Blekinge, 1967. Hij was een van de smerissen geweest die uit Stockholm waren gekomen om een huilende dertienjarige van Pers bloedende scrotum naar de tuchtschool te vervoeren.

Bekir schudde, coupeerde en gaf. Dragan legde twee lucifers in de pot en pakte zijn kaarten op, Skåne legde twee lucifers in de pot en pakte zijn kaarten, Hilding stopte die van hem terug, stond op, liep naar het toilet. Lindgren pakte de kaarten een voor een, bekeek ze voorzichtig. Rotkaarten. Bekir schudde als een oud wijf. Ze ruilden kaarten. Hij ruilde ze allemaal op één na, een klaverheer; het had geen zin die te houden, maar hij ruilde uit principe nooit al zijn kaarten. Vier nieuwe, even slechte. Klaverheer en vier lage kaarten leverden geen punten op. Bij het uitkomen legde hij zijn klaverheer, harten twee, schoppen vier en schoppen zeven neer. De laatste ronde. Dragan speelde klavervrouw en aangezien zowel de heer als de aas er al uit was, sloeg hij triomfantelijk met zijn hand op tafel; de lucifers waren voor hem, evenals de duizendjes die ze vertegenwoordigden. Hij wilde net het bergje lucifers pakken toen Lindgren zijn hand opstak.

'Hallo daar, verdorie, wat ben je aan het doen?'

'Ik pak de pot.'

'Ik heb nog niet gelegd.'

'De vrouw is hoog.'

'Nee.'

'Hoezo "nee"?'

'Ik heb nog niet gelegd.'

Hij legde zijn laatste kaart op tafel. Klaverheer.

'Kijk maar.'

Dragan begon met zijn handen te zwaaien.

'Hoe kan dat nou? De heer was er verdorie al uit.'

'Dat zie ik. Maar hier is er nog een.'

'Je kunt toch geen twee klaverheren hebben?'

'Tja, wat kan en wat niet. Ik had er twee.'

Lindgren pakte Dragans handen vast en duwde ze weg.

'Het zijn mijn lucifers. Ik was het hoogst. Jullie zijn mij nogal wat schuldig, meiden.'

Hij lachte luid en sloeg op de tafel. Drie bewaarders draaiden zich om, keken vanuit hun kamer, waar ze hun tijd meestal zaten te verkletsen, zoekend rond waar het geluid vandaan kwam. Ze zagen dat Lindgren een hoopje lucifers tegen het plafond gooide, die hij met zijn mond probeerde op te vangen. Ze draaiden zich weer om.

Hilding kwam door de gang lopen, terug van het toilet. Hij bewoog langzaam, wakkerder dan eerst, hij hield een papier in zijn hand.

'Wilde, verdorie, wie denk je dat de pot gewonnen heeft. Eén keer raden, Wilde, wie denk je dat hier op een paar duizendjes zit te wachten?'

Hilding luisterde niet, hij hield het blad papier vast, liet het aan Lindgren zien.

'Dit moet je verdorie eens lezen, Broekie. Een brief. Die heeft Milan vandaag gekregen. Hij gaf hem aan mij op de wc en vond dat ik hem aan jou moest laten zien. Van Branco.'

Lindgren pakte de lucifers bij elkaar, legde ze een voor een in een leeg luciferdoosje.

'Kop houden, eikel. Waarom zou ik andermans brieven moeten lezen?'

'Omdat ik het zeg. En Branco zegt het ook.'

Hij gaf het papier aan Lindgren. Die keek er lang naar, draaide het om, probeerde het terug te geven.

'Nee.'

'Je hoeft alleen het onderste stuk maar te lezen. Vanaf hier.'

Hilding wees naar de op een na laatste regel. Lindgren volgde zijn vieze vinger.

'Ik…'

Hij kuchte.

'Ik houd…'

Hij kuchte weer.

'Ik hoop…'

Hij wreef in zijn ogen, gaf de brief terug aan Hilding.

'Ik zie er verdorie niets van. Ze jeuken als de ziekte. Lees jij maar voor.'

Hilding las, terwijl Lindgren uitgebreid in zijn ogen bleef wrijven.

'Ik hoop dat er geen onnodige misverstanden zullen ontstaan. Jochum Lang is een vriend van me. Je kunt hem maar beter aardig vinden.'

Lindgren luisterde zwijgend.

'Getekend Branco Miodrag. Ik herken zijn handschrift.'

Lindgren pakte de brief, bekeek de inkt van de handtekening. Joegoslaven. Die verrekte Joegoslaven. Hij vouwde de woorden, de zinnen op, gooide ze samen met het luciferdoosje op de vloer en stampte op de brief en de lucifers. Daarna keek hij ongerust om zich heen door de gang, in de richting van de cellen, hij keek naar Hilding, die langzaam zijn hoofd schudde, naar Skåne, naar Dragan, naar Bekir. Ze deden hetzelfde als Hilding, ze schudden lang hun hoofd. Hij bukte en wilde net het stuk papier met de zwarte zoolafdrukken oprapen, toen er verderop een deur openging. Het leek wel of hij had staan wachten. Jochum kwam naar buiten, liep naar de knielende Lindgren. Lindgren stond op en zei tegen Jochum: 'Verdomme, Jochum, je snapt toch wel dat je mij geen papieren hoeft te laten zien? Het was maar een geintje.'

Jochum keek hem niet aan toen hij langsliep, hij antwoordde op fluistertoon, maar ze hoorden het allemaal, het was stil en het fluisteren klonk als schreeuwen: 'Heb je een brief gekregen, *tjavon?*'

Het kinderdagverblijf heette De Duif. Het heette zo omdat het altijd al zo geheten had en dat was een hele poos. Wat moest je met zo'n naam? Er waren daar geen duiven. Er waren niet eens duiven in de buurt. Tortelduiven, dus iets met liefde? Vredesduiven, dus iets voor de wereld? Niemand die het wist. Er werkte nu niemand die er al vanaf het begin was. Een oudere dame van de sociale dienst was er in het begin al bij betrokken en ze hadden haar ernaar gevraagd, maar ze kon er weinig over zeggen. Ze was weliswaar bij de opening geweest, dat wist ze nog goed, het was het eerste moderne kinderdagverblijf in Sträng-näs, maar ze had er geen idee van op grond waarvan de naam gekozen was.

Het was middag, bijna vier uur. De meesten van de zesentwintig kinderen van De Duif bleven binnen, er waren maar een paar die liever naar buiten gingen. De hitte was drukkend als de zon op de crèche aanviel; gewoonlijk werden alle kinderen om deze tijd naar buiten gestuurd, maar de hitte op de onbeschutte speelplaats had het na een aantal weken gewonnen. De kleine lichaampjes konden niet meer op tegen temperaturen van dertig graden in de schaduw en nog eens vijftien graden erbij op een onbeschaduwde speelplaats.

Marie had gekozen voor buiten spelen. Ze had genoeg van het indiaantje spelen en het beschilderen, de anderen konden het niet zo goed, geen van allen. De meesten maakten bruine en blauwe strepen, terwijl zij rode cirkels wilde. Niemand wilde rondjes tekenen, waarom ze dat niet wilden begreep ze niet, ze had naar David willen schoppen omdat hij dat niet wilde, maar toen bedacht ze dat hij haar beste vriend was en je beste vriend geef je geen schop om zoiets. Ze had haar buitenschoenen aangetrokken en was even de speelplaats op gegaan, ze wilde met de gele trapauto, waar op dat moment niemand in zat.

Ze reed er een hele poos mee. Twee keer om het gebouw heen

en drie keer om het speelgoedschuurtje en heen en weer over het grote pad en ook een keer in de zandbak, waar ze vast kwam te zitten en ze de auto achteruit moest trekken om hem weer los te krijgen. Die stomme trapauto deed niet wat ze wilde en toen deed ze wat ze bij David had willen doen: ze gaf er een schop tegen en schold hem uit, maar nog steeds wilde hij niet losraken. Dat lukte pas toen die vader, die op het bankje voor het hek had gezeten toen ze kwamen, tegen wie papa goeiendag had gezegd en die er aardig uitzag, kwam vragen of hij de trapauto op moest tillen en dat toen ook deed; die vader die ze had bedankt en die vrolijk keek, ook al zei hij dat er een zielig konijntje naast het bankje lag dood te gaan.

*

Ondervrager Sven Sundkvist (OV): Dag.
David Rundgren (DR): Dag.
OV: Ik heet Sven.
DR: Ik *(onhoorbaar)*
OV: Zei je David?
DR: Ja.
OV: Mooie naam. Ik heb ook een zoon. Hij is twee jaar ouder dan jij en heet Jonas.
DR: Ik ken iemand die zo heet.
OV: Wat leuk.
DR: Dat is mijn vriend.
OV: Heb je veel vrienden?
DR: Ja, nogal.
OV: Mooi. Heel mooi. En een vriendin die Marie heet?
DR: Ja.
OV: Je weet dat ik het vooral over haar wil hebben?
DR: Ja, over Marie.
OV: Hartstikke goed. Weet je wat? Je moet me maar eens vertellen hoe het vandaag op de crèche was.

DR: Goed.

OV: Was het net als anders?

DR: Wat?

OV: Was het net als anders?

DR: Ja, net als anders.

OV: Iedereen was aan het spelen en zo?

DR: Ja, indiaantje.

OV: Jullie speelden indiaantje?

DR: Ja. Met z'n allen. Ik had blauwe strepen.

OV: Ja ja, blauwe strepen. En iedereen deed mee?

DR: De meesten wel. Bijna de hele tijd.

OV: En Marie dan? Deed die ook mee?

DR: Ja, maar op het laatst niet meer.

OV: Op het laatst niet? Kun je me vertellen waarom ze niet meer mee wilde doen?

DR: Ze wilde geen *(onverstaanbaar)* strepen en zo. Maar ik wel. Toen ging ze naar buiten. Toen ze geen rondjes kreeg. Niemand wilde rondjes maken. Iedereen wilde strepen. Zulke *(onverstaanbaar)* als ik heb. Toen zei ik, jij moet ook strepen, nee, ik wil rondjes, niemand wil rondjes schilderen. Toen ging ze naar buiten. Niemand anders wilde naar buiten. Het is zo heet, we mogen kiezen. Wij kozen indiaantje.

OV: Zag je Marie naar buiten gaan?

DR: Nee.

OV: Helemaal niet?

DR: Ze ging gewoon weg. Ze was zeker boos.

OV: Jullie gingen door met indiaantje spelen en zij ging naar buiten? Ging het zo?

DR: Ja.

OV: Heb je Marie nog gezien?

DR: Ja, later.

OV: Wanneer dan?

DR: Door het raam.

OV: Wat zag je door het raam?

DR: Ik zag Marie met de trapauto. Daar was ze haast nog nooit mee geweest. Ze zat vast.

OV: Zat ze vast?

DR: In de zandbak.

OV: Zat ze met de trapauto in de zandbak vast?

DR: Ja.

OV: Jij zei dat je haar zag, dat ze vastzat. Wat deed ze toen?

DR: Ze schopte.

OV: Schopte?

DR: Tegen de trapauto.

OV: Ze schopte tegen de trapauto. Deed ze verder nog wat?

DR: Ze zei iets.

OV: Wat zei ze?

DR: Dat kon ik niet horen.

OV: Wat gebeurde er toen? Toen ze had geschopt en iets had gezegd?

DR: Toen kwam die man.

OV: Welke man?

DR: Die man die kwam.

OV: Waar stond je toen?

DR: Voor het raam.

OV: Hoe ver weg stonden ze?

DR: Tien.

OV: Tien?

DR: Tien meter.

OV: Tot aan Marie en die man?

DR: (onverstaanbaar)

OV: Weet je hoe ver tien meter is?

DR: Een heel eind.

OV: Maar je weet het niet precies?

DR: Nee.

OV: Kijk eens uit het raam, David. Zie je die auto daar?

DR: Ja.

ov: Was het zo ver?

dr: Ja.

ov: Zeker?

dr: Zo ver was het.

ov: Wat gebeurde er toen die man kwam?

dr: Hij kwam gewoon.

ov: Wat deed hij?

dr: Hij hielp Marie met de trapauto.

ov: Hoe deed hij dat?

dr: Hij tilde hem op. Hij was sterk.

ov: Zag iemand anders behalve jij nog dat hij die auto optilde?

dr: Nee, ik was de enige in de zaal.

ov: Was je alleen? Waren er geen andere kinderen?

dr: Nee.

ov: Geen juf?

dr: Nee, ik alleen.

ov: Wat deed hij toen?

dr: Hij praatte met Marie.

ov: Wat deed Marie toen ze praatten?

dr: Niets. Alleen praten.

ov: Wat voor kleren had Marie aan?

dr: Dezelfde.

ov: Dezelfde?

dr: Dezelfde als toen ze kwam.

ov: Kun je haar kleren beschrijven, denk je? Hoe zagen ze eruit?

dr: Een groen shirt. Net zo een als Hampus.

ov: Met korte mouwen?

dr: Ja.

ov: Verder?

dr: Rode schoenen. Haar mooiste schoenen, met ijzeren dingen.

ov: IJzeren dingen?

dr: Waar je ze mee vastmaakt.

ov: Had ze een broek aan?

DR: Weet ik niet meer.

OV: Een lange broek?

DR: Nee, geen lange broek. Een korte broek denk ik of een jurk. Het is immers warm.

OV: Die man dan? Hoe zag die eruit?

DR: Groot. Hij was sterk, hij trok de trapauto uit het zand.

OV: Wat had hij voor kleren aan?

DR: Een broek geloof ik. Misschien een shirt. En een cap.

OV: Een cap? Wat is dat?

DR: Die heb je op je hoofd.

OV: Een pet?

DR: Ja, een cap.

OV: Weet je nog hoe die eruitzag?

DR: Je kunt ze bij Statoil kopen.

OV: En toen? Wat deden ze? Toen ze uitgepraat waren?

DR: Toen gingen ze weg.

OV: Gingen ze? Waarheen?

DR: Naar het hek. Die man kon dat ding open krijgen.

OV: Welk ding?

DR: Dat ding om het hek vast te maken.

OV: De haak? Dat ding aan de bovenkant dat je omhoog moet doen?

DR: Ja, dat. Dat deed hij.

OV: En toen?

DR: Toen gingen ze naar buiten.

OV: Welke kant op?

DR: Dat heb ik niet gezien. Alleen dat ze naar buiten gingen.

OV: Waarom gingen ze weg?

DR: Dat mogen we niet. We mogen niet weggaan.

OV: Hoe keken ze toen ze weggingen?

DR: Niet boos.

OV: Niet boos?

DR: Ze keken wel vrolijk.

OV: Ze keken vrolijk toen ze wegliepen?

DR: Niet boos.

OV: Hoe lang zag je hen?

DR: Niet zo lang. Niet toen ze door het hek waren.

OV: Verdwenen ze toen?

DR: Ja.

OV: Verder nog iets?

DR: *(onverstaanbaar)*

OV: David?

OV: Dit heb je heel goed gedaan. Knap dat je het zo goed weet. Kun je hier even wachten terwijl ik met een paar andere meneren praat?

DR: Jawel.

OV: Dan ga ik daarna je vader en moeder halen, die wachten beneden.

II

(een week)

F redrik was op tijd geweest voor de pont van twee uur. De knalgele met mosgroene pont – de kleuren van Verkeer en Waterstaat – voer eens in het uur van Oknön naar Arnö. Een tocht van vier, vijf minuten werd een symbolische scheiding tussen vasteland en eiland, tussen voortrazende en stilstaande tijd. Een kwartier met de auto van Strängnäs, een rood huis met witte hoeken, hij had het gekocht een maand voordat Marie werd geboren, toen hij niet meer thuis kon zitten schrijven. Toen was het een bouwval geweest, midden in een wildernis. Hij en Agnes hadden de eerste zomers gebruikt om van de bouwval weer een huis te maken, van de wildernis een tuin. Bijna zes jaar geleden, hij had daar drie boeken geschreven, een trilogie die behoorlijk had verkocht en die in het Duits vertaald zou worden. De uitgeverij had een bedrijfseconomische beoordeling gemaakt en geconstateerd dat het boek potentieel meer op zou leveren dan de lancering zou kosten; tegenwoordig vonden Zweedse titels hun weg naar boekenkasten in Duitse huiskamers.

Hij wist dat hij niet zou kunnen schrijven, maar hij had het nu zo besloten. Hij zette zijn computer aan, legde de stapel schetsen neer, staarde naar het elektronische vierkant. Een kwartier, een halfuur, drie kwartier. Hij zette de tv aan, gezelschap aan de andere kant van de kamer, rustige beelden bij een gedempt geluid. Hij zette de radio aan, een reclamezender, aan één stuk door hits die hij veel vaker had gehoord en waar hij dus niet naar hoefde te luisteren om ze in zich op te nemen. Hij maakte een korte wandeling langs het water, zocht in zijn verrekijker naar passagiers op de vaarroute die hier liep, mensen op boten waren een schouw-spel zonder dat ze een rol speelden.

Geen woord. Maar hij bleef net zo lang zitten totdat hij er een opgeschreven had.

De telefoon.

Tegenwoordig was het altijd Agnes. De anderen belden niet

meer, het had een jaar geduurd voordat hij dat doorhad, hij wist dat hij stikchagrijnig deed als het telefoonsignaal hem midden in een zin stoorde en dat hij dat maar moeilijk kon verbergen als hij opnam, hij had de een na de ander weten af te schrikken en toen het writer's block kwam en het scherm wit bleef, ontdekte hij de leegte die was binnengeslopen. Een achterbaks mormel was het, zo mooi, zo lelijk.

'Ja?'

'Je hoeft niet zo geïrriteerd te doen.'

'Ik ben aan het schrijven.'

'Wat schrijf je?'

'Het gaat wat moeizaam op dit moment.'

'Niets dus.'

'Zo ongeveer.'

Hij kon Agnes niet voor de gek houden. Zij hadden elkaar naakt gezien.

'Sorry. Waarvoor bel je?'

'We hebben een dochter. Ik wil graag weten hoe het met haar gaat. Daar bellen we elkaar zo nu en dan over. Ik heb het zonet al geprobeerd. Toen moest Marie ophangen van jou. Dus kreeg ik geen antwoord. Dat wil ik nu.'

'Goed. Het is goed met haar. Ze lijkt een van de weinigen te zijn die geen last van de hitte hebben. Dat heeft ze van jou.'

Hij zag het donkere lichaam van Agnes voor zich. Hij wist hoe ze eruitzag, ook op dit moment, ze zat op een bureaustoel, als het ware tegen de rugleuning aangekropen, een dunne jurk, hij had naar haar verlangd, iedere ochtend, iedere avond, nu had hij geleerd om niet meer te verlangen, om dat gevoel uit te schakelen, om kortaf en geïrriteerd en vrij te zijn.

'En de crèche? Hoe ging het brengen?'

Micaela. Je wilt iets over Micaela weten. Dat voelde goed, dat zijn relatie met een vrouw die vijftien jaar jonger was dan zij haar stoorde. Hij begreep dat het niet veel uitmaakte, dat ze niet met hangende pootjes terug zou komen omdat hij het bed deelde met een vrouw die even mooi was als zij, maar het was een plezierig gevoel, en kinderachtig genoeg genoot hij daarvan, dat was gewoon zo.

'Beter. Vandaag duurde het tien minuten. Toen holde ze weg om indiaantje te spelen met David.'

'Indiaantje?'

'Daar is het blijkbaar nu de tijd voor.'

Hij zat in de kleine keuken, aan de keukentafel, dat was zijn werkplek. Hij stond op, nam de draagbare telefoon mee naar de nog kleinere kamer die hij huiskamer noemde en ging in een leunstoel zitten. Ze belde precies op het goede moment, dan hoefde hij even niet naar het lege scherm te staren. Hij wilde haar net vragen hoe het in Stockholm was, hoe het eigenlijk met haar ging, dat kon hij vaak niet opbrengen, bang als hij was voor het antwoord, bang om te horen dat ze het naar haar zin had en dat ze ook aan een nieuwe relatie was begonnen; hij zocht een ontspannen formulering en dacht net dat hij er een gevonden had toen hij gefixeerd raakte op een beeld op de tv, die nog altijd zonder geluid aanstond midden in de woonkamer.

'Agnes, wacht even.'

Een stilstaand zwart-witbeeld, een glimlachende man met donker, kortgeknipt haar. Fredrik herkende het gezicht. Hij had het onlangs gezien. Hij had het vandaag gezien. Het was de vader op het bankje. Voor De Duif. Ze hadden elkaar goeiendag gezegd. Hij had op het bankje vlak voor het hek zitten wachten.

Hij liep naar de tv, zette het geluid harder.

Weer een foto van de vader. In kleur. In een gevangenis. Een muur op de achtergrond. Twee bewaarders naast hem. Hij wuifde naar de camera. Zo leek het tenminste.

De opgewonden stem van een verslaggever. Ze klonken allemaal hetzelfde. Ze ratelden maar door, beklemtoonden ieder woord, neutrale stemmen zonder eigen persoonlijkheid.

De stem zei dat de man op de foto, de vader op het bankje,

zesendertig jaar was en Bernt Lund heette. Dat hij in 1991 veroordeeld was wegens een serie verkrachtingen van minderjarige
meisjes. Dat hij in 1997 opnieuw was veroordeeld wegens een serie
verkrachtingen van minderjarige meisjes, die geëindigd was met
de zogeheten Skarpholmsmoord, waarbij twee negenjarige meisjes bruut misbruikt en vermoord waren in een kelderberging. Dat
hij vanochtend vroeg bij een artsenbezoek uit een van de gesloten
afdelingen voor zedendelinquenten van de Aspsåsinrichting was
ontsnapt.

Fredrik zweeg.

Hij hoorde het niet, zette het geluid harder, maar hoorde het
niet.

De man op de foto. Hij had hem gegroet.

Een gevangenisfunctionaris met een microfoon voor zijn neus
ging vervolgens staan hakkelen terwijl het zweet op zijn voorhoofd parelde.

Een oudere politieman met een bars voorkomen zei 'geen
commentaar' en besloot met een verzoek aan de kijkers om het
te melden als ze iets gezien hadden.

Hij had hem gegroet.

Hij had op het bankje bij het hek gezeten en hij had naar hem
geknikt, één keer toen hij naar binnen ging en nog eens toen hij
naar buiten ging.

Fredrik kon zich niet bewegen.

Hij hoorde Agnes roepen in de hoorn, haar scherpe stem sneed
in zijn oren. Hij liet haar roepen.

Hij had hem niet moeten groeten, hij had niet moeten knik-
ken.

Hij pakte de telefoon op.

'Agnes, ik kan nu niet praten. Ik moet iemand anders bellen. Ik
hang nu op.'

Hij drukte een van de knoppen op de hoorn in, wachtte op een
toon.

Ze was nog steeds aan de lijn.

'Agnes, verdorie! Hang toch op!'

Hij gooide de telefoon op de grond, stond haastig op, holde naar de keuken, naar zijn jas die over een van de stoelen hing, vond zijn mobiel en belde het nummer van Micaela op de crèche.

L ars Ågestam keek de rechtszaal door. Een middelmatig stelletje prutsers bij elkaar.

De juryleden met hun politieke opdracht en vermoeide, onkundige ogen, rechter Van Balvas, die al aan het begin van de rechtszaak onprofessioneel had opgetreden toen ze duidelijk blijk gaf van een vooringenomen houding ten opzichte van personen die van zedendelicten beschuldigd werden, de beklaagde Håkan Axelsson, die zelfs tijdens het proces geen enkel emotioneel begrip op kon brengen voor wat zijn daden hadden betekend voor verscheidene minderjarigen, de parketwachters achter hem die probeerden te kijken alsof ze überhaupt ergens verstand van hadden, de zeven leden van de schrijvende pers vooraan in het journalistenbankje, die aan één stuk door aantekeningen maakten, maar die nog geen verhoor correct konden weergeven, de twee dames op de bank erachter die de ene rechtszaak na de andere bijwoonden, aangezien die vrij toegankelijk waren, gratis vermaak boden en een burgerrecht waren, de groep puisterige rechtenstudenten helemaal achterin, die – evenals hijzelf een paar jaar geleden – een rechtszaak over de vertwijfeling van misbruikte kinderen veranderden in een studieopdracht met aan het eind een goed tentamencijfer.

Hij wilde hun allemaal wel toeschreeuwen dat ze de rechtszaal moesten verlaten of in ieder geval hun kop moesten houden.

Hij was echter een welopgevoede, ambitieuze en relatief nieuwe officier van justitie die langzamerhand iets anders wilde doen dan zedendelinquenten en junkies aanklagen, die hoger, hoger en hoger wilde klimmen en slim genoeg was om zijn eigen meningen voor zich te houden. Hij klaagde aan, bereidde de tenlasteleggingen voor en als het proces begon, wist hij het meest van iedereen in de zaal en moest er een verdomd goede advocaat aan te pas komen, wilde het ook maar enige zin hebben om het tegen hem op te nemen.

Kristina Björnsson was zo iemand. Een verdomd goede advocate.

Ze was de enige in de rechtszaal die hij niet in het hokje van middelmatige personen kon stoppen. Ze had ervaring, was slim, de enige die hij tot nog toe bij de tegenpartij was tegengekomen, die keer op keer idioten had verdedigd en hen nog steeds belangrijker vond dan het gangbare advocatenhonorarium. Ze was een van de weinigen die daarvoor ook het volledige respect van haar cliënten genoot. Een van de eerste verhalen die hem verteld waren toen hij net aan zijn rechtenstudie aan de universiteit van Stockholm begon, ging over Kristina Björnsson en haar muntenverzameling. Ze was numismatica, bezat kennelijk een van de betere collecties van het land, een collectie die aan het begin van de jaren negentig gestolen werd. Het was een hele consternatie geweest in de gevangenissen van het land, via vertrouwensraden was een merkwaardige zoekactie gestart door de onderwereld. Een week later stonden er twee potige mannen met het haar in een vlecht bij advocaat Björnsson voor de deur, met bloemen en met haar hele collectie, in cadeauverpakking met een strikje erop. Iedere munt lag op zijn plaats, in zijn eigen plastic hoesje. Er zat een brief bij, moeizaam geschreven door drie beroepscriminelen gespecialiseerd in kunst en antiek, een lange brief waarin ze zich uitputten in excuses, uitlegden dat ze niet hadden geweten van wie de munten waren en dat ze haar konden helpen om de verzameling compleet te maken, als ze ooit een niet helemaal legale manier van aanschaffen zou willen overwegen. Lars Ågestam had vaker gedacht dat hij, als hij zich op een dag in een situatie bevond waarin hij een advocaat nodig had voor zijn verdediging, zich tot Kristina Björnsson zou wenden.

Ze deed het nu ook weer goed. Håkan Axelsson was een van die afgestompte, gevoelloze schoften die een lange gevangenisstraf verdienden, die het Openbaar Ministerie ook zou eisen onder verwijzing naar het bewijs van krenkend geweld in de vorm van cd-roms met beelden, naar de getuigenissen van een paar andere

leden van het gesloten gezelschap van zeven pedofielen die meegedaan hadden aan een bizarre verspreiding van kinderporno op
zaterdagavond om acht uur, naar de bekentenis van de aange-
klaagde zelf, maar de ellendeling zou er vast met een jaar of wat
afkomen. Björnsson had de aanklacht geduldig punt voor punt
beantwoord, ze had een zware psychische stoornis aangevoerd en
daarmee dwangverpleging. Ze wist dat ze dat nooit voor elkaar
zou krijgen, maar ze had daarmee wel een opening gecreëerd voor
een diplomatieke tussenoplossing, die onmogelijk had geleken
toen Axelsson het misdrijf had toegegeven, maar die nu nabij was.
Ze had aan haar eigen koers vastgehouden en de sympathie van de
juryleden gewonnen, dat was duidelijk, er werd al afgedongen op
verkrachting toen een van hen opmerkte dat een van de kinderen
zich uitdagend had gekleed.

Lars Ågestam kookte inwendig. Die vervloekte gemeentepo-
liticus had voor hem gezeten in zijn grijze pak terwijl hij het had
over de kleren van de kinderen en over een ontmoeting tussen
mensen en gedeelde verantwoordelijkheid en het had niet veel
gescheeld, minder dan ooit, of Ågestam was tegen het jurygespuis
tekeergegaan, had hen én zijn eigen carrière de deur gewezen.

Hij had eerder de andere processen tegen drie van de zeven
kinderpornopedofielen gevolgd, ze hadden lange straffen gekregen en Axelsson was even schuldig, maar Kristina Björnsson en de
mannetjes hadden hun ouderwetse pact gesloten en als Bernt
Lund niet diezelfde ochtend ontsnapt was, hadden vrijspraak
en prestigeverlies voor een jonge hoofdofficier in spe gedreigd.
Lunds verdwijning had de journalisten voorin opgehitst, ze hadden plotseling meer belangstelling voor de zaak-Axelsson, hun
stukjes verhuisden nu naar voren, van pagina elf naar pagina
zeven, ieder verband tussen Axelsson en Zwedens meest gehate
en gezochte persoon leverde dubbele kolommen op en ten minste
een jaar gevangenisstraf om geen vragen van burgers te krijgen.

Ågestam wilde even geen sekszaken meer.

Ze vergden te veel energie, het maakte niet uit of de dader en het slachtoffer niet meer waren dan twee onbekende namen op papier, de misdaad pakte hem bij de kladden, dwong hem van zijn afstandelijke perspectief af te stappen en zijn ambtelijke kalmte te laten varen, en een opgewonden officier liep het risico niets meer waard te zijn.

Hij wilde bankovervallen, moorden, oplichting. Sekszaken waren voorspelbaar, iedereen had er een mening over en iedereen had zijn argumenten allang klaar. Hij had het voor de zaak-Axelsson geprobeerd te begrijpen, had alles gelezen wat er te lezen viel over verspreiding van kinderporno en hij had een cursus gevolgd op het parket van de procureur-generaal om de beginselen te leren van het omgaan met seksueel geweld. Ze waren met vier officieren en drie advocaten geweest die op die avonden samen hadden geprobeerd instrumenten te ontwikkelen en daarmee de basis te leggen voor betere beoordelingen.

Hij wilde geen sekszaken meer en hij wilde pertinent Bernt Lund niet als hij weer gepakt werd. Lund betekende te veel emoties, zijn misdaden waren zo bruut dat hij er niet tegen kon het proces-verbaal te lezen en daarna zijn daden op schrift te stellen.

Hij zou ervoor zorgen dat hij tegen die tijd een heel eind uit de buurt was.

H ij deed de deur open, zocht naar zijn sleutelbos, maar liet
de deur openstaan, holde naar de auto.

Marie.

Hij holde en huilde en hij rukte aan de handgreep van het
portier.

De sleutel stak in het contact, zijn hele sleutelbos hing daar, hij
startte de motor en reed haastig achteruit de nauwe oprit af.

Ze was er niet.

Micaela had naar zijn onsamenhangende zinnen geluisterd, ze
had de hoorn neergelegd en was haar gaan zoeken. Eerst binnen,
toen buiten. Nergens. Hij was gaan schreeuwen en Micaela had
gezegd dat hij rustig moest blijven, hij was zachter gaan praten en
weer harder en hij was nog harder gaan schreeuwen dan eerst, over
het bankje en het middagjournaal en over de vader die op de foto
stond voor een gevangenismuur.

Hij had opgehangen en nu zat hij in de auto en reed in paniek
over de bochtige, smalle weg en hij huilde en schreeuwde maar
door.

Hij wist het zeker. De man op de bank was de man op de foto's.
Hij haalde één hand van het stuur en belde het centrale nummer
van de politie van Stockholm, brulde in de hoorn waarvoor hij
belde, even later kreeg hij de wachtcommandant aan de lijn. Hij
legde uit dat hij Lund gezien had en wel bij een kinderdagverblijf
in Strängnäs en dat zijn dochter, die daar zou moeten zijn, weg
was.

Het was drie kilometer van het huis naar de pont. Hij reed met
hoge snelheid langs de gesloten school aan het Skvallerplein en
een paar honderd meter verderop langs de stenen kerk uit de
dertiende eeuw. Drie mensen op de begraafplaats, iemand die
bloemen water gaf, iemand die stilstond op het gras voor een
grafsteen, iemand die het grindpad aanharkte.

Hij was een paar minuten te laat; de pont die net vertrokken was, was al halverwege. Die vertrok op het hele uur van het vasteland, tien minuten later van het eiland weer terug. Hij keek op zijn horloge: veertien over drie, hij toeterde een paar keer, knipperde met zijn lichten.

Zinloos.

Hij belde. De schipper van de pont hoorde de telefoon haast nooit, maar het was nu nog stiller dan gewoonlijk, windstil, geen motorboten te zien. Fredrik kreeg hem aan de lijn en probeerde het uit te leggen en de schipper beloofde hem dat de pont meteen zou keren zodra hij de auto's die erop stonden had overgezet.

Waarom waren ze in godsnaam naar de crèche gegaan?

Waarom waren ze in godsnaam om halftwee niet thuisgebleven?

Fredrik zag de pont het land aan de overkant naderen. Die ellendige tijd zou stil moeten blijven staan. Marie was niet binnen en ze was niet buiten en hij dacht aan zijn dochter, die meer dan levensgroot geworden was; hij had haar groter gemaakt, misschien wel te groot. Na Agnes was het alsof Marie alle geconcentreerde liefde waaronder hij haar bedolf, moest opnemen en opslaan en er regelmatig van uitdelen. Ze moest ook de gerichte liefde van Agnes in ontvangst nemen, opslaan en er regelmatig van uitdelen; ze moest hen beiden dragen en hij had vaak bedacht dat het niet eerlijk was, dat je van niemand meer moest maken dan een gewoon mens en niemand moest dwingen meer liefde te dragen dan hij of zij kwijt kon. Zo groot is een vijfjarige niet.

Hij belde Micaela weer. Geen gehoor. Nog een keer. Haar toestel stond uit. De signalen gingen meteen over in een elektronische stem die hem vroeg een bericht in te spreken.

Het was lang geleden dat hij had gehuild. Zelfs toen Agnes wegging had hij niet gehuild, het leek wel of het niet meer lukte, hij had het wel eens geprobeerd, had echt doelbewust willen huilen, maar hij kon het niet, het viel niet te dwingen, dat had nog nooit gekund. Hij dacht terug en besefte dat hij zolang hij volwassen was, nog nooit had gehuild.

Hij had zich ervoor afgesloten.

Dat was tenminste zo geweest.

Daarom begreep hij er nu ook niets van. Die vreselijke angst die hem te pakken had en dat vreselijke huilen waar geen eind aan kwam. Hij had vaak gedacht dat het een prettig gevoel zou zijn, maar dit, dit was gewoon diefstal, iets liep uit hem weg en hij zat hier als een groot, eenzaam gat voor in zijn auto.

De knalgele en mosgroene pont was ginder omgekeerd, vier auto's waren er aan de overkant af gereden en nu kwam hij een keer extra leeg terug. Hij balanceerde op twee roestige kabels, net beweegbare rails door het water, ze kletsten hard tegen het metaal waaraan ze vastzaten, een regelmatig geluid, steeds hoger naarmate de pont dichterbij kwam. Hij stak zijn hand op naar de brug, ze groetten elkaar altijd. Hij reed de pont op.

Het water om hem heen. De pont die kalm zijn route vervolgde. Fredrik zag de beelden van het middagnieuws. Eerst de zwart-witte portretfoto. Daarop glimlachte hij. Toen het moment voor de gevangenismuur. Hij stond tussen bewaarders en wuifde naar de camera. Fredrik probeerde het gezicht kwijt te raken, maar het drong zich op en weigerde weg te gaan. De glimlachende, wuivende man had kinderen verkracht. De een na de ander. Dat wist Fredrik nu. Hij wist het weer. Twee meisjes die in een kelder waren verkracht en vermoord. Ze waren kapotgemaakt. Lund had gesneden, gescheurd en geslagen, alsof het oude poppen waren. Fredrik had er indertijd over gelezen. Maar hij had het niet in zich op kunnen nemen, hij had niet kunnen denken, hij had erover gelezen en hij had de algemene woede gedeeld, maar het was toch net of het niet was gebeurd, wat hij las bestond niet, de dagelijkse berichtgeving van de pers over het proces hield wekenlang aan, maar hij had er echt niet naar kunnen kijken.

De oudere man stond vandaag op de brug. Fredrik had hem eerder alleen nog maar 's ochtends zien varen, een gepensioneerde die de gaten in het rooster opvulde totdat een jongere overgeplaatst zou worden van een dienst verder naar het noorden die opgeheven werd. Een verstandige man, hij zag hoe wanhopig Fredrik was en daarom zag hij ervan af de trap af te gaan, zoals hij anders wel deed, om een praatje te maken over het weer en de huizenprijzen. Hij had geluisterd toen Fredrik belde en had aangegeven dat hij wilde weten waar het om ging, nu hield hij zich afzijdig en Fredrik zou hem daar de volgende keer voor bedanken.

Aan de overkant stond de herdershond van de oude man vastgebonden aan een boom bij het water. Hij blafte van vreugde toen de baas zwaaide. Fredrik scheurde weg en was al van de pont af op het moment dat die aanlegde.

Hij was bang.

Zo bang.

Ze ging anders nooit ergens heen zonder het te zeggen. Ze wist dat Micaela binnen was en dat ze het tegen haar moest zeggen als ze van het plein af wilde, het hek uit.

De man op het bankje voor de poort. Een pet op, nogal kort van stuk, nogal mager. Hij had hem gegroet.

Arnövägen, een bochtige grindweg van negen kilometer, daarna weg 55, acht kilometer rampzalig asfalt. Er waren weinig andere auto's onderweg, hij ging harder rijden, harder dan ooit tevoren.

Hij had oog in oog gestaan met hem. Het was hem. Hij wist dat het hem was.

Vijf auto's voor hem. Ze reden langzaam, voorop een rood autootje met een enorme caravan erachter, die ontzettend slingerde in de scherpe bochten, en de rij erachter hield eerbiedig afstand. Hij probeerde in te halen, een keer, twee keer, maar moest ermee stoppen toen de volgende bocht eraan kwam en het zicht tot nul werd gereduceerd.

De volgende afrit, naar Tosterö, vlak voor de Tosteröbrug en het centrum van Strängnäs rechtsaf.

Hij zag hen al van verre.

Ze stonden voor het hek, tussen het plein van De Duif en de weg die er voorlangs liep.

Vijf peuterleidsters en twee medewerkers uit de keuken. Vier agenten met honden. Sommige ouders die hij herkende en sommige die hij niet herkende.

Een van hen, met een klein kind op de arm, wees naar het bos. Een agent ging erheen met zijn hond, liet hem snuffelen, kreeg gezelschap van nog twee.

Fredrik reed tot aan het hek, bleef even zitten voordat hij het portier opendeed en uitstapte. Micaela kwam naar hem toe, hij had haar eerst niet gezien, ze kwam van binnen.

Zwarte koffie. Niks geen melk, latte, cappuccino of ander modieus gedoe, gewone Zweedse, pikzwarte koffie zonder drab. Ewert Grens stond op de gang voor de koffieautomaat, hij zou verdorie geen kroon extra betalen om wat droog wit poeder in zijn kopje te krijgen, het smaakte vies, met emulgatoren en meer van die synthetische rommel. Sven wilde dat nou juist wel. Het moest er bruinig uitzien, hij betaalde graag wat meer om het te verdunnen. Ewert hield de plastic bekertjes duidelijk gescheiden, een flink stuk van elkaar, alsof het lichtbruine anders het helemaal zwarte kon besmetten. Hij probeerde ze recht te houden, voorzover dat een lichtelijk manke man op een pas geboende vloer mogelijk was. Hij ging zijn kamer binnen, waar Sven in elkaar gezakt en futloos op de bezoekersstoel zat, en hij reikte hem het ene bekertje aan.

'Hier. Je bakkie troost.'

Sven kwam overeind, pakte het aan.

'Dankjewel.'

Ewert bleef voor hem staan, er was iets met zijn ogen, iets wat hij niet herkende.

'Wat is er met je? Zo vreselijk is het toch niet dat je op je veertigste verjaardag moet werken?'

'Nee.'

'Maar?'

'Jonas belde net. Terwijl jij met de koffieautomaat aan het stoeien was.'

'Ja?'

'Hij vroeg waarom ik niet thuiskwam, terwijl ik had gezegd dat ik thuis zou komen. Hij zei dat ik had gelogen.'

'Gelogen?'

'Hij zegt dat grote mensen liegen.'

'En? Ter zake.'

'Hij had de berichtgeving over Lund op tv gezien. Hij vroeg waarom grote mensen liegen en tegen een kind zeggen dat het naar een dood eekhoorntje of een mooie pop moet komen kijken, terwijl die volwassene alleen maar zijn piemel wil gebruiken en je daarna wil slaan. Dat zei hij. Woordelijk.'

Sven dronk zijn koffie, zweeg even, hij zakte weer in elkaar, draaide wat met de stoel, gedachteloos, naar links, naar rechts. Ewert ging naar de boekenkast, naar de cassetterecorder, zocht tussen de plastic doosjes.

'Wat moet je daarop zeggen? Je vader liegt, grote mensen liegen, sommige volwassenen liegen en gebruiken ook nog hun piemel en willen je slaan. Ewert, ik kan het niet aan. Ik kan het verdorie niet aan.'

Zeven mooie jongens, met Harry Arnolds Radioband, 1959.

Ze luisterden.

Mijn eerste vriend was zo slank als een sabel
De tweede was blond en hij werd mij zo lief

De tekst was net als ijshockey, banaal en onbelangrijk en juist daarom een vlucht, Ewert wiegde zachtjes met zijn hoofd, zijn ogen dicht, een andere tijd, een paar minuten vrede.

Er werd geklopt.

Sven keek naar Ewert, die verstoord zijn hoofd schudde.

Nogmaals, harder.

'Ja!'

Ågestam. Het keurig gekamde kapsel en de kruiperige glimlach door de kier van de deur. Ewert Grens had weinig op met braveriken in het algemeen en bijzonder weinig met braveriken die zich voor officieren van justitie uitgaven, maar alleen maar verder en hoger wilden.

'Is er wat?'

Lars Ågestam deinsde achteruit, of dat nu kwam van Ewert Grens en zijn irritatie of van Siw Malmkwist die door de kamer galmde.

'Lund.'

Ewert keek op van zijn plastic bekertje, zette het neer.

'Ja?'

'Hij is gezien.'

Ågestam vertelde dat de wachtcommandant net een telefoontje had gekregen dat Bernt Lund een paar uur geleden in Strängnäs bij een kinderdagverblijf was gezien. Een bange vader had gebeld met een mobiel en rustig, in duidelijke bewoordingen gesproken over een bankje, een pet en een gezicht dat hij had herkend. Hij had zijn dochtertje van vijf daarheen gebracht, en volgens het personeel was ze nu weg.

Ewert kneep zijn bekertje in elkaar en gooide het in de prullenbak.

'Potverdomme. Potverdomme!'

De verhoren. De smerigste die hij ooit had gedaan. Een mens die geen mens was geweest, ogen die hem nooit aankeken.

Grens, verdorie.

Lund, ik wil dat je me aankijkt.

Grens, het zijn snolletjes.

Ik ben je aan het horen, Lund. Dan wil ik dat je me aankijkt.

Snolletjes. Kleine geile snolletjes.

Of je kijkt me aan, of we stoppen ogenblikkelijk met dit verhoor.

Je wilt het weten. Van die kutjes. Ik weet dat je dat wilt.

Je durft me dus niet aan te kijken.

Kutjes willen een pik.

Goed. Nu kijken we elkaar aan.

Die ukkepukkekutjes willen heel veel pik.

Hoe is het om mij in de ogen te kijken?

Dat moet je ze leren. Dat ze niet de hele tijd aan een pik moeten denken.

Nu hou je het niet meer vol. Je hebt laffe ogen.

De kleinste kutjes zijn het ergst, die zijn het geilst, daarom moet je hard te werk gaan.

Jij wilt dat ik de cassetterecorder uitdoe en dan mijn zelf-
   beheersing verlies.
Grens, heb je ooit een negenjarig kutje geproefd?

Hij zette de muziek uit. De cassette ging voorzichtig weer in het plastic doosje.

'Als hij zo wanhopig is dat hij zich laat zien voordat hij weer een kind te pakken neemt, is het risico groot dat hij alle remmingen kwijt is.'

Hij liep naar de klerenknecht die ingeklemd stond in de hoek achter de deur, pakte zijn colbertje dat eroverheen hing.

'Ik heb hem verhoord, ik weet hoe hij denkt. Ik heb ook het forensisch-psychiatrische rapport gelezen en heb de bevestiging gekregen van wat ik al wist, wat iedereen al wist: hij heeft uitgesproken sadistische trekken.'

Hij had het psychiatrische rapport niet alleen gelezen, hij had het verdorie woord voor woord begrepen, hij was meer geraakt door Lund en de verhoren dan ooit eerder het geval geweest was, niemand had ooit zo op hem ingewerkt, een gevoel, haat, angst. Zijn emoties waren nogal bekoeld in het politievak, dat wist hij, hij was nogal moeilijk geworden, dat wist hij ook; iets voelen was sowieso een ellende vandaag de dag, maar Lund en zijn misdaden en zijn vreemdsoortigheid hadden er voor het eerst voor gezorgd dat hij het wilde opgeven, ertussenuit wilde knijpen, het niet langer wilde proberen. Hij had ook met de psychiater gesproken die het geschreven had en had meer van hem los weten te krijgen dan hij eigenlijk mocht zeggen, ze hadden over Lund gesproken en over de sadistische verkrachtingen die hij had begaan, over de razernij die voor hem gelijkstond aan seksualiteit, beschadigen was lust geworden, iemand machteloos maken en zien worden was genot geworden. Ewert had gevraagd of Lund eigenlijk wel begreep wat hij had gedaan, of hij begreep hoe het kind en de ouders van het kind en alle andere betrokkenen reageerden en wat ze voelden, en de psychiater had voorzichtig het hoofd geschud, hij had over Lunds jeugd gesproken, over vroege vergrijpen, dat hij zich, om met zichzelf uit de voeten te kunnen, voor anderen had afgesloten.

Met zijn colbertje in zijn hand wees hij van Sven naar Ågestam.

'Een lichte stoornis. Snappen jullie dat? Hij verkracht kleine meisjes en dan wordt bij hem een lichte stoornis vastgesteld.'

Ågestam zuchtte.

'Ik weet het nog wel. Ik zat toen op de universiteit. Ik weet nog hoe vreemd we dat vonden, hoe kwaad we waren.'

Ewert wurmde zich in zijn colbertje en zei tegen Sven: 'Dat wordt weer de auto. Strängnäs. Als de gesmeerde bliksem. Jij rijdt.'

Lars Ågestam stond nog in de deuropening, hij had opzij moeten gaan, maar dat deed hij niet.

'Ik ga mee.'

Ewert mocht de jonge officier van justitie niet. Hij had het al eerder laten merken en dat deed hij nu weer.

'Dus jij bent nu leider van het vooronderzoek in deze zaak?'

'Nee.'

'Dan vind ik dat je aan de kant moet gaan.'

Terwijl ze met hoge snelheid over de E4 in zuidelijke richting reden, ging de zon langzaam onder, het was nog steeds even warm en het felle licht was hinderlijk. Ze reden de stad uit, langs de buitenwijken, voorbij Kungens Kurva, Fittja, Tumba en Södertälje. Ze namen de afslag naar het westen, de E20 richting Strängnäs, en Sven haalde opgelucht adem. Aan Ewerts opmerkingen dat hij harder moest rijden en aan zijn gezeur over de zonneklep die niet genoeg hielp was een eind gekomen op het moment dat ze van rijrichting veranderd waren. Hij kon nu nog harder rijden, hier was minder verkeer en ze hadden geen last van de zon.

Ze praatten niet veel. Bernt Lund was gezien bij een kinderdagverblijf. Een vijfjarig meisje werd vermist. Er viel niet zoveel meer te zeggen. Ze liepen ieder voor zich door wat er gebeurd was, wat er gebeurd zou kunnen zijn, en ieder scenario besloot met de hoop dat het loos alarm was, dat het meisje opeens tevoorschijn was gekomen uit een speelzaal die ze over het hoofd hadden gezien, dat de vader die dacht dat hij Bernt Lund gezien had zo iemand was die angst met een op hol slaande fantasie combineerde.

Drieënveertig minuten. Vanuit het centrum van Stockholm naar kinderdagverblijf De Duif in Strängnäs.

Toen ze er nog een paar honderd meter vandaan waren, begrepen ze al dat het niet zo was. Dat het geen loos alarm was. Dat het iets anders was, misschien wel het ergste. Van een afstand zagen ze een heleboel mensen bij het hek van het kinderdagverblijf staan: het zouden wel peuterleidsters en kinderverzorgsters zijn, ouders met hun spelende, rennende en springende kinderen, twee politieauto's met geüniformeerd personeel en ontelbaar veel honden. Dat alles signaleerde vraagtekens, schrik, verwarring en juist daarom vermoedelijk saamhorigheid.

Sven stopte een eindje bij het hek vandaan. Een minuut. Stilte voor de chaos. Zwijgen voor een spervuur van vragen. Vanuit zijn metalen omhulsel keek hij naar de mensen die daarbuiten rondliepen. Ze bewogen aldoor. Ongeruste mensen bewegen. Dat doen ze. Hij keek naar hen door de voorruit, als naar een schouwspel, een toneel. Hij gluurde naar Ewert, begreep dat die ook aanschouwde, interpreteerde, deel probeerde te hebben aan het gesprek daarbuiten zonder het portier te openen.

'Wat denk je?'

'Ik denk niet, ik zie.'

'Wat zie je dan?'

'Dat het foute boel is.'

Ze stapten uit de auto. Twee agenten keken hun kant op. Ze richtten zich op een van hen en liepen naar hem toe.

'Dag.'

Ze gaven elkaar een hand.

'Sven Sundkvist.'

'Leo Lauritzen. We zijn hier twintig minuten geleden aangekomen. We komen uit Eskilstuna, wij zitten er het dichtst bij.'

'Dit is Ewert Grens.'

Leo Lauritzen glimlachte verbaasd. Hij was lang, donker, met gemillimeterd haar, hij straalde datgene uit wat alleen mensen van zijn leeftijd, zo rond de dertig, hebben: een soort vanzelfsprekende, broze onkwetsbaarheid. Hij hield Ewert Grens' hand iets te lang vast.

'Verrek zeg. Ik heb over je gehoord.'

'O ja?'

'Alsof ik in een film zit. Maar ik moet één ding zeggen: ik had me je groter voorgesteld.'

'Iedereen stelt zich altijd zoveel voor.'

'Ik wilde niet onbeleefd zijn.'

'Heb je ook nog iets zinnigs te zeggen? Over de toestand hier? Of ben je net zo stom als je eruitziet?'

De andere agent, die een paar stappen verderop stond, hoorde het en kwam erbij staan. Ze stelde zich niet voor.

'Een uur geleden belde de wachtcommandant uit Stockholm en hij deelde mee dat een van de kinderen van dit dagverblijf verdwenen was. Een paar minuten later kwam aanvullende informatie: Bert Lund was gezien in verband met de verdwijning van het meisje. We hebben groot alarm geslagen. Hondenpatrouilles en mensen van de plaatselijke hondenvereniging zoeken in het bos dat zich van hier tot aan Enköping uitstrekt. Twee helikopters zoeken de wegen en de oever van het Mälarmeer af. We beginnen straks met een drijfjacht. We wilden daar nog even mee wachten, de honden hebben een geur nodig waar ze achteraan kunnen gaan, voordat half Strängnäs door het bos heen holt.'

Ze transpireerde hevig, haar lichte haar plakte aan haar slapen, ze had hard gewerkt in de drukkende hitte. Ze verontschuldigde zich, liep terug naar een paar hondenbezitters die jassen droegen met op de borst het embleem van de Zweedse Hondenvereniging. Sven en Ewert keken elkaar aan, alsof ze eigenlijk geen van beiden aan het werk wilden gaan; het duistere boezemde hun onbehagen in. Ewert kuchte en richtte zich tot Leo Lauritzen.

'De ouders van het meisje?'

'Ja?'

'Zijn zij op de hoogte gesteld?'

Lauritzen wees naar het hek, naar een bankje dat pal voor de ingang van De Duif stond. Aan het ene uiteinde ervan zat een man met lang haar in een paardenstaart tot even op zijn rug, gekleed in een bruin manchester pak. Hij zat voorovergebogen, met zijn ellebogen op zijn knieën, naar het hekje te staren of was het naar de struik erachter? Er zat een vrouw naast hem met haar armen om hem heen, ze streelde over zijn wang.

'De vader van het meisje. Hij heeft gebeld. Hij heeft hem gezien. Twee keer met een tussenpoos van vijftien, twintig minuten. Lund zat in het volle zicht op precies dat bankje.'

'Naam?'

'Fredrik Steffansson. Gescheiden, de moeder van het meisje heet Agnes Steffansson, woont in een flat in Stockholm, Vasastan als ik het goed heb.'

'En de vrouw naast hem?'

'Die werkt hier, op het kinderdagverblijf. Micaela Zwarts. Ze woont met hem samen. Het meisje woont officieel om en om op twee adressen, maar kennelijk heeft ze zelf het afgelopen halfjaar Strängnäs als haar thuis gekozen, bij Steffansson en Zwarts. Ze ziet haar moeder meestal in de weekenden. De ouders lijken het eens te zijn, ze stellen het welzijn van het meisje voorop; als zij hier in Strängnäs wilde wonen, dan gebeurde dat. Ik zou willen dat het bij iedereen zo kon. Ik ben zelf ook gescheiden en…'

Ewert Grens wilde het niet weten.

'Ik ga even met hem praten.'

De man op het bankje zat voorovergebogen.

Starende ogen, een lege blik.

Hij zat erbij alsof hij pijn had. Alsof er geconcentreerde kracht uit het gat in zijn maag lekte, levenslust die naar buiten sijpelde en het gras aan zijn voeten lelijk maakte.

Ewert Grens had geen kinderen. Hij had ze ook nooit graag willen hebben en hij kon daarom niet begrijpen wat de man tegenover hem voelde, dat wist hij.

Maar hij kon het wel zien.

R une Lantz werd binnenkort zesenzestig. Al bijna een jaar met pensioen. Al bijna een jaar zonder één mannelijke vriend. Hij had laat op een vrijdagmiddag in juli vorig jaar de vier kubieke meter grote bak van de appelsapblender voor het laatst geleegd. Hij had alles uitgezet en schoongemaakt en zich voorbereid op de aflossing. Iemand van de nachtploeg zou hem groeten, zijn gehoorbeschermers en zijn netmuts opzetten en de goede hoeveelheid suiker toevoegen: niet zo zoet voor Duitsland, zoeter voor Groot-Brittannië, verschrikkelijk zoet voor Italië en bijna niet te drinken zo zoet voor Griekenland. Hij was na vierendertig jaar de fabriek uit gelopen om te ontdekken dat de vrienden met wie hij dagelijks omging vrienden voor in de koffiepauze waren, vrienden om mee over de baas te kletsen, om op vrijdag tussen de middag mee op paarden te wedden. Dat was alles. Geen van hen had sindsdien gebeld of was langsgekomen. Hij was zelf even schuldig, hij zocht niemand op, niet in de fabriek en niet thuis, hij wist niet eens zeker of hij hen wel miste. Eigenaardig, dacht hij, je leeft een heel leven met mensen die je niet nodig hebt of waar je je niets aan gelegen laat liggen, mensen als een tv die aanstaat in de hoek van de woonkamer. Ze zijn gewoonte en traditie en ze verhullen de leegte en de stilte. Ze weerspiegelen je, zodat je zeker weet dat je bestaat, maar ze betekenen helemaal niets. Voor jou niet en voor iemand anders ook niet. Je verdwijnt en plotseling ben je er niet meer bij, terwijl alles daar gewoon blijft doorgaan. Ze maken appelsap en vullen hun wedrenformulieren in en lachen hard tijdens de koffiepauze en het is net of je er nooit bent geweest.

Hij pakte haar hand steviger vast.

Hij zag haar nu duidelijker.

Margareta werkte nog steeds in de fabriek ernaast, ze moest nog twee jaar en ze was de hele dag van huis. Nooit eerder had hij geweten hoezeer hij haar nodig had, ze deelden tijd en leven en de moed om oud te worden.

Ze liepen vlak naast elkaar, dicht tegen elkaar aan, tamelijk langzaam, ze sukkelde met haar knieën. Iedere namiddag dezelfde wandeling, van hun huis in de haven over de Tosteröbrug langs de woonwijk met rijtjeshuizen naar het bos. Hij stond al met zijn jas aan klaar als zij thuiskwam, het laatste uur alleen thuis was het ergst, dan verlangde hij heel erg naar haar, naar het samen als één lopen, in hetzelfde ritme voortstappen, in hetzelfde ritme ademen. Er waren een paar verschillende paden door het bos waaruit ze konden kiezen, sommige waren gemeten en gemarkeerd met groene en gele bordjes, markeringen voor hardlopers, honderd meter tussen de geschilderde bordjes. Als het nog licht was, in het voorjaar, de zomer en de vroege herfst, weken ze altijd van de gemarkeerde route af om nieuwe paden te zoeken, tussen de dichte sparren en de wilde bosbessenstruiken door, het was veel leuker om je eigen weg te zoeken als het leven zo zoetjes aan op een lager pitje kwam te staan.

Dit was zo'n avond. Ze hielden elkaars hand vast, ze verlieten het gemarkeerde pad al na een paar meter en liepen zij aan zij door het dorre bos. Het had al weken niet geregend, de zomer en het hogedrukgebied dat weigerde de hemel boven Noord-Europa te verlaten, zorgden voor een knappende ondergrond en brandgevaar; het zou de komende herfst niets worden met de paddestoelen.

Een ree. Een paar hazen. Vogels, nogal grote vogels, misschien wel buizerds. Ze zeiden niet veel tegen elkaar, dat was niet nodig, ze waren al drieënveertig jaar getrouwd en hadden waarschijnlijk alle zinnen al gebruikt waarover ze beschikten. Gewoonlijk bleef een van hen staan wijzen met een hand omhoog, ze keken altijd naar het dier totdat het ervandoor ging, ze hadden tijd genoeg, straks was het avond en ze waren te oud om nog gauw ergens heen te moeten.

Het terrein veranderde van gedaante, het werd plotseling glooiend, ze ademden heftiger, het was aangenaam om het bloed rond te voelen stromen om zuurstof te leveren.

Ze hadden net een klein formaat rotsgebergte bedwongen toen het geluid naderde.

Ze hoorden het allebei. Een helikopter.

Boven hun hoofden. Hij vloog vlak bij hen, laag, hij danste langs de toppen van de sparren.

Er kwam een tweede achteraan.

Politiehelikopters. Rune zag het en Margareta zag het, ze wisten niet hoe of waarom, maar ze voelden onmiddellijk ongerustheid en onbehagen, het doordringende motorgeluid en de opdringerige aanwezigheid, agenten die iets zochten, er was haast bij en het was hier.

Margareta bleef staan. Ze volgde de toestellen boven haar, totdat ze achter de horizon van de bomen verdwenen.

'Ik vind het maar niets, die dingen.'

'Ik ook niet.'

'We gaan niet verder.'

'Niet voordat ze weg zijn.'

'Dan nog niet.'

Ze hield de hand van haar man vast, ze trok zijn arm om zich heen, daar moest die liggen, om haar middel. Hij kuste haar zacht op haar wang, het was zij tweeën tegen de wereld, tegen helikopters en uniformen en motorgeronk.

Ze trok hem nog steviger tegen zich aan. Ze was ongerust. Hij keek haar aan, ze was anders nooit bang, zij was juist de moedigste van hen tweeën. Nu wilde ze alleen maar weg, brommende helikopters betekenden ongeluk.

Daar in de verte tegen de bosrand. Hij zag hem eerder dan zij. Een agent met een hond. Ze bewogen langs de bomen, de hond zocht iets, hij trok, naar het westen, bij hen vandaan, de kant van de helikopters op.

'Dat ook nog.'

'Ze hoeven niet bij elkaar te horen.'

'Natuurlijk wel.'

Nu wisten ze het. Er was iets gebeurd, hier, in hun bos, hun adempauze weg van al het andere.

Ze liepen snel de heuvel af, door het dichte struikgewas. Weg was de langzame pas, de gemeenschappelijke ademhaling, ze wilden weg van de jacht op iemand, het ongeluk van iemand.

Margareta zag hem het eerst.

Zo rood.

Een kinderschoen. Een meisjesschoen.

Rode lak en een opvallende metalen siergesp.

Ze liepen zo hard mogelijk, haar knieën deden lelijk pijn, maar ze schonk er geen aandacht aan. Toen Rune vroeg of ze pijn had, schudde ze haar hoofd en wees vooruit, de snelste weg terug, ze konden afsnijden buiten de voor de hand liggende route om, glooiend terrein of niet. De helikopter zo dichtbij, de politieman met zijn hond, ze wilde niet aan het duistere denken, maar was ervan overtuigd dat het om hen heen was. Ze wist het gewoon, ze zag dat haar reactie Rune ongerust maakte en ze schudde haar hoofd, ze kon geen antwoord geven, soms is er gewoon geen verklaring.

Ze moest zijn hand loslaten, ze moesten elk aan een kant om de grote spar heen, er stonden veel struiken en ze konden niet meer naast elkaar lopen. Ze hadden al ruim een kilometer stevig doorgelopen en het zou niet ver meer moeten zijn terug naar hun startpunt, naar het asfalt en de huizen.

Ze zag hem onder de brede takken van de spar, ze dacht eerst dat het een paddestoel was en schopte er voorzichtig tegen. Toen tilde ze hem op, bekeek hem van alle kanten en begreep het, ze keek om zich heen, waar is ze? Is ze hier, het meisje?

Ze schreeuwde niet, het verbaasde haar immers niet, ze hield de rode schoen voorzichtig vast en toen Rune eraan kwam, gaf ze die aan hem.

W eer een ochtend met de leugen. Hij had vlak naast haar gelegen, was met zijn hand over haar borsten, buik en dijen gegaan, hij had haar in de nek gezoend, had goeiemorgen in haar oor gefluisterd. Hij had zijn best gedaan om er niet aan te hoeven denken dat hij haar verried.

Lennart Oscarsson zat in zijn werkkamer, zag uit het raam de Aspsåsinrichting ontwaken. Het was een mooie dag, even warm als gisteren, even warm als het de afgelopen week iedere dag was geweest. Hij zuchtte hoorbaar. Sinds hij Maria had ontmoet en verliefd geworden was op haar, had hij zich regelmatig zorgen gemaakt over de dag waarop ze hem zou vragen te gaan zitten en te luisteren, de dag waarop ze hem zou vertellen dat ze iemand anders had leren kennen, dat ze van iemand buiten hun gemeenschappelijke thuis hield en dat ze hem daarom moest verlaten.

Nu was hij het zelf. Wie had dat gedacht? Zij was mooi, hij was gewoontjes. Zij was spontaan, hij introvert. Zij schitterde als het ware, hij zou nooit schitteren. Desondanks was hij het nu die de liefde naar buiten bracht, hij gaf een deel van hun tweezaamheid aan een derde.

Hij verliet de kamer en liep de trap af, naar de afdeling. Hij knikte kort naar twee tijdelijke medewerkers die een halfjaar op een zedenafdeling voor zich hadden. Hij begreep dat ze overal geplaatst hadden willen worden behalve nou net hier, dat ze degenen verachtten die ze moesten verzorgen, hij begreep het en hij maakte er niet meer van dan het was, ze voelden allemaal hetzelfde, ze deden hun werk omdat ze ervoor werden betaald, maar ze spuugden op kinderlokkers.

Het was leeg, stil, iedereen was in de werkplaats, een verlaten gang met gesloten celdeuren, ze hadden arbeidsplicht en kregen een paar kronen per uur voor het draaien van houten ringen en driehoekige houten blokken, bouwstenen van opvoedkundig verantwoord speelgoed. Je kon zeggen wat je wilde van de zedendelinquenten, ze deden niet zo verschrikkelijk moeilijk over het dagelijkse werk, ze gingen er braaf naartoe en wat er ook maar voor zinloze dingen gemaakt moesten worden, maakten ze, in tegenstelling tot de clientèle van de gewone afdelingen, overvallers van buurtwinkeltjes die de ene dag stoned in de cel bleven liggen en zich de andere dag ziek meldden.

Hij liep door de gang, langs de muur met stalen deuren. Voor nummer elf bleef hij staan. De verlaten cel van Bernt Lund. Al bijna anderhalf etmaal op de vlucht. Zo lang hielden ze het meestal niet vol. Niet slapen, je niet blootgeven, iedere seconde alert zijn, het kostte energie en geld om onderdak te zoeken, met tientallen agenten op de been en een geïnformeerd publiek kromp het aantal verstopplaatsen met iedere ademhaling.

De deur zat op slot. De sleutelbos had hij altijd in zijn zak. Hij maakte de deur open.

Het zag er nog net zo uit als toen ze de vorige dag de deur achter zich hadden dichtgetrokken. Het hele vertrek vol, alle spullen op een rij, twintig millimeter uit elkaar. Een grote berg op de vloer, hij zag voor zich hoe die gek van een Grens de afstand had gemeten met zijn agenda en de rij spullen op het bed met kracht op de grond had laten belanden. De magere man, Sundkvist, die op die dag veertig werd, had even verbijsterd gekeken, hij had zijn collega eerst bezorgd aangekeken en had luid gezucht toen Grens het nog eens deed, nog eens ging meten en smijten.

Lennart Oscarsson ging op de nu kreukelige sprei zitten, vage strepen op een donkere ondergrond. Even later ging hij liggen, probeerde te zien wat Lund iedere dag, iedere avond had gezien. Hij staarde naar het witte, vlekkerige plafond, bestudeerde de veel te felle tl-buis, liet zijn blik langs de deurpost glijden. Wat had hij hier gedaan? Had hij hier met zijn ogen dicht liggen rukken terwijl hij aan kleine meisjes dacht? Had hij plannen gemaakt en gefantaseerd over heersen en macht uitoefenen, over de naïviteit van een kind waar hij een eind aan kon maken op het moment dat hij ervoor koos het aan te randen? Of had hij het doorgehad, had hij in gedachten de gevolgen durven nagaan, de gevoelens van het kind, de angst, de vernedering? Met die schuld opgesloten in dit vertrek van acht vierkante meter, avond, nacht en ochtend alleen met die schuld, dat kon je verstikken, dat had hem misschien verstikt totdat hij wel moest weglopen en vluchten, twee bewakers in elkaar moest slaan tijdens een autorit naar de eerste hulp.

Hij liet zijn blik rusten op de binnenkant van de gesloten deur. Er werd geklopt.

Wie was dat? De deur ging open. Bertolsson, de directeur van de inrichting.

'Lennart?'

'Ja?'

'Wat ben je aan het doen?'

Lennart kwam snel overeind, streek zijn haar plat, in zijn nek raakte het altijd helemaal in de war als hij lag.

'Ik weet het niet. Ik ben hierheen gegaan, gaan liggen. Ik denk dat ik meer wilde weten.'

'En weet je al meer?'

'Geen klap.'

Bertolsson stapte naar binnen. Hij keek om zich heen.

'Wat een gek.'

'Dat is het nou net. Dat besefte ik zojuist. Hij heeft het helemaal niet begrepen. Hij kent geen berouw. Hij is niet in staat iets vanuit een ander perspectief dan het zijne te bekijken.'

Bertolsson schopte tegen de berg rommel op de vloer, keek toen naar de planken, naar wat nog in de vensterbank lag. Hij kon het niet rijmen. De wanorde op de vloer en de keurige rijtjes overal verder in de cel, de eindeloze gelijkvormigheid. Hij keek naar Lennart, die wegkeek, die niet de energie had om het uit te leggen.

'Laat ook maar. Ik was eigenlijk naar je op zoek om het over een andere gek te hebben, een van zijn collega's, een van de zeven uit Lunds kinderpornoclub.'

'O ja?'

'Hij heet Axelsson. Håkan. Eerder voor kleine vergrijpen ver-oordeeld. Hij krijgt morgen het vonnis te horen in de kinder-pornozaak. Hij draait de bak in. Niet zo lang als zou moeten, maar lang genoeg om zowel Kerstmis als Pasen te missen.'

'Ja?'

'Hij komt uit Kronoberg en zou hier geplaatst moeten wor-den. Hij móét hier gewoon geplaatst worden. Maar het is hier vol.'

Lennart Oscarsson geeuwde luid en lang. Hij dacht even na en ging toen weer liggen.

'Neem me niet kwalijk. Ik word zo moe van die lui.'

Bertolsson deed net of hij niet zag dat een van zijn afdelings-hoofden lag te rusten op het bed van een gevluchte gedetineerde.

'Jij hebt immers alleen deze cel nog vrij en hier moet Lund zo snel mogelijk weer in.'

'Zo zie je maar. Zedendelicten zijn trendy, de kinderlokkers staan in de rij.'

Bertolsson draaide aan de jaloezieën, liet het felle zonlicht binnen. Daarbuiten verstreek een dag. Dat vergat je gemakkelijk. In een inrichting had je zoiets niet, tijd die onderverdeeld werd in dagen; alles liep door elkaar heen, alles was wachten en brok-stukken van maanden en jaren.

'We moeten hem op een van onze gewone afdelingen plaatsen. Een paar dagen tot een week. Totdat we elders in het land iets vinden.'

Lennart schrok op. Hij bleef een paar seconden zwijgend liggen, richtte zich toen op één elleboog op, zijn gezicht naar Bertolsson toe gekeerd.

'Arne, wat zeg je daar, verdorie?'

'Hij krijgt de uitspraak immers toch niet mee naar de afdeling.'

'Dat maakt de anderen nogal wat uit. Ze komen er toch achter waarvoor hij zit en je weet wel wat er dan gebeurt.'

'Een paar dagen maar. Dan gaat hij er weer weg.'

Lennart trok zijn elleboog weg, hij zat weer rechtop.

'Arne, hou op. Jij weet net zo goed als ik dat hij een normale afdeling alleen per ambulance verlaat.'

Je kon het niet ruiken. Dat wist hij, maar het maakte geen verschil. Hij was hier eerder geweest en nu al, op de trap voor de deur, rook zijn neus, roken zijn hersenen de geur van dood.

Sven was vaker in het Gerechtelijk Geneeskundig Laboratorium in Solna geweest dan hij zich kon herinneren. Het hoort bij het werk van een rechercheur in Stockholm, dat wist hij, maar hij wist ook dat hij aan dat deel van het werk altijd een hartgrondige hekel zou houden, hij zou nooit, nóóit naar een dode op een brancard leren kijken, iemand die net nog had geademd, gepraat en gelachen en die door een man – het waren voornamelijk mannen – in een witte jas kapotgezaagd was, opengemaakt, wiens ingewanden door vreemde handen waren opgetild, in het licht van felle lampen waren onderzocht om daarna weer door elkaar in de opening in de borst te worden teruggegooid, voordat die werd dichtgenaaid, voordat de kapotgezaagde dode op de brancard met een kleed werd toegedekt om de familieleden niet af te stoten, die weldra naar hun geliefde zouden komen kijken en zouden verklaren dat dat menselijk omhulsel dat voor hen lag inderdaad degene was met wie ze kortgeleden hoopvolle gesprekken hadden gevoerd.

Ewert zat niet zo in elkaar. Hij stond naast hem, ze wachtten op de schouwarts die de intercom beantwoord had, en Sven dacht aan de keren dat ze hier samen geweest waren. Het leek wel of Ewert niet begreep dat het de dood betrof, alsof het hem niet kon schelen, alsof hij niet op die manier naar lichamen kon kijken; als de dood het leven had afgelost waren het voor hem geen mensen meer. Sven had gezien dat hij elke keer zijn bezoek besloot met het oplichten van een punt van het dekkleed, dat hij de huid van de dode zocht en ergens in het lichaam kneep en iets lolligs zei, als om te bewijzen dat wat daar voor hem lag een ding was en niets anders, iets wat je niet kon krenken.

De schouwarts stond aan de andere kant van de glazen deur. Hij zocht zijn pasje, vond het in de binnenzak van zijn witte jas, een klik toen de deur openging. Ludvig Errfors, een zeer ervaren vijftig-plusser. Sven dacht net dat hij blij was dat ze juist hem gekozen hadden, het was vast moeilijker om sectie te verrichten op een kind, in ieder geval hadden ze er minder ervaring mee. Maar als iémand het kon, als iemand zo vaak met kinderen te maken had gehad dat je van routine kon spreken, dan was hij het wel.

Ze groetten elkaar, Errfors vroeg naar Bernt Lund en ze vertelden dat ze niets wisten. Hij schudde zijn hoofd en refereerde kort aan de vorige keer, ruim vier jaar geleden. Hij had de sectie op de twee meisjes gedaan na de Skarpholmsmoord. Hij praatte luid terwijl Sven en Ewert achter hem aan de trap afliepen, hij vertelde dat hij voordien nog nooit zulk uitzinnig geweld had gezien, niet in verband met kinderen.

Hij hield plotseling zijn pas in. Hij draaide zich om, ernstig.

'Tot op heden.'

'Hoe bedoel je?'

'Ik herken het geweld. Het was deze keer weer Lund.'

Ze liepen door, de trap mondde uit in een korte gang. Het eerste vertrek rechts. Daar werkte Errfors altijd.

Midden in het vertrek stond die ellendige brancard. Het rook er echt, maar niet zo erg. Sven besefte dat hij, als hij niet geweten had dat dit een ontleedzaal was, niet had doorgehad dat het de geur van een dode was. Het ventilatiesysteem was effectief, een constant dof gebrom, luchtverversing, luchtverversing. Ze hadden eigenlijk groene steriele kleren aan moeten trekken, maar Errfors had een wegwuivend gebaar gemaakt; hij liep lang genoeg mee om te weten wanneer hij de regels kon overtreden.

Hij deed twee lampen aan de lange kanten van het vertrek uit en liet er een aan, de felle lamp in het midden, die groot genoeg was om de hele brancard te bedekken. Achter hen werd het donker, geconcentreerd licht op een donker toneel.

'Zo wil ik het hebben. Zo kunnen we het beter zien, alle

glimmende apparaten reflecteren het licht en dat is hinderlijk.'

Het kind voor hen zag er vredig uit. Een slapend gezichtje. Ze herkenden haar van de foto's van de ouders.

Errfors pakte een plastic mapje op dat naast haar lag. Hij opende een brillenkoker, sterke glazen in een groot, zwart montuur. Enkele A4'tjes, waarvan hij er twee tevoorschijn haalde.

'Ja, onder het kleed ziet ze er niet zo vredig uit.'

Het was stil, een nagenoeg geluiddichte kamer, het papier ritselde doordringend.

'Er zijn sporen van sperma aangetroffen in de vagina, in de anus en op het lichaam. De dader heeft op haar geëjaculeerd, ook nadat de dood was ingetreden.'

Hij tilde het kleed op om het hun te laten zien. Sven wendde zijn hoofd af, hij kon de aanblik niet verdragen.

'Er is een hard, puntig voorwerp in de vagina gestoken, wat forse inwendige bloedingen heeft veroorzaakt.'

Ewert zocht met zijn blik langs het lichaam van het meisje, probeerde het verhaal van Errfors te volgen. Hij zuchtte.

'Net als de vorige keer.'

'Dit was grover, maar je hebt gelijk, hij is op dezelfde manier te werk gegaan.'

'Toen had hij een stuk gordijnrail gebruikt.'

'Ik kan niet vaststellen wat het is. Ik kan alleen zeggen dat het een hard en puntig voorwerp was.'

De schouwarts pakte het tweede vel papier erbij.

'Ik heb de doodsoorzaak vastgesteld. Een harde klap, vermoedelijk met de zijkant van de hand, recht tegen het strottenhoofd.'

Ewert keek naar haar hals. Een grote plek. Hij keerde zich naar Sven, die nog steeds wegkeek.

'Sven.'

'Ik kan het niet.'

'Dat hoeft ook niet. Ik kijk wel.'

'Dank je.'

'Maar weet wel dat we hem hebben.'

'We hebben geen fluit.'

'Als we hem pakken is het voor elkaar. Hij heeft zich afgetrokken op haar. Overal zit sperma. Net als de vorige keer. Dat hebben we nog. Eén enkele DNA-test en we kunnen het vergelijken en aantonen dat hij het was.'

Ze had daar in het bos gelegen. Sven zag Margareta en Rune Lantz voor zich. Twee oudere mensen, twee mensen die van elkaar hielden, elkaars hand vasthielden en elkaar niet alleen lieten. De tranen waren het hele verhoor lang uit hun ogen blijven stromen; die van haar waren het ergst geweest, ze kwamen stilletjes, bij ieder antwoord, iedere keer dat ze gedwongen werd het te beschrijven.

We gaan hier even zitten, op deze steen.

Ja.

*Ik wil het verhoor zo doen dat we de plaats kunnen zien. Lukt
     dat?*

Ja.

Ik wil alles weten. Vanaf het begin.

Mag hij daar blijven zitten?

Ja, dat is prima.

Ik weet het niet.

Probeert u het.

Ik weet niet of ik het kan.

Voor het meisje.

We wandelen iedere avond.

Iedere avond?

Tenzij het stortregent.

Hier?

Ja.

Hetzelfde rondje?

Dat wisselt. We doen het elke keer anders.

Dit pad?

Ja?

Neemt u dat vaker?

Nee, dit was waarschijnlijk de eerste keer. Ja toch, Rune?

Nu ben ik even met u aan het praten.

Ik herkende het pad niet.

Waarom ging u juist daarlangs?

Dat ging gewoon vanzelf. Toen we de helikopter hoorden.

De helikopter?

Ik vond het akelig. De helikopter en de politiehond. We wilden snel weg.

En toen werd het dit pad?

Dat leek het snelst.

Wat gebeurde er toen u hier kwam?

Hebt u een tissue?

Pardon?

Of een zakdoek.

Helaas.

Sorry.

U hoeft geen sorry te zeggen.

We hielden elkaars hand vast.

Tijdens het wandelen?

Ja. Deze kant op. Tot aan de spar. Toen lieten we los.

Waarom?

Die was te groot. We moesten er wel ieder aan een kant omheen.

Wie liep voorop?

We liepen gelijk op. Elk aan een kant.

Wat gebeurde er toen?

Ik dacht dat het een paddestoel was. Hij was zo rood. Ik schopte ertegen.

Waartegen?

Tegen de schoen. Daarna zag ik het pas. Dat het een schoen was.

Wat deed u toen?

Ik wachtte. Op Rune. Ik wist dat het niet in de haak was.

Hoe wist u dat?

Soms weet je dat gewoon. De helikopter, de hond, een schoen. Ik
had er een naar gevoel bij.
Wat deed u?
Ik tilde hem op. Liet hem aan Rune zien. Ik wilde dat hij hem
zag.
En toen?
Toen lag ze daar gewoon.
Waar?
In het gras. Ik zag dat ze kapotgemaakt was.
Kapotgemaakt?
Dat ze niet heel was. Ik zag het. Rune zag het ook. Dat ze niet
heel was.
Lag ze in het gras? Hebt u haar aangeraakt?
Ze was dood. Waarom zouden we haar aanraken?
Ik moet het vragen.
Ik kan niet meer.
Nog maar een paar vragen.
Ik wil niet.
Hebt u hier iemand gezien?
Het meisje. Ze lag me aan te kijken. Helemaal kapot.
Ik bedoel iemand anders. Behalve u en Rune?
Nee.
Helemaal niemand?
We hadden de hond gezien en de politieman.
Verder niemand?
Ik kan er niet meer tegen. Rune, zeg tegen hem dat ik er niet
meer tegen kan.

De schouwarts zocht lang naar een derde vel papier in het mapje.
Hij kon het niet vinden. Hij liep bij de brancard weg naar een kast
achter hem. Hij vond wat hij zocht.

'Ik heb nog iets. Wat toen en nu met elkaar verbindt.'

Hij dekte haar weer af. Sven draaide zich weer om naar de
brancard, naar het kleed dat het lichaam verborg.

'Toen we het meisje binnenkregen zagen we dat haar voetzolen helemaal schoon waren, terwijl de rest van het lichaam bloederig en beschadigd was. We hebben haar voeten onderzocht en sporen gevonden van...'

Ewert viel hem in de rede.

'Speeksel. Ja toch?'

Errfors knikte.

'Speeksel. Net als de vorige keer.'

Ewert keek naar haar gezicht. Ze was er niet. Ze lag daar wel, maar ze was er niet.

'Dat is Bernt Lunds voorspel. Hij likt hun schoenen af. Hij likt hun voeten af.'

'Deze keer niet.'

'Maar dat zei je net.'

'Deze keer was het geen voorspel, dit was erna. Hij heeft de voetzolen van dit meisje afgelikt nadat ze overleden was.'

Hij had haar al maanden niet meer gezien. Ze hadden dagelijks met elkaar gebeld, maar uitsluitend over Marie, over hoe laat ze wakker was geworden, wat ze had gegeten, of ze nieuwe woorden had gebruikt, of ze nieuwe spelletjes had gedaan, of ze had ge- huild, gelachen, geleefd. Ieder stapje in de ontwikkeling van een klein kind waarvan de afwezige ouder bestolen werd, probeerden ze goed te maken met gesprekken. Als het om Marie ging – en dan alleen – waren er geen bitterheid, geen verwijten, geen verloren liefde.

Hij wist hoe haar mooie gezicht eruitzag als ze huilde, hoe het opzwol, hoe haar gelaatstrekken in elkaar overliepen. Hij legde zijn hand tegen haar wang en ze glimlachte naar hem, omhelsde hem.

Ze werden binnengelaten door een politieman, een van de politiemensen die een dag eerder uit Stockholm gekomen waren, een oudere man die met zijn ene been trok.

'Inspecteur Ewert Grens. Wij hebben elkaar gisteren gespro- ken.'

'Fredrik. Ik herken u wel. Dit is Agnes, de moeder van Marie.'

Ze maakten kort kennis. Een trap af en een ziekenhuisgang door. Hij zag de andere politieman van gisteren, die de verhoren had geleid. Achter hem een arts, witte jas en vermoeide ogen.

'Wij kennen elkaar nog niet. Sven Sundkvist, rechercheur.'

'Agnes Steffansson.'

'Dit is Ludvig Errfors, de schouwarts. Hij heeft sectie verricht op Marie.'

Sectie verricht op Marie.

Woorden die hun in het gezicht schreeuwden.

Woorden die haatten, kapotsneden, een einde maakten.

Vierentwintig uur hel, vertroosting, hel, vertroosting, hel en vertroosting deden pijn aan hun lichaam. Fredrik had de vorige dag, meteen na de lunch, een klein mensje naar de crèche gebracht dat voor hen beiden van levensbelang was. Nu moesten ze samen in de steriele kamer van een schouwarts naar haar gehavende lichaam kijken en vervolgens toegeven dat zij het was.

Ze hadden hun armen om elkaar heen geslagen.

Soms houden mensen elkaar vast totdat ze knappen.

D e zomer stond stil.
Bedompte, zware lucht.
Hij merkte het niet, hij huilde.

Sven had zich geconcentreerd op straks, straks frisse lucht, straks leven, straks, straks, straks. Hij kon niet instorten in het bijzijn van de ouders die instortten, ze stonden met hun armen om elkaar heen bij de brancard en knikten bevestigend toen ze haar gezicht zagen, de vader had het meisje op de wang gekust, de moeder was over haar heen in elkaar gezakt, met haar hoofd op het kleed dat haar lichaam bedekte. Ze hadden geschreeuwd zoals hij nooit eerder iemand had horen schreeuwen, ze waren samen gestorven waar hij bij was en hij had geprobeerd zijn blik te vestigen op iets boven hen, een punt op de muur, straks weg bij de brancard, straks weg uit deze vreselijke kamer, straks naar boven, de trap op, de buitenlucht in, waar geen dood was.

Ze liepen weg met hun armen om elkaar heen geslagen en toen ze vertrokken waren had hij het op een lopen gezet, de gang door, de trap op, de deur uit, hij huilde en hij had geen zin om ermee te stoppen.

Ewert kwam er ook aan, liep om hem heen, pakte hem bij de schouder.

'Ik ga in de auto zitten. Ik wacht wel. Het is jouw tijd, neem zoveel je nodig hebt.'

Tien minuten? Twintig? Hij had geen idee. Hij huilde totdat hij leeg was, tot er niets meer was. Hij huilde hun huilen, alsof zij er niet genoeg plaats voor hadden, alsof ze het verdriet met zijn allen moesten delen.

Ewert gaf een klopje tegen zijn wang toen hij in de auto ging zitten.

'Ik heb even naar die klereradio hier zitten luisteren. De nieuwsuitzendingen lopen over van Bernt Lund en de moord op Marie. Het maakt niet uit welke zender je kiest. Ze hebben hun zomermoord. Vanaf nu volgen ze iedere stap die wij zetten.'

Sven pakte het stuur voor zich beet, wees ernaar, wees toen naar Ewert.

'Rij jij?'

'Nee.'

'Alleen voor deze keer. Ik heb er geen zin in.'

'Ik wacht wel totdat jij er klaar voor bent om de sleutel om te draaien. Zoveel haast hebben we nou ook weer niet.'

Sven bleef zitten. Een minuut. Op de radio volgde na een popsong van dertien in een dozijn weer een popsong waarvan er dertien in een dozijn gingen. Hij draaide zich om naar de achterbank.

'Heb jij geen zin in taart?'

Hij reikte naar de taartdoos, trok die naar zich toe. De plastic tas met wijnflessen lag verder naar achteren. Hij nam zijn traktatie op schoot.

'Een echte feesttaart met marsepein. Dat wilde Jonas graag. Met twee rozen erop, een voor mij en een voor hem.'

Hij trok het touwtje los en deed de doos open. Hij hield zijn neus boven de groene marsepein.

'Een hele dag in deze hitte. Die is niet zo'n beetje zuur.'

Ewert huiverde bij de plotselinge stank, keek met een vies gezicht naar de ranzige room, pakte de doos van Svens schoot en zette hem zo ver mogelijk weg. Hij draaide vervolgens omstandig aan de autoradio, zocht een andere zender op en weer een andere zender.

Dezelfde woorden, een mantra, in de ene nieuwsuitzending na de andere.

De moord op het meisje. De ontsnapping. De zedendelinquent. Bernt Lund. De Aspsåsinrichting. De jacht door de politie. Het verdriet. De angst.

'Ik kan die ellende niet meer aanhoren, ik kan het niet meer verdragen. Wil je hem uitzetten, Ewert?'

Sven viste een fles uit de zak, draaide het etiket naar zich toe, las het, knikte en draaide de dop eraf.

'Zeg, ik denk dat ik even een slok moet nemen.'

Hij zette de fles aan zijn mond en dronk. Eén keer, drie keer.

'Begrijp jij het? Gisteren ben ik veertig geworden. Dat heb ik gevierd door naar Strängnäs te rijden en een oudere dame te horen die een verkracht en vermoord meisje had gevonden in het bos. Vandaag ben ik er weer heen gegaan, om naar het meisje te kijken, om te horen dat ze sporen van sperma in de anus had, dat er een spits voorwerp in haar vagina gestoken was, ik heb haar ouders voor mijn neus kapot zien gaan terwijl ze haar vastpakten. Ik begrijp het niet. Ik wil gewoon naar huis.'

'Dan gaan we nu.'

Ewert pakte de fles uit Svens hand en hield zijn hand op voor de dop. Die kreeg hij, hij schroefde hem er weer op en legde de fles bij zijn voeten neer.

'Jij bent niet de enige, Sven. We voelen ons allemaal even gefrustreerd, even verlaten. Maar wat helpt het? We moeten hem pakken. Daar gaat het om. We moeten hem pakken voordat hij weer toeslaat.'

Sven startte de auto. Hij reed voorzichtig achteruit de grote parkeerplaats af op het plein tussen het Gerechtelijk Geneeskundig Laboratorium en het Karolinska Ziekenhuis; het stond er vol, ondanks de vakantie stonden de auto's dicht naast elkaar geparkeerd, op de Stockholmse manier, zo dicht mogelijk tegen de volgende auto aan.

Ewert ging verder.

'Ik weet wat het voor iemand is. Ik heb hem verhoord en ik heb de hele reut gelezen. Elke regel die psychologen en forensisch psychiaters hebben geschreven. Hij gaat opnieuw in de fout. De vraag is alleen wanneer. Hij heeft nu alle grenzen overschreden. Nu gaat hij net zo lang door totdat hij gepakt wordt of totdat hij zelfmoord pleegt.'

L indgren zocht schaduw. Er stonden geen bomen op de luchtplaats, er waren geen muurtjes of schuttingen, er was niets om je achter te verstoppen, niets wat de zon tegenhield; het zweet liep over zijn rug en de grote grindvlakte was een droge stofwolk die binnen de grijze stenen muur bleef hangen. Ze hadden geprobeerd te voetballen, twee ploegen van vijf en vijf-duizend kronen in de pot, maar na een onbesliste eerste helft hadden ze moeten stoppen, hun knalrode schouders deden zeer en iedere ademhaling was een kwelling. De teams waren ieder achter hun eigen doel gaan zitten en waren niet meer overeind gekomen. Twee onderhandelaars, van iedere partij een, hadden elkaar in de middencirkel gesproken, hadden gezegd dat ze graag door zouden spelen, maar dat ze uit consideratie met de tegen-standers de wedstrijd staakten en de weddenschap ongedaan maakten, als de anderen dat wilden. Skåne, een van de onder-handelaars, kwam terug en ging tussen Hilding en Lindgren zitten.

'Net wat we wilden. Ze zijn helemaal kapot. De Rus ademt ternauwernood nog.'

'Mooi. Mooi.'

'De tweede helft spelen we maandag. Dan gaan we verder. Ik heb trouwens de inzet verhoogd. Verdubbeld. Ze kunnen er verdorie niets van.'

Hilding schrok, keek Lindgren ongerust aan, krabde lang aan de diepe wond bij zijn neusgat. Bekir zei niets, Dragan zei niets.

Lindgren spuugde op het droge grind.

'Verdorie. Je hebt de inzet verdubbeld. En wie gaat dat betalen als we verliezen?'

'Shit, Broekie, we verliezen niet. Ze hebben een waardeloze keeper.'

Lindgren hief zijn hoofd op en monsterde de tegenstanders, die nog steeds aan de andere kant van het veld lagen en zich probeerden te verbergen voor de zon, die hun krachten opsoupeerde.

'De drugs hebben je geen goed gedaan, Skåne, vriend. Heb je ze zien spelen? Was je er eigenlijk wel bij? We hebben mazzel gehad, dat is het hele eieren eten. Maar oké, Skåne, kerel, oké. Verdorie. Ja, verdorie, we doen het. Dubbele pot. En jij past bij als we verliezen. Als we winnen delen we het eerlijk. Ieder keurig tweeduizend.'

Skåne schudde opstandig zijn hoofd, liep een paar meter weg. Hij ging op zijn buik in het stof liggen, deed push-ups. Hij telde hardop, zodat de anderen het konden horen, tien, twintig, vijftig, honderdvijftig, tweehonderdvijftig. Zijn kaalgeschoren schedel en zijn brede nek glommen van het gutsende zweet. Hij kreunde en probeerde van zijn frustratie af te komen, van de zomer en van nog vier jaar te gaan.

Lindgren deed zijn ogen dicht. Hij staarde lang naar de zon, met zijn ogen open tegen het felle zonlicht in, sloot ze toen, lichtspikkels en kleuren, golven en ritme, dat deed hij als kind ook al, het was makkelijker om te verdwijnen als je alleen maar je ogen hoefde te sluiten.

'En die verrekte huurmoordenaar dan?'

Hilding voelde de vraag, wilde hem niet beetpakken.

'Wat nou huurmoordenaar?'

'Ik heb hem vandaag nog niet gezien.'

'Moet ik dat weten dan?'

'Dat is verdorie je werk. Jochum Lang en Håkan Axelsson, de nieuwkomers, die moet jij uitleggen hoe het hier werkt, dat is je werk.'

'Net zoals jij met Jochum gepraat hebt?'

'Hou je kop.'

'Wat moet ik tegen hem zeggen? Ik doe het niet, niet na die brief van Branco.'

Het waaide een beetje. Het eerste windje in dagen. Het kwam plotseling, alsof het gestuurd was, streelde hun gezicht en even vergaten ze te praten. Lindgren ging rechtop zitten, wilde uit het moment van even geen meedogenloze hitte halen wat erin zat. Toen hij met zijn gezicht naar de muur zat, zag hij hem, op het wandelpad langs het beton, roodblond en baardig, een van de twee nieuwkomers, hij was diezelfde ochtend gekomen. Hij volgde hem met zijn blik, iedere stap die hij zette. Hij haalde een pakje sigaretten en een aansteker voor den dag en stak een van de vele halfjes uit het pakje op. Hij verloor de eenzame wandelaar niet uit het oog, hij begon zich steeds meer te ergeren, begon druk met zijn armen te wapperen.

'Daar loopt hij, Axelsson. Niemand hier weet wie hij is. Hij zegt dat hij voor mishandeling zit. Jemig, die janjurk is nog niet in staat om op een voetbal te pissen! Ik maak me sterk dat het een kinderverkrachter is. Ik ruik het, ze stinken, ik kan het aan die smeerlappen ruiken.'

Hilding was wakker geworden van de tijdelijke koelte. Hij ging ook rechtop zitten, naast Lindgren, en volgde Axelssons langzame wandeling.

'Ik heb de bewaarders er eerder over gehoord. Over de vieze afdeling, dat die vol zat. Tot de laatste cel vol met kinderver- krachters. Misschien is hij daarom hier. Ze kunnen hem nergens anders kwijt.'

Lindgren schopte geërgerd in het grind. Wit stof tegen de blauwe lucht. Hij gooide zijn sigaret in het wit, hij gloeide nog even en doofde toen langzaam.

'Skåne.'

'Ja.'

'Kijk me aan.'

Skåne keerde zich naar hem toe.

'Ja?'

'Er wacht jou een taak.'

'Waar heb je het verdorie over?'

'Je krijgt binnenkort zes uur verlof. Toch?'

'Ja.'

'Zonder begeleiding. Toch?'

'Ja.'

'Dan weet je wat je te doen staat, je moet Axelssons vonnis checken.'

'Dat kan ik niet. Ik heb wel wat anders te doen. Zes luizige uren, ik heb een vriendin, verdorie.'

Lindgren lachte.

'Dat kun je vergeten, Skåne, vriend. Idioten die bij voetbal de inzet verdubbelen na een onbesliste eerste helft hebben niets te vertellen.'

Hij wees naar hen, eerst naar Skåne, toen naar Hilding, toen weer naar Skåne.

'Wilde, ga jij alsjeblieft even bij Axelsson zijn persoonsnummer halen? Dan geef je het aan onze junkie, Skåne, die daar morgen mee naar de arrondissementsrechtbank van Stockholm gaat om het vonnis op te vragen. Een goede besteding van het verlof. En dan jongens, dan.'

Hilding krabde aan de huid van zijn neus tot er bloed uit kwam, schraapte lang zijn keel, maar Lindgren onderbrak hem nog voordat hij iets gezegd had.

'Geen gemaar. Doe het.'

Lennart Oscarsson stond voor het raam van zijn kamer. Hij had een goed uitzicht over de luchtplaats en het voetbalveld. Hij zag volwassen mannen, die hadden gedreigd, mishandeld en gedood, amechtig achter het doel op hun rug in de zon liggen. Hij herkende Lindgren en zijn gevolg, hij zag hen wijzen en staren naar Håkan Axelsson, die over het houtsnipperpad liep. Hij slikte onrustig, hij had Bertolsson gewaarschuwd dat hij beter geen voor kinderporno veroordeelde tussen de gewone gevangenen kon zetten, dat kon alleen maar verkeerd aflopen. Hij had het eerder meegemaakt en alleen wie niet in deze merkwaardige werkelijkheid thuis was, kon zichzelf iets anders wijsmaken.

Zelf ging hij dood. Elke seconde iets meer.

Zijn twee levens waren niet méér geworden, maar minder. Ze

namen van elkaar, vraten aan elkaar. Wat rijker had moeten zijn: twee omarmingen, twee geliefden, twee liefdes, dat betekende gewoon twee keer loslaten.

Nu zat Nils tegenover hem. Ze hadden elkaar vastgehouden. Ze hadden geconstateerd dat ze elkaar nodig hadden. Toen had Nils een ultimatum gesteld.

Lennart begreep het wel, dat was niet het punt. Alleen leven, bij iemand op de tweede plaats komen, voor spek en bonen mee-doen, hij begreep het en hij had geweten dat ze vroeg of laat op deze manier tegenover elkaar zouden staan, met een lelijk ulti-matum tussen hen in.

Hij keerde zich weer naar het raam. Hij zocht de huizen vlak achter de muur, een rij identieke villa's. Daar woonde hij. Daar lag een heel leven. Daar was een vrouw van wie hij altijd al had gehouden.

Nils, die nu achter hem stond, leunde tegen zijn rug. Een ander leven. Een man met wie hij samen oud wilde worden.

Hij was niet sterk genoeg om aldoor die leugen te dragen.

Dat wist hij.

Morgen hoefde hij niet meer te liegen.

H et hoertje was gaan schreeuwen toen hij haar de rode schoenen had uitgetrokken. Toen had hij haar tegen de grond geduwd, in het gras; hoertjes moeten weliswaar schreeuwen, maar er waren te veel mensen in de buurt, sporters en gepensioneerden die een wandeling maakten. Ze had het niet fijn gevonden toen hij de rode lak kuste en de metalen gespen, ze had harder geschreeuwd dan de anderen, ze had, dat kon je toch wel zo zeggen, mooi geschreeuwd. Hij moest haar voeten daarna kussen, hij was misschien onnodig hard tegen haar geweest, had haar gezicht te lang tegen de droge grond gedrukt. Het is moeilijk met hoertjes, als je aardig tegen ze bent, willen ze alleen je pik. Deze was al net zo.

Ze had mooie voetjes. Een lichte huid, kleine teentjes. Hij was bijna vergeten hoe kleine hoertjes aanvoelden. Vier jaar, hij had verlangd, gerukt, gerukt, gerukt. Nu hoefde dat niet meer, nu waren zij weer bij hem.

Daarna waren ze het ergst. Als ze hun pik gekregen hadden. Als ze stil waren.

Deze had hij verstopt. Een grote spar, waarvan de onderste takken tot aan de grond reikten en waar zij onder paste. Ze was vies, het was dom van hem geweest om zo hard te duwen, hij had haar voeten schoon gelikt, ze smaakten naar aarde.

Hij zat er nu al drie uur. Het was een goed bankje, niet te dichtbij, en toch kon hij iedereen zien komen en gaan. Het leek wel een goed kinderdagverblijf, hij was hier eerder geweest, de kinderen keken altijd vrolijk.

Het waren de bewakers. Weliswaar gewone agentjes, maar ze stonden wel een beetje in de weg, hij zou om hen heen moeten. In Strängnäs hadden er ook voor ieder gebouw twee gezeten. Maar dit was Enköping, dertig kilometer verder, hij had niet gedacht dat ze hier ook zouden zitten.

Kleine, kleine hoertjes.

Hij had er al een aantal gezien.

Bijna alleen maar blonde, hij had ook het liefst witte hoertjes, die waren altijd zachter, hun oppervlakkige bloedvaten waren duidelijk onder hun huid te zien, en er bleven rode vlekken achter als hij hard met zijn vingers kneep.

H et was een mooie kerk, trots, wit en machtig. Hij domineerde het kleine dorpje, veel te groot, veel te dwingend, hij vroeg zich af of die ooit afgestemd was geweest op de omvang van een gemeente, of dat dit de standaardmaat was uit de tijd dat het christendom wet was en de mensen groter leken.

Fredrik vond het een erg mooie kerk. Hij was al lang geleden bij de Zweedse Kerk weggegaan, voor hem bestond alleen wat hij zag en hij zag geen bestaan na de dood, maar deze kerk, deze begraafplaats, betekende zoveel meer. Die betekende leven. Zijn jeugd. Vele zomers was hij met zijn opa, die hier koster was, mee geweest, vol bewondering voor zijn werk. Hij had hem diepe graven zien delven, eindeloos gras zien maaien en hem vergulde metalen cijfers op het zwarte psalmbord zien schuiven. Hij had geholpen zoveel hij dat van zijn opa mocht. Iedere zaterdag had hij op de knop gedrukt die de kerkklok in beweging zette, na iedere kerkdienst had hij de bijbels verzameld die de mensen hadden laten liggen en ze op een kar met roestige wielen gelegd, hij had lange, gladde, witte kaarsen in koperen kandelaars op het altaar gezet en daarna gecontroleerd of ze recht naast elkaar stonden. Hij besefte dat het jeugdsentiment was, en opgepoetste herinneringen, maar daar ging het niet om; het ging erom dat zijn opa toen zijn idool geworden was en de plaats van Johan Cruyff had ingenomen, dat hij nog steeds hield van deze nu vierennegentigjarige man met zilveren haar, die op zere benen door zijn keukentje scharrelde en keteltjeskoffie nipte, dat het een gelukkige tijd geweest was; beter kon het ook nooit meer worden.

Verderop zag hij Agnes. Ze was niet in het zwart, dat hadden ze afgesproken, lichtgekleurde zomerkleding en neergeslagen ogen. Ze zag er ingevallen uit. Ze was veertig, maar ze had altijd twintig geleken. In drie dagen hadden de maanden haar weten in te halen; vroeg of laat halen de maanden je altijd in. Hij wilde zijn armen om haar heen slaan. Hij wilde dat zij haar armen om hem heen sloeg. Ze hadden elkaar nu en in de komende tijd nodig, ze zouden immers zo meteen samen sterven, zonder Marie zouden ze ook in de praktijk van elkaar scheiden.

Ze hadden voor een begrafenis in besloten kring gekozen. Geen rouwadvertentie, geen kaarten. Fredrik, Agnes en Micaela. Verder niet. Verder niemand. De twee politiemannen die het onderzoek leidden, hadden gevraagd of ze erbij aanwezig mochten zijn en hun verzoek met onderzoekstechnische redenen gemotiveerd. Hij had aarzelend toegestemd, maar zolang ze hun mond hielden en helemaal achteraan bleven staan mochten ze doen wat ze wilden.

Hij liep alleen over het gras, stak langzaam tussen graven door waar mensen kwamen, met massa's bloemen, en graven waar niemand meer kwam, die door de tijd met zwart mos overdekt waren, wat het opschrift moeilijk te lezen maakte. Hij had hier rondgelopen als kind, heen en weer, had naar de graven gekeken, had de namen gelezen en uitgerekend hoe oud ze geworden waren, had zich verbaasd over een vrouw die in 1861 was geboren en in 1963 was overleden, over een jongetje dat in 1953 was geboren en in 1954 was overleden, over hoe ongelijk de duur van het leven kon zijn, dat de een de kans kreeg om op te groeien en zijn eigen weg te zoeken, terwijl de ander niet eens de tijd kreeg om te leren lopen.

Straks zouden ze zijn eigen dochter begraven. Ze was vijf jaar geworden.

'Fredrik?'

Hij had haar niet naderbij zien komen. Ze legde haar hand voorzichtig op zijn schouder.

'Fredrik, hoe gaat het?'

Hij draaide zich snel om.

'Ik hoorde je niet aankomen.'

Ze glimlachte. Ze was een goed mens. Hij kende haar al zolang hij zich kon herinneren. Opa had haar graag gemogen en hij had haar regelmatig geholpen. Hij was tot zijn vijfenzeventigste blijven werken en vooral in het begin, toen zij net klaar was met haar studie, onervaren, een vrouw in een mannenwereld, had hij haar gesteund en beschermd en het pad aangeharkt voor de nieuwe dominee van de gemeente. Fredrik had later beseft dat ze toen nog heel erg jong geweest moest zijn. Als kind had hij haar gezien als een van de vele ouderen; toen hij zelf volwassen was, werd hij plotseling haar leeftijdgenoot.

'Ik kan natuurlijk nooit begrijpen hoe jij je voelt, maar ik heb ieder moment aan je gedacht sinds afgelopen dinsdag.'

'Rebecka. Fijn dat jij het doet.'

'Ik ben hier nu dertig jaar dominee. Dit is verdomd de zwaarste dag in al die jaren.'

Fredrik schrok ervan. Haar vloek ketste op hem af, tegen de grafstenen, tegen haar geloof. Hij had haar nooit anders gezien dan als één brok geruststellendheid; nu viel haar gezicht in scherven uiteen, het zachte, rustige werd hard, gespannen, ging stuk.

Fredrik keek naar de kist. Houten planken met bloemen erop, pal voor hem. Hij hield Agnes vast, ze stonden in de voorste bank, iedere beweging galmde door de lege kerk. Hij kon het niet begrijpen, dat daar een kind lag. Zíjn kind. Waar hij een paar dagen geleden mee had gepraat, gelachen, dat hij had vastgehouden. Agnes huilde, ze schokte ervan, hij trok haar tegen zich aan, hield haar nog steviger vast.

Hij kon niet huilen. Het verdriet was dinsdag bij hem binnengevallen, had hem bestolen, een gat in zijn borst was alles wat er nog zat.

Ze is er niet meer.

Ze is er niet meer.

Ze is er niet meer.

H ij had waarschijnlijk moeten zingen. De cantor had op het orgel gespeeld.

Ze liepen samen het weergalmende gebouw uit. Rebecka had haar schepje leeggegooid boven de kist, had gezegd wat ze moest zeggen, ze had zowel hem als Agnes omhelsd, ze had geprobeerd te troosten, maar ze had het niet gekund, haar eigen verdriet, haar boosheid en broosheid brachten haar ertoe hen bruusk van zich af te duwen, hen aan te kijken, en hen meteen weer naar zich toe te trekken en opnieuw te omhelzen, om vervolgens zomaar weg te lopen.

Ze stonden stil op het kiezelpad. De zon was nog dezelfde, het was buiten zomer, net zo'n lange zomer als de zomers van vroeger, toen hij hier rondliep met opa.

Nu zou ze begraven worden, tussen de anderen.

'Gecondoleerd.'

Achter hen stonden de politiemannen, de oudere die mank liep en Sundkvist, die hen had gehoord. Ze waren in het zwart, hij vroeg zich af of ze dat zelf bedacht hadden of dat het politie-etiquette was.

'Ik heb zelf geen kind, dus ik weet niet wat het is, maar ik heb wel een dierbare verloren en ik weet hoe dat voelt.'

De oudere, manke politieman bleef tijdens het praten naar het kiezelpad kijken. Het klonk onbeholpen, bijna cru, maar Fredrik begreep dat het echt was en dat het hem meer energie kostte dan je zo zou denken.

'Dank u wel.'

Ze schudden elkaar de hand. Sundkvist zei iets tegen Agnes, hij verstond niet wat.

Het werd stil. Je kon de zwakke bries horen die om hen heen speelde, het waaide nu al een paar dagen, misschien zou er regen komen, het had al drie weken niet meer geregend en het leek wel of iedereen vergeten was dat er nog iets anders bestond dan eeuwige hitte.

De oudere schraapte zijn keel, nam weer het woord.

'Ik weet niet of het voor u wat uitmaakt, maar we zullen hem gauw pakken. We maken met een heleboel mensen jacht op hem.'

Fredrik haalde zijn schouders op.

'U hebt gelijk, u weet niet of het ons wat uitmaakt.'

'En, is dat het geval?'

'Nee. Onze dochter is dood. Wat u doet, verandert daar niets aan.'

De oudere knikte langzaam.

'Dat begrijp ik. Zo zou ik ook denken. Voor ons is het werk. Het gaat erom dat de dader gestraft wordt en dat we verdere misdaden voorkomen.'

Fredrik had Agnes net bij de hand gepakt en maakte aanstalten om verder te lopen, zodat ze even alleen zouden kunnen rouwen. Nu richtte hij zich tot de beide politiemannen, keek de oudste aan, keek degene die Sundkvist heette aan.

'Wat bedoelt u?'

'Dat wij sinds afgelopen dinsdag ieder kinderdagverblijf, iedere school in de gaten houden.'

'Omdat jullie denken dat hij daar zit?'

'Ja.'

Fredrik liet Agnes' hand los, zocht haar ogen, ze wachtte, ze bleef nog wel even wachten.

'Welke kinderdagverblijven en scholen dan?'

'Hier in de buurt en op meer plaatsen, een groot gebied.'

'En die observeren jullie omdat jullie denken dat hij het nog een keer gaat doen?'

'Die observeren we omdat we zeker weten dat hij het nog een keer gaat proberen.'

'Waarom?'

'We weten hoe hij zich eerder heeft gedragen. We hebben een duidelijk profiel van hem, hij is afwisselend door psychiaters en psychologen onderzocht, vaker dan enige andere gevangene in dit land, hij zal het waarschijnlijk steeds weer doen, totdat hem niets anders overblijft dan zelfmoord.'

'Dat weten jullie?'

'Het feit dat hij zich voor die... dat hij zich van tevoren aan u liet zien, dat interpreteren de zielzorgers zo dat hij ook de laatste grens is gepasseerd, waarna er alleen nog maar destructiviteit en zelfhaat is.'

Hij pakte haar hand weer vast.

Het kerkhof leek groot.

Hij was eenzaam. Zij was eenzaam.

Ze zouden verdergaan, hij misschien met Micaela, zij met iemand anders. Maar ze zouden altijd alleen zijn.

Ze waren van het kerkhof naar een restaurant in Strängnäs gereden. Hij had Micaela onderweg bij hun gemeenschappelijke woning afgezet, had haar lang vastgehouden.

Hij ging met Agnes verder, zij tweeën, nog even samen.

Ze hadden buiten gezeten op een lelijk binnenplaatsje, dat in de zomer als terras diende, aan een tafeltje dat tussen een kloprek en een fietsenhok stond ingeklemd, maar ze zaten er in de schaduw en een zacht briesje had koelte gebracht en ze hadden geen andere mensen vlak naast zich gehad.

Daarna waren ze naar de trein gereden, maar toen Agnes een kaartje wilde kopen in de tabakswinkel waren ze van gedachte veranderd. Fredrik had aangeboden om Agnes thuis te brengen, naar Stockholm, dan konden ze nog een uur naast elkaar zitten, dan hoefden ze nu hier nog geen afscheid te nemen. Ze bezorgden zichzelf een uitstel van honderd kilometer op een drukke weg en probeerden onderweg te begrijpen dat ze niet alleen een kind verloren hadden, maar ook hun relatie met elkaar, ze waren twee volwassenen die morgen alleen nog hun verdriet gemeen zouden hebben.

Ze zeiden niet zoveel. Er viel niets te zeggen. Hij zette haar af bij St.-Eriksplan, ze moest nog inkopen doen, zei ze, ze wilde niet meteen terug naar een lege flat. Ze sloten elkaar in de armen, ze kuste hem zachtjes op zijn wang; hij keek haar na toen ze over het trottoir liep, totdat ze om de hoek van Birkagatan verdween.

Hij reed lukraak door de wijken van de binnenstad. De mensen waren op de vlucht geslagen voor de hete zomer, op een enkele toerist na, die onderweg was naar een bezienswaardigheid op zijn kaart, enkele oudere mensen met een stok, die de energie niet meer hadden om weg te gaan, en enkele jongeren die er geen geld voor hadden. Verder alleen maar asfalt en de hitte die daarvan afkwam. Hij kocht een ijsje, dat hij opat op een plekje naast een jonge vrouw onder een parasol, terwijl lege bussen en een enkele auto voorbijreden. Later stopte hij ergens om bij een verveelde kroegbaas mineraalwater te bestellen, reed toen verder door een stad waar iedereen langzamerhand thuiskwam, de avondmaaltijd gebruikte en naar bed ging. Het werd niet helemaal donker; de korte nacht en het kunstmatige licht van de grote stad verjoegen het echte zwart. Op een parkweg in Djurgården viel hij in slaap, op de voorstoel van de auto, met zijn hoofd tegen het zijraampje.

De kleren plakten aan zijn lijf. Het lichte kostuum was gekreukt en hij had zich eigenlijk moeten wassen. Hij was vroeg wakker geworden van de eenden, die enthousiast aan de ochtend begonnen en net zoveel lawaai maakten als de dronken jongeren die huiswaarts keerden. Stockholm glimlachte en hij moest even een eindje lopen om zijn rug te strekken die zeer deed na vijf uur zittend slapen.

Hij stapte weer in de auto, reed over de Djurgårdsbrug, langs de Berwaldhal, bleef staan op de parkeerplaats voor de Zweedse Televisie. Drie jaar geleden was hij er voor het laatst geweest; Vincent was gestopt bij *Dagens Nyheter* en was bij de tv gaan werken, hij was redacteur geworden bij de gezamenlijke nieuws-redactie van *Rapport* en *Aktuellt*. Toen Fredrik hem hier opzocht, had hij achteraan in een enorme zaal gezeten en had telegrammen en korte nieuwsitems verdeeld over gonzende verslaggevers.

Sindsdien was hij verhuisd naar het ontbijtnieuws, nu ongeveer een jaar geleden, hij hutselde de beelden van de afgelopen nacht door elkaar en kookte er een nieuw soepje van, zoals hij het zelf had uitgedrukt; vanaf dat moment was hij een gelijkvormig deel geworden van de grote nieuwsfabriek en dat kwam hem, zoals zijn leven met vrouw en kind er nu uitzag, heel goed uit.

Fredrik wachtte bij de portiersloge. Hij had een chagrijnige, geüniformeerde portier gevraagd om Vincent Carlsson te waarschuwen en hij had te horen gekregen dat de heer Carlsson over tien minuten bij hem zou komen.

Hij was niet veranderd. Hij zag hem door de glazen ruit, vriendelijk, lang en donker en met een soort overwicht dat van hem het type man maakte naar wie vrouwen glimlachten. Hij had dat zo vaak meegemaakt in hun tijd op de school voor journalistiek, wanneer ze op weg naar huis even een kroeg binnenliepen. Vincent kon dan plotseling naar de bar blijven kijken en zeggen: 'Die is voor mij.' Dan liep hij naar de charmantste verschijning in het etablissement, praatte en lachte, raakte haar aan en liep met haar aan zijn arm weer naar buiten. Zo iemand was hij, het was makkelijk om hem aardig te vinden en onmogelijk om hem ongezouten de waarheid te zeggen, ook als hij dat verdiende.

Vincent wuifde naar de portier, verzocht hem om vanuit zijn hokje de gesloten deur open te maken.

'Fredrik, wat doe jij hier? Weet je hoe laat het is?'

'Vijf uur.'

'Kwart over vijf.'

Blauw linoleum op de vloer en witte kalkstenen muren, ze liepen door een eindeloze gang.

'Ik had nog contact met je willen opnemen. Privé dus, maar ik was bang om te storen, ik wist niet wat ik zou moeten zeggen, ik heb er geen idee van wat ik nu moet zeggen zonder dat het… fout klinkt.'

'We hebben Marie gisteren begraven.'

Fredrik zag hoe moeilijk Vincent het ermee had, hoe weinig

woorden hij had, hoe radeloos hij stond tegenover hetgeen hij nooit zou begrijpen.

'Je hoeft niets te zeggen. Ik weet dat je het probeert, dat waardeer ik, maar eerlijk, laat maar, dat is niet wat ik op dit moment nodig heb.'

De eindeloze gang was weer een nieuwe gang geworden.

'Wat wil je dan? Je ziet er beroerd uit, je weet dat je altijd hier mag komen of bij mij thuis, maar waarom juist nu, om vijf uur 's ochtends op de dag na de begrafenis van Marie?'

'Je moet me helpen. Jij kunt dat. Dat is de enige hulp die ik op dit moment nodig heb.'

Een trap op. Langs de grote nieuwszaal.

'Ik kan me daar vandaag niet met jou vertonen, dat werkt niet. Onze uitzendingen gaan voor de helft over Bernt Lund en jou en Marie en de jacht van de politie. Het zou maar onnodige vragen oproepen. We gaan hier zitten. Voor acht uur komt hier niemand.'

Vincent liet hem een kleiner kantoor binnengaan, met in drie hoeken een bureau. Toen ging hij weer weg en hij kwam algauw terug met twee koppen koffie.

'Hier. Ik denk dat je daar wel aan toe bent.'

Fredrik knikte.

'Dankjewel.'

Ze dronken een ogenblik zwijgend, keken elkaar niet aan.

'We hebben ruim de tijd. Ik heb mijn collega bij het ochtendnieuws gevraagd mijn werk even over te nemen. Ze is erg goed, veel beter dan ik. Als dat op het scherm te zien is, des te beter.'

Fredrik reikte naar een van de bureaus.

'Sigaretten. Mag ik er een van pakken, denk je?'

'Je rookt niet meer.'

'Vandaag wel.'

Hij peuterde een sigaret uit het pakje, geen filter, een buitenlands merk dat hij niet kende.

Hij blies de rook uit, in een grote boog om hen heen.

'Weet je nog waar je mij de vorige keer mee hebt geholpen?'

'Jawel. Toen met Agnes.'

'Ik dacht dat ze het met die eikel van een econoom deed. Ik had het mis. Maar dankzij jou kwam ik erachter wie hij was.'

Vincent wapperde demonstratief een deel van de rook weg. Fredrik maakte zijn sigaret meteen uit tegen de onderkant van het kopje.

'En nu?'

'Hetzelfde.'

'Hetzelfde?'

'Persoonlijke gegevens, alles wat je te weten kunt komen.'

'Over wie?'

'640517-0350.'

'Wie?'

Fredrik haalde een briefje uit de binnenzak van zijn colbert.

'Bernt Lund.'

Z e hadden met stemverheffing gesproken, ze hadden argumenten voor en tegen behandeld, een strijd gewonnen uit medeleven. Ze naderden overeenstemming.

'Ik mag de wet dan wel niet overtreden, maar wat ik voor vriendschap hield, dat ga ik nu met voeten treden.'

'Helemaal niet.'

'Begrijp je het niet? Als ik jou aan gegevens over de moordenaar van je dochter help, doe ik ongeveer het enige wat ik niet zou moeten doen.'

'Dit is het enige, het enige wat ik nodig heb.'

'Je slaat een rare richting in.'

'Zit niet zo te kletsen. Help me liever.'

Vincent stond op, als om iets duidelijk te maken, ging weer zitten, zette de computer voor zich aan.

'Zo.'

'Ja?'

'Wat moet je weten?'

'Alles. Alles wat je te pakken kunt krijgen.'

Vincent verwijderde binnenkomende nieuwsbulletins en roosters van de ochtenduitzendingen van het scherm. Hij klikte een paar keer, een naam, password, toen de startpagina van de database. Rubriek voor rubriek. Het register van bv's, van ondernemers en verenigingen, particuliere adressen, de Zweedse Inlichtingendienst, het kentekenregister, het register van onroerend goed.

'De cijfers die je net zei. Het persoonsnummer.'

'640517-0350.'

Op het scherm werd een treffer gesignaleerd.

'Je wilt weten waar hij heeft gewoond. Dan gaan we dat uitzoeken.'

De ochtendzon kwam door de ramen de kamer binnen. Het werd warm, de lucht was stil.

'Mag ik een raam openzetten? Het wordt benauwd.'

'Doe maar.'

Fredrik stond op, zette twee ramen wijd open, hij had niet gemerkt dat hij maar bleef zweten in zijn lichte kostuum. Twee keer diep ademhalen, toen ging Vincents arm omhoog.

'Bernt Asmodeus Lund. Het laatste wat we hebben is een p/a-adres.'

'Ja?'

'Per adres Håkan Axelsson, Skeppargatan 12. Dat is in Östermalm, wel van een paar jaar geleden. Hij heeft natuurlijk in principe al die tijd in de cel gezeten en een ander adres staat er niet bij. Skeppargatan is het laatste officiële.'

Fredrik bleef achter Vincent staan, zijn rug deed nog steeds pijn na zijn overnachting in de auto en hij genoot van de frisse lucht die door het open raam langs hem heen kwam.

'Nog andere adressen?'

'Twee eerdere. Voor Skeppargatan hebben we Kungsgatan 3 in Enköping. Voor Enköping hebben we Nelsonstigen, Piteå.'

'Is dat alles?'

'Dat is alles wat ik hier kan zien. Als je nog oudere gegevens wilt hebben, moet je de belastingdienst in Piteå bellen.'

'Nee, het is goed zo. Maar ik wil meer feiten hebben, andere feiten.'

Fredrik bleef ruim een uur achter Vincent staan wachten. Hij maakte aantekeningen op briefpapier van de Zweedse Televisie, afkomstig van hetzelfde bureau waar hij eerder het pakje sigaretten had gehaald, hij schreef puntsgewijs de informatie uit ieder register op.

Een pand in de gemeente Vetlanda op naam van Bernt Lund: een merkwaardig hoog getaxeerd huurhuis, op een adres net buiten de stad. Een hele rits uitstaande schulden via het bureau voor kredietregistratie: belastingschulden, studieschulden, verscheidene mislukte pogingen tot beslaglegging.

Een ingevorderd rijbewijs.

Twee slapende BV's in de aandelenhandel.

Vier eerdere bestuursfuncties bij sportverenigingen.

Bernt Lund had in vrijheid een moeilijk te volgen leven geleid, hij was vaak verhuisd, had continu financiële problemen en tussendoor ondernam hij duidelijke pogingen om met mensen in contact te komen. Fredrik noteerde, probeerde te begrijpen wat hij nodig had, probeerde te lezen wat hij niet kon zien.

Vincent keerde zich om, keek Fredrik aan.

'Ik wou dat dit je allemaal niets interesseerde.'

Fredrik zei niets. Hij klemde zijn kaken op elkaar, staarde zijn vriend aan en zei niets.

'Je kunt me wel kwaad aankijken, maar zo denk ik erover.'

Hij stond op, pakte de beide koffiekopjes, liep de gang op. Fredrik keek hem na, bukte toen om de hoorn van een van beide telefoontoestellen op te pakken die op het bureau stonden. Hij toetste haar nummer in.

'Hoi. Ik ben het.'

Hij had haar wakker gebeld.

'Fredrik?'

'Ja.'

'Ik ben te moe. Ik heb een slaaptablet genomen.'

'Ik wil maar één ding weten. Waar heb je die twee zakken gelaten die we volgepakt hebben bij het opruimen van je vaders flat?'

'Waar heb je het over?'

'Ik wil het gewoon weten.'

'Ik heb ze niet meegenomen. Ze staan nog op zolder. In Strängnäs.'

Vincent kwam weer het kantoor in met volle kopjes in zijn handen. Fredrik legde de hoorn erop.

'Agnes. Het is heel moeilijk.'

'Hoe gaat het met haar?'

'Ellendig.'

Vincent knikte, gaf Fredrik een kopje en bracht het zijne naar zijn lippen.

'Nu gaan we dit afmaken. Dan moet ik weer terug naar de nieuwsdesk, het is daar nogal druk, vanwege een vliegtuigongeval bij Moskou.'

Hij zocht weer op het scherm, naar het hoofdmenu, naar het register van de Kamer van Koophandel: handelsfirma's en eenmansbedrijfjes. In twee rechthoekige kaders vulde hij het persoonsnummer van Bernt Lund in. Het persoonsnummer was in Zweden, het land van de openbaarheid, de sleutel tot alle gegevens. Heel merkwaardig, dacht hij, dat recht om met een persoonsnummer het leven van een onbekende in beeld te brengen, heel praktisch en heel eigenaardig.

'B. Lund Taxi.'

Fredrik had het gehoord, maar vroeg het toch.

'Wat zei je?'

'Een taxibedrijf geregistreerd als B. Lund Taxi. Het staat nog steeds ingeschreven.'

Hij liep naar het bureau, ging naast Vincent zitten om het zelf te lezen.

'Wanneer?'

'Opgericht in 1994.'

Fredrik stootte een lachje uit. Vincent keek op van het scherm.

'Wat is er?'

'Niets.'

'Lach je om niets? Wie denk je dat je voor je hebt?'

Fredrik moest weer lachen.

'Echt nergens om.'

'Nergens om? Kom op nou. Je zit hier een dag na de begrafenis van je dochter, met je begrafenispak nog aan, en dan zit je te lachen. Waarom? Om niets? Ga toch heel gauw weg.'

'Wind je niet op.'

'Wind je niet op? Verdorie. Dat is een goeie, dat is een hele goeie. Verder nog iets van je dienst? De financiële positie van het bedrijf?'

'Ik vind het goed zo.'

'Wie mag tekenen namens de firma? Inschrijfnummer bij de Kamer van Koophandel?'

'Ik ben hier tevreden mee.'

Buiten regende het.

Na drie weken zonder neerslag plotseling verdwaalde druppels op zijn hoofd. Hij deed het portier open, stapte in de auto. De ruitenwissers gleden zachtjes over de voorruit, de regen stelde niet veel voor en was na een paar slagen al weg, en hij kon de rubberen strips weer stilzetten.

Hij reed snel door de stad, het was zaterdagochtend vroeg en verkeer was er nog niet. Door Hornstull, over de Liljeholmsbrug, naar Strängnäs. Hij legde zijn handgeschreven briefje voor zich op het dashboard, spiekte er tijdens het rijden voorzichtig op.

Een huurhuis in Småland. Mislukte pogingen tot beslaglegging. Adressen in Piteå, Enköping, Östermalm. Dat sloeg hij over. Daar was het vervolg niet te vinden. Dat was verder onderaan te vinden, in het register van de Kamer van Koophandel, bij B. Lund Taxi, een bedrijf dat al jaren bestond.

Fredrik boog naar voren, stopte zijn hand onder de stoel, zocht in het bakje. Hij wilde muziek horen. Van de lelijke voorsteden van Stockholm naar Strängnäs. Hij zou naar CCR met *Proud Mary* luisteren, hard zingen en vergeten dat zijn verdriet weigerde mee te zingen.

Het stortregende toen hij aankwam. Alsof iemand zachtjes het vlies afschilde dat om de mensen, de gebouwen, de levens heen zat; het was een verlossing en een vreugde en ondanks het feit dat het water over de stad spoelde, zag hij geen paraplu's, hij zag niemand snel ergens heen rennen om te schuilen. De man voor hem en de vrouw een stukje verderop liepen allebei langzaam, hun kleren doorweekt, ze keken glimlachend omhoog. Fredrik voelde dat zijn kostuum losraakte van zijn lichaam; zijn gemoed werd lichter, er zat veel zuurstof in de lucht. Hij liep van zijn auto naar zijn huis, deed lang over elke stap. Hij liet de regen drie weken van hitte en zand wegdouchen.

Ze stond in de hal toen hij de deur opendeed. Ze hield een paar maskers in haar hand, van de Grote Boze Wolf en van een biggetje. Ze riep 'papa' en ze wilde buiten spelen, ze had haast, haast, ze was enthousiast, zoals kinderen van vijf dat zijn.

Hij ging aan de keukentafel zitten. Er stond een pak vruchtensap in de koelkast, dat dronk hij leeg, drie grote glazen. Het huis was zo leeg, het vroeg zoveel van hem.

Hij verschoof zijn stoel van de tafel naar de telefoon, die aan de muur hing. Micaela zou gauw thuiskomen, hij moest zich haasten. Twee telefoontjes. Dan was hij klaar.

Hij zocht het telefoonboek van Enköping, hij wist dat hij dat nog ergens had liggen, onder in de la, onder het telefoonboek van Strängnäs. Hij zocht in het gele deel. Hij vond het nummer naast het grote bedrijfslogo, de cijfers kwamen hem bekend voor, hij had het nummer wel eerder gebeld.

De stem van een vrouw.

'Taxi Enköping.'

'Hallo. Met Sven Sundkvist. De personeelsafdeling, alstublieft.'

'Een ogenblik, dan verbind ik u door.'

Enkele seconden, Fredrik kuchte, haalde diep adem.

'Taxi Enköping, met Liv Steen.'

'Sven Sundkvist, rechercheur bij de afdeling Ernstige Delicten in Stockholm.'

'Ja?'

'Ik ben op zoek naar inlichtingen over een chauffeur met wie u in het verleden wel hebt samengewerkt. Ene Bernt Lund, persoonsnummer 640517-0350. Een bedrijf dat B. Lund Taxi heette.'

'O juist.'

'Er is haast bij.'

'Wat wilt u weten?'

'Ik wil weten welke vaste ritten hij had in de tijd dat hij voor u reed.'

'Tja... dat waren er nogal wat.'

'Ik heb genoeg aan de vaste ritten naar kinderdagverblijven en scholen.'

'Tja... ik weet het niet, zulke informatie geven we anders nooit door.'

Fredrik weifelde. De vrouw deed wat ze moest doen. Hij was niet gewend te liegen, hij hield er niet van, hij vond het altijd moeilijk te bepalen waar de grens liep en of hij die overschreed.

'Ik werk aan een moordzaak.'

'Ik weet niet of dat wat uitmaakt.'

'Misschien hebt u erover gelezen. Het vijfjarige meisje. Moord en verkrachting.'

Hij vond het moeilijk om die woorden uit te spreken. Veel meer kon hij niet aan. De vrouw talmde.

'Uw naam was Sundkvist?'

'Ja.'

'Kan ik u terugbellen?'

'Zeker.'

Een lange pauze.

'Ik zal u niet langer ophouden. Het kan meteen wel.'

'Dank u.'

Hij hoorde haar in mappen zoeken. Het klikkende geluid van het openen en sluiten van metalen ringen die de papieren op hun plaats hielden.

Hij voelde het kostuum, dat nat was van de regen, tegen zijn huid plakken, net als eerder, toen het nat was van het zweet.

'Acht vaste ritten naar kinderdagverblijven. Vier in Strängnäs en vier in Enköping.'

'De adressen, alstublieft.'

Ze bladerde nog wat. Ze gaf hem de adressen. Hij herkende de vier in Strängnäs. De Duif was er een van. Lund had het kinderdagverblijf gekend. Hij was er heel vaak geweest, hij had er bijna een jaar vaste ritten naartoe gehad. Hij was teruggekeerd naar zijn vertrouwde omgeving, waar hij de routines van de kinderen kende en wist hoe de in- en uitgangen eruitzagen.

Fredrik bedankte voor de hulp en hing op. Nog één telefoontje. Naar Agnes.

'Weer met mij.'

'Ik kan het nog steeds niet.'

'Weet ik. Ik heb alleen de sleutel van de zolderberging nodig. Weet jij waar die ligt?'

'Daar is geen sleutel van. Er zit geen slot op. Daar heb ik me nooit druk om gemaakt. Het waren de spullen van mijn vader, dat maakte mij verder niet uit.'

'Bedankt.'

Hij wilde het gesprek beëindigen. Hij wist wat hij moest weten.

'Wat wil je ermee?'

'Daar liggen spullen van Marie, werkjes die ze op de crèche had gemaakt en aan hem had gegeven. Die wil ik ophalen.'

'Waarom?'

'Dat wil ik gewoon. Moet ik daar een reden voor geven?'

Hij stond voor de koelkast en hij had dorst. Nog een pak vruchtensap.

Hij schreef een briefje, een paar regels, waarop hij meldde dat hij even weg was, maar gauw terug zou komen. Dat hing hij op de koelkast, met een magneet in de vorm van een lieveheersbeestje erbovenop.

Het regende nog steeds, wat minder hard nu. Hij stak schuin de straat over, naar het gebouw aan de overkant, acht appartementen achter de façade van een villa. Hij ging met de lift omhoog, naar de zolder.

H ij stond op van het bankje.
Dat was hard, dikke houten planken met graffiti erop, hij zat daar al vier uur, vanaf vanochtend vroeg, hij was stijf en zijn hele lichaam deed hem zeer.

Hij had de hoertjes nu al een paar keer gezien, hij wist hoe ze zich bewogen, hoe ze eruitzagen als ze met elkaar praatten. Het waren mooie hoertjes, net als die andere, qua borsten stelde het niets voor, maar ze hadden lange, dunne benen en ogen die wel wisten hoe een pik eruitzag.

Twee van hen vond hij het leukst, twee blonde, vrolijke. Hij wist hoe ze heetten, ze praatten zo hard, en hij had hen gefoto- grafeerd, zowel toen ze kwamen als toen ze weggingen; hij had de foto's vaak bekeken, het was net alsof hij hen kende.

Ze waren vrij groot.

Hoertjes op die leeftijd weten wat ze willen.

Toen hun ouders hen brachten, zwaaiden ze nauwelijks, ze zagen hen niet, hij dacht vaak aan juist dat soort hoertjes, die dachten dat ze het voor het zeggen hadden, aan wat hij tegen hen zou zeggen, hoe hij hen aan zou raken.

Hij voelde zich eenzaam. Hij had al zo lang gekeken. Hij wilde met hen samen zijn, zij met zijn drieën.

De ouders zouden laat komen, zulke ouders waren het.

Hij keek op zijn horloge. Vijf over elf. Hij had nog bijna zes uur de tijd.

's Middags.

Net als bij die anderen.

Dan waren de hoertjes meestal buiten. Eerder was het heet geweest, maar met regen zouden ze waarschijnlijk allemaal nog langer buiten blijven, dat was altijd zo. Het zou een hele drukte zijn, allemaal tegelijk op het plein, de agentjes zouden het niet eens merken.

Hij wist precies hoe hij het ging doen.

H et was donker. Fredrik was hier een keer eerder geweest, toen ze Birgers flat hadden opgeruimd en diens weinige bezittingen, voorzover het niet gewoon rommel was, in de zolderberging gezet hadden. Hij was er midden in een ademhaling mee opgehouden, van het ene op het andere moment had hij het leven verruild voor de dood. Ze hadden hem naakt in bed gevonden met een tijdschrift over boten nog in zijn handen, half liggend en half zittend, met het bedlampje aan, op het nachtkastje een dagboek met de datum van die dag; hij had de temperatuur en de neerslag genoteerd, een aantekening gemaakt van een bezoek aan de ICA-supermarkt om eten te kopen, hij had een kraslot ingeleverd bij het tabakswinkeltje en een paar regels verder had hij geschreven dat hij moe was, dat hij niet begreep waar dat van kwam, dat hij twee paracetamoltabletten had ingenomen tegen een opkomende hoofdpijn.

Fredrik had hem nooit leren kennen. Het was een ongenaakbare man geweest, groot, dik en agressief, dat maakte het moeilijk te begrijpen dat hij de vader van Agnes was, ze waren zo totaal verschillend in hun manier van doen en van uiterlijk.

Hij opende de berging, die niet op slot zat. Een paar dozen met kleren, een staande lamp, twee leunstoelen, vier hengels, een fietskar. Achterin de twee jutezakken. Hij stapte de krappe ruimte binnen, maakte zich klein om langs de beide leunstoelen te kunnen, toen hij de zolderdeur hoorde opengaan.

Hij bleef staan. Wachtte zwijgend in het zwakke licht.

Het waren er minstens twee. Ze fluisterden.

Een heldere jongensstem.

'Hallo!'

Opnieuw gefluister.

'Hallo! Hier komen we! We zijn met heel veel!'

Hij herkende de stem. Hij glimlachte. Hij wilde net roepen toen de andere bezoeker, die tot dan toe gezwegen had, begon te praten. Wat ouder, wat stoerder.

'Ha! Zie je wel! Ik wist het. Het lukt altijd.'

Twee jongens begonnen zoekend door de gang tussen de bergingen te lopen. Ze haalden diep adem, zeiden niets. Nog een minuut, toen zag Fredrik hen, ze waren dichtbij, een paar bergingen verderop. Hij wilde hen niet laten schrikken.

'Hallo David.'

Te laat. Ze werden bang, schrokken, keken wanhopig om zich heen.

'Ik ben het maar. Fredrik.'

Nu zagen ze hem. Ze volgden de stem in het donker, zagen hem tussen twee stoelen staan zwaaien. David, met kort, donker, verward haar, een kop kleiner dan zijn vriendje, een forse, roodachtige jongen die Fredrik nog nooit eerder had gezien. Ze staarden hem aan, keken elkaar aan, ze hadden net het spook ontmoet waar ze bang voor waren geweest en waren daarom zo teleurgesteld als twee spokenjagers maar kunnen zijn als ze constateren dat het enge en onvoorstelbare alleen maar een vader is die zich op de verkeerde plaats bevindt.

David wees naar Fredrik.

'Ach. Het is gewoon Maries vader.'

David was Maries beste vriend. Ze waren er voor elkaar geweest sinds hun eerste stapjes, dezelfde speelplaats, dezelfde crèche, ze aten 's avonds altijd bij elkaar, logeerden bij elkaar, werden het eerst wakker van iedereen. Het was net of ze de broer en zus van elkaar waren die ze nooit hadden gekregen. David had net 'gewoon Maries vader' gezegd toen hij opeens zweeg en beschaamd zijn ogen neersloeg. Hij had Maries vader geen verdriet moeten doen, hij had Maries naam niet moeten noemen, ze was immers doodgegaan, ze was er niet meer.

Hij trok zijn vriend aan de arm, hij wilde weg, hij wilde weg van de zolder en van de vader van de dode Marie.

'Jongens, wacht.'

David huilde toen hij zich omkeerde.

'Sorry. Ik dacht er niet bij na.'

Fredrik stapte uit de berging. Hij vroeg zich af of vijfjarige kinderen het begrip dood kenden. Begrepen ze dat een dode er niet was, niet ademde, niet zag, niet hoorde, dat een dode nooit meer naar de speelplaats kon gaan om te spelen? Hij dacht het niet. Hij begreep het zelf ook niet.

'David, kom eens hier. En jij, kom jij ook eens, hoe heet je?'

'Lukas.'

'Kom ook eens hier, Lukas.'

Fredrik ging op de vloer zitten, roodbruine stenen, vies, on-effen. Hij wees naar de vloer naast hem, wilde dat de jongens daar gingen zitten.

'Ik ga iets vertellen.'

Ze gingen zitten. Ieder aan een kant van hem. Hij sloeg zijn armen om hen heen.

'David?'

'Ja?'

'Weet je nog dat we laatst aan het spelen waren?'

David lachte.

'Jij was de Grote Boze Wolf. Wij waren de biggetjes. Wij hadden gewonnen. Wij winnen altijd.'

'Jullie hadden gewonnen. Net als altijd. En was het leuk?'

'Ja. Heel erg leuk. Met Marie kun je leuk spelen.'

Daar stond ze. Ze glimlachte. Ze zei dat ze het nog eens moesten doen. Hij zuchtte, net als altijd, zij lachte en ze speelden het spel nog eens.

'Dat is zo, met haar kon je leuk spelen. En ze lachte veel. Dat weet je, David.'

'Ja, dat weet ik.

'Nou, dan weet je ook dat je niet bang hoeft te zijn om Maries naam uit te spreken. Niet als ik erbij ben en anders ook niet.'

David keek lang naar de stenen vloer. Hij probeerde het te begrijpen. Hij keek naar Lukas, toen naar Fredrik.

'Het is leuk om met Marie te spelen. Ik ken haar. Ik weet dat ze doodgegaan is.'

'Dat is zo.'

'Je vindt het niet erg als ik haar naam zeg?'

'Nee.'

Daarna bleven ze een halfuur op de vloer zitten. Fredrik praatte over de begrafenis, dat een dominee aarde op de kist had gestrooid, dat ze de kist in de aarde hadden laten zakken. David en Lukas, duizend vragen, waarom een mens bloed in zijn buik heeft, waarom een kind soms eerder doodgaat dan een volwassene, dat het raar is dat je eerst wel met iemand kunt praten en later niet meer.

Hij pakte hen beiden bij de schouders. Toen ze weggingen besefte hij dat hij voor het eerst haar dood onder woorden had gebracht. Ze hadden hem ertoe gedwongen. Hij had het uitgelegd, ze waren er niet tevreden mee en hij had het opnieuw uitgelegd. Hij had het zelfs over zijn verdriet gehad, dat hij nog niet had gehuild, en ze hadden hem verontwaardigd gevraagd waarom niet en hij had eerlijk gezegd dat hij het niet wist, dat het niet te begrijpen was, maar dat je soms een heleboel verdrietigheid in je had die je niet kon uiten.

Ze deden de zolderdeur achter zich dicht en hij was weer alleen. Even was het helemaal stil. Hij sprong op, liep tussen de leunstoelen door naar achteren en bleef voor de beide jutezakken staan. Hij tilde ze op, hield ze op de kop. Een grote berg boeken, pannen en oude kleren. Het zat in de andere zak. Het was groot, het bleef in het weefsel haken en hij moest het losschudden.

Het was een goed geweer. Dat had Birger gezegd. Hij had veel gejaagd de laatste jaren van zijn leven, op elanden, reeën en hazen. Hij was trots geweest op zijn wapen en had het goed onderhouden. Een beeld dat Fredrik was bijgebleven, was dat van Birger die 's avonds aan de keukentafel zijn wapen uit elkaar haalde, het nauwgezet onderdeel voor onderdeel schoonmaakte en het dan weer in elkaar zette om het daarna op alles en iedereen te richten.

Fredrik pakte het geweer van de vloer. Hij stopte het in de lege jutezak en nam het onder zijn arm mee toen hij wegging.

S iw Malmkwist zong dat de muren ervan schudden. *Speelbal, origineel: Foolin' around, 1961.* Alsof haar stem door de kamer stuiterde, zichzelf ving en een duet werd, nog krachtiger, nog indringender.

Ik was een speelbal voor jou, maar nu moet je gaan
Neem deze ring ook maar mee hiervandaan

Ewert Grens had naar zijn bezoekers gesist, had gezegd dat drie personen een samenscholing was, dat ze mochten blijven zitten als ze hun mond hielden. Dit was het derde stuk dat hij hun liet horen, het geluid zette hij bij ieder nummer iets harder. Sven Sundkvist en Lars Ågestam keken elkaar aan, Ågestam vragend en Sven met een schouderophalen; zo ging dit nu eenmaal, ze moesten blijven zitten totdat Siwan uitgezongen was, eerder hoefden ze niets te willen. Ewert hield haar foto in zijn handen, de foto die hij zelf had gemaakt in het Volkspark in Kristianstad, tijdens de tournee van 1972, hij zong ieder woord mee, het refrein het hardst. Siw zweeg, een paar seconden klonk het opgenomen gekras van een elpee. Ågestam wilde net wat zeggen toen de intro van het volgende nummer begon. Ewert zette hem nog wat harder en wapperde geërgerd met zijn hand naar Ågestam, hij moest gewoon rustig blijven zitten en zijn kaken op elkaar houden.

Ik begrijp dat je bij me weg wilt, wat ze zeiden was dus waar

Lars Ågestam kon geen Siw meer horen. Hij had haast, hij had het voor het zeggen.

Hij had geen sekszaken meer willen hebben, geen exhibitionisten, pedofielen of verkrachters. Hij wilde immers meer, hij wilde hoger, hoger, hogerop.

En gisteren had hij dit toebedeeld gekregen.

Weer een sekszaak.

Maar ook zijn ticket voor de toekomst.

Hij had moeite moeten doen om geen vreugdekreet te slaken toen de keus op hem viel. Leider van het vooronderzoek in de jacht op Bernt Lund. In iedere nieuwsuitzending, op iedere voorpagina; het hele land hield de adem in. Een moord op een vijfjarig meisje gepleegd door een veroordeelde moordenaar en verkrachter die in de gevangenis zat, eiste de onverdeelde aandacht van de media op. Dit was zijn kans. Dit was zijn doorbraak. Hij was voor even een van de meest interessante personen van het land geworden.

Want als het niet genoeg is dat ik van je hou
Dan is dit niet langer de plaats meer voor jou

Niet meer, niet nu. Niet nog zo'n knullige rijmregel.

Hij stond op, liep naar Ewerts bureau, zette een stap in de richting van de boekenkast, naar de logge cassetterecorder, boog naar voren en drukte op de stopknop.

Stilte.

Het was doodstil in de kamer.

Sven keek naar de grond. Ewert trilde en zijn gezicht liep rood aan. Lars Ågestam wist dat hij zojuist de oudste ongeschreven regel van het bureau overtreden had en het interesseerde hem geen zier.

'Neem me niet kwalijk, Grens, maar ik kan die rijmelarij niet meer aanhoren.'

Ewert schreeuwde.

'Donder op, mijn kamer uit! Verrekte streber!'

Ågestam had zijn besluit genomen.

'Je zit naar volksmuziek uit de negentiende eeuw te luisteren in plaats van je werk te doen. Dan moet ik hem wel uitzetten!'

Ewert stond op, hij bleef schreeuwen.

'Ik luisterde hier al naar en werkte het hardst van iedereen toen jij nog in je broek poepte! Donder nu op voordat ik een ongeluk bega!'

Ågestam liep naar de stoel die hij net verlaten had en ging koppig zitten.

'Ik wil weten waar we staan. Als ik dat weet, zal ik jullie een spoor geven dat jullie niet hebben. Als ik dat doe, blijf ik. Zo niet, dan beloof ik dat ik weg zal gaan. Oké?'

Ewert had net besloten dat hij het mannetje er eigenhandig uit zou gooien. Hij spuugde op die carrièremakers van officieren, ventjes van de universiteit die nog nooit op hun bek geslagen waren. Deze zou hiervandaan kruipen. Hij was door de kamer naar hem onderweg toen Sven opstond.

'Ewert. Denk na. Laat hem doen wat hij zegt. Laat hem proberen ons een spoor te geven dat we niet hebben gezien. Als hij dat niet doet, gaat hij immers weg.'

Ewert aarzelde. Ågestam maakte gebruik van de ontstane pauze, wendde zich haastig tot Sven.

'Dus, waar staan we?'

Sven kuchte.

'We hebben al zijn eerdere bekende adressen gecheckt. We gaan door met de bewaking.'

'Zijn pedofiele vriendjes?'

'We zijn ze allemaal langs geweest. Die houden we ook in de gaten.'

'Tips?'

'Die stromen binnen. De nieuwsuitzendingen, de krant, de mensen luisteren, de mensen kijken, we komen om in de tips, in principe is hij momenteel overal in het land gezien. We lopen ze een voor een na. Tot op heden allemaal waardeloos.'

'Mogelijk volgende doelwit?'

'We houden zo veel mogelijk personen in de gaten, we communiceren met ieder dagverblijf en iedere school binnen een straal van vijftig kilometer van het vorige.'

'Verder?'

'Niet veel.'

'Jullie zijn dus vastgelopen?'

'Ja.'

Ågestam wachtte zwijgend af. Ewert smeet zijn agenda op het bureau, verhief zijn stem.

'Nu mag jij wat vertellen, officiertje. En dan mag je weg.'

Ågestam stond op, liep langzaam de kamer door, van de ene muur naar de andere.

'Ik heb veel met een taxi gereden. Zo heb ik mijn studie betaald. Ik heb vijf jaar lang mensen door de hele provincie gereden. Verdiende goed. Dat was voordat het allemaal vrijgegeven werd, voordat er op iedere straathoek een taxi kwam te staan.'

Ewert schreeuwde vanaf zijn stoel.

'Nou en?'

Ågestam deed net of hij de agressiviteit, de haat niet hoorde.

'Ik heb veel geleerd. Ik weet hoe het werkt met een taxi. Ik heb zelfs een website opgezet met taxi-informatie, jullie weten wel, alle denkbare informatie die nergens bij elkaar stond: telefoonnummers, ondernemingsstructuren, prijsvergelijkingen. De hele santenkraam. Ik werd een soort expert, en toeristen en journalisten kwamen bij mij om antwoord.'

Ewert weer, het was moeilijk uit te maken of hij luisterde, hij gaf een klap op de tafel en ademde zwaar; Sven had hem wel eens chagrijnig en vals gezien, maar nog nooit zo, ontdaan van alle waardigheid, buiten zichzelf.

'En, mannetje, en?'

'Bernt Lund is taxichauffeur geweest, toch?'

Sven knikte bevestigend. Ågestam ging verder.

'Hij heeft zelfs een eigen bedrijfje gehad. B. Lund Taxi. Klopt dat?'

Nu richtte hij zich tot Ewert, wachtte zwijgend tot hij antwoordde.

Vier minuten.

Een hele tijd wanneer een vertrek uit balans is, wanneer gedachten, gevoelens en lichamen uit de maat dansen.

Ewert siste.

'Dat is zo, ja. Heel wat jaren geleden. Dat weten we. We hebben verdomme zijn failliete boedel binnenstebuiten gekeerd.'

Lars Ågestam liet zijn dunne benen vrij door de kamer lopen, hij liep niet meer van muur naar muur terwijl hij praatte, hij holde

bijna, alsof hij haast had, alsof hij nerveus was. Met zijn wapperende blonde haar, zijn grote bril die besloeg, was hij meer schooljongen dan ooit, een schooljongen die had besloten tot oproer en
daaraan vasthield.

'Jullie hebben de financiën, de structuur, de omvang van het
bedrijf gecheckt. Dat is goed. Maar jullie zijn niet nagegaan wat
hij eigenlijk deed.'

'Taxi rijden. Hij reed idioten rond tegen betaling.'

'Wie reed hij?'

'Daar worden geen gegevens van bijgehouden.'

'Niet van individuele personen. Maar wel van vaste ritten.
Afspraken met gemeenten en de provinciale overheid.'

Hij zweeg. Ågestam bleef tussen Ewert achter het bureau en
Sven op zijn bezoekersstoel stilstaan. Hij vervolgde het gesprek
met hen beiden, lette er goed op dat hij hen om de beurt aansprak,
dat hij duidelijk aangaf dat hij het tegen hen had.

'Een kleine taxionderneming kan haast niet bestaan van alleen
maar particuliere klanten. De meeste chauffeurs zoeken vaste
ritten, wij noemden het schoolritten. Een lagere vergoeding, maar
een regelmatig inkomen. Schoolritten zijn vaak kinderen die naar
dagverblijven en kleuterscholen gebracht moeten worden. Als je
zo lang een taxibedrijf hebt gehad als Lund, is de kans groot dat je
schoolritten hebt gehad. Vooral een zieke geest als hij. Als jullie
nagaan of Lund dergelijke ritten heeft gehad, dan denk ik dat
jullie kinderdagverblijven zullen vinden waar hij regelmatig naartoe reed. Die hij dus kent. Waar hij over heeft gefantaseerd. Waar
hij weer naartoe zou kunnen gaan.'

Ågestam haalde een kam uit zijn achterzak en fatsoeneerde zijn
korte haar. Zijn uiterlijk: correct, stropdas, wit overhemd, grijs
kostuum; hij hield ervan zich netjes en tiptop in orde te voelen.

'Gaan jullie dat uitzoeken?'

Ewert zei niets, hij staarde voor zich uit, hij moest zijn woede
uiten of smoren. Hij was zelden zo geprovoceerd, dit was zíjn
kamer, zíjn muziek, zíjn werkwijze, die had je te respecteren,

anders bleef je maar op de gang staan bij de rest van de idioten. Hij wist niet waar die opgekropte woede vandaan kwam, waarom die zo vreselijk sterk was, maar het was een feit, het gevoel was er, naarmate de tijd voortschreed en je ouder werd, kreeg je het recht jezelf te zijn en hoefde je geen rekenschap meer af te leggen. Anderen hadden daar kennelijk een woord voor, ze noemden het verbittering. Dat maakte hem weinig uit, ze mochten het noemen zoals ze wilden; hij had er geen behoefte aan om aldoor sympathiek gevonden te worden, hij wist wie hij was en probeerde daarmee te leven.

Hij besefte dat de jonge officier op iets gewezen had wat de volgende stap kon zijn, maar hij had geen zin om hem dat te laten merken. Sven daarentegen was rechter gaan zitten en keek waarderend.

'Dat klinkt verstandig. Het kan kloppen. Dan zouden we in ieder geval ons bewakingsterrein drastisch kunnen inkrimpen. We hebben te weinig tijd en te weinig manschappen, en het is niet gemakkelijk daar meer van te krijgen, ook al doen we ons best. Als het zo is als jij denkt, dan krijgen we tijd, dan kunnen we de manschappen gericht inzetten, we zouden dichter bij hem komen. Ik ga het nu meteen uitzoeken.'

Hij verliet de kamer, snelle passen door de gang. Ågestam en Ewert bleven zitten, ze zeiden niets meer, Ewert kon niet meer schreeuwen en Ågestam kwam erachter hoe moe hij was, hoe gespannen hij was geweest.

Ze bewogen zich niet, geen van beiden. Stilte, pauze. Totdat Lars Ågestam vanuit het midden van de kamer naar Ewert toe liep, langs hem heen naar de boekenplank, en de cassetterecorder weer aanzette.

Steeds een ander schatje, origineel: Lucky lips, 1966.

Weet je dat ze zeggen dat ze je iedere dag weer zien

Overal in ons stadje, met mooie meisjes bovendien

Krasserig, parmantig noodrijm. Ågestam liep naar buiten en sloot de deur.

H et was droog. De laatste druppel sloeg tegen de grond toen hij de deur van het trappenhuis uit kwam. De lucht was helder, makkelijk in te ademen. De wolken waren al wat lichter, de zon kwam erdoorheen en de droge, stilstaande hitte zou weldra terugkeren.

Fredrik hield de jutezak in zijn hand. Hij stak snel de straat over, naar zijn auto, legde de zak op de lege achterbank. In zijn hart het gesprek dat hij net met twee kleine jongens had gevoerd over hun kijk op de dood. David en Lukas hadden naast hem op de harde zoldervloer zitten luisteren, sommige dingen begrepen ze, maar ze hadden ook met nieuwe vragen gereageerd op zijn antwoorden, met de overpeinzingen van een vijf- en een zeven-jarige over lichaam en ziel en het duister dat niemand kan zien.

Hij dacht aan Marie. Hij had sinds afgelopen dinsdag ieder moment aan haar gedacht, aan het beeld van haar als dood kindje; haar stille gezicht had iedere poging om iets anders te zien ge-dwarsboomd, maar nu zocht hij haar zoals ze was toen ze nog leefde, voor wie hij had geleefd, hij vroeg zich af wat voor idee zij van de dood had gehad, ze hadden het er nooit over gehad, het was nooit ter sprake gekomen.

Had ze het begrepen?

Was ze bang geweest?

Had ze haar ogen dichtgedaan of had ze zich verweerd?

Had ze er enig idee van gehad dat de dood ieder moment zijn intrede kon doen en dat die gelijkstond met eeuwige eenzaamheid in een witte houten kist met bloemen erop onder een pas gemaaid grasveld?

Hij reed door de smalle straten van Strängnäs. Hij keek op zijn lijstje met adressen: vier kinderdagverblijven in Strängnäs, vier in Enköping. Hij wist zeker dat hij gelijk had. Lund zat voor een van die crèches te wachten, net zoals hij voor De Duif had zitten wachten. Fredrik dacht aan de manke politieman op het kerkhof, hoe overtuigd hij was geweest toen hij zei dat Lund het vaker zou doen, net zo lang totdat iemand hem tegenhield.

Eerst De Duif. Het kinderdagverblijf stond op de lijst en Lund kon net zo goed daar zitten als ergens anders, net als een dier, op de plek waar eerder ook iets te eten was geweest. Fredrik reed deze route al bijna vier jaar. Hij kende ieder huis, ieder straatnaam-bordje en hij had er een hartgrondige hekel aan. Het leek ver-trouwd en een routine, maar het was langzaam verstikkend ver-driet. Het was zijn thuis, maar dat zou het nooit meer echt worden.

Een paar honderd meter voordat hij er was, parkeerde hij de auto. Voor het poortje stond de Securitas-auto met de veiligheids-mensen met wapenstokken, een eindje verderop een politieauto met twee agenten in uniform. Het was raar om weer voor het kinderdagverblijf te zitten waar hij zes dagen geleden zijn dochter naartoe had gebracht voor een paar uurtjes tussen halftwee en vijf. Had hij dat nou maar niet gedaan! Ze waren toch al zo laat, Marie had gezeurd en hij had zich schuldig gevoeld omdat hij zo laat was opgestaan. Was hij maar thuisgebleven, had hij haar maar bij de hand genomen om met haar naar de stad te wandelen en een ijsje te kopen in de haven, zoals ze wel vaker deden. Had hij maar tegen haar gezegd dat ze binnen moest blijven als het zo heet was, net als de andere kinderen. Hij bleef even in de auto zitten wachten, doorkruiste toen het bos rondom het kinderdagverblijf, totdat hij zich ervan had overtuigd dat Lund niet in de buurt was, dat hij deze crèche niet in het oog hield.

Hij startte de auto, stak achteruit, reed weg, naar Het Bosje, een kilometer verder in de richting van de stad. Hij zette de autoradio aan, het was bijna halfeen, nieuws op één. Eerst de vliegtuigramp bij Moskou, honderdzestien doden, waarschijnlijk een technisch mankement, een Russisch vliegtuig met achterstallig onderhoud. Toen Marie. De jacht op haar moordenaar ging verder. De officier die tot leider van het vooronderzoek was benoemd, werd geïnterviewd, maar had niet veel te melden. Een politieman, de oudere van het kerkhof, die kennelijk Grens heette, vroeg de verslaggever vervolgens luidkeels om te verdwijnen. Ten slotte een forensisch psychiater die Lund bij meerdere gelegenheden had onderzocht en die waarschuwde voor een gedragspatroon met dwangmatige herhaling, voor een innerlijke drang die alleen bevredigd kon worden door toe te geven aan de geweldsimpulsen.

Hij bleef staan en speurde de omgeving van Het Bosje af. Hij reed door de stad verder naar de crèches Het Park en De Beek.

Beveiligingsbedrijven, politieauto's.

Bernt Lund was er niet en hij was er ook niet geweest.

Fredrik verliet Strängnäs over weg 55, richting Enköping. Hij reed hard, hij moest nog vier adressen af.

Hij keek naar de jutezak.

Hij twijfelde niet.

Wat moest, dat moest.

H et was plotseling weer uit te houden op de boomloze luchtplaats. De regen was de Aspsåsinrichting binnen komen vallen en een paar uur lang hadden tientallen gedetineerden in inrichtingsblauwe korte broeken en met blote bovenlichamen heen en weer gerend over het grind en ze hadden gebruld, ze hadden even niet met halfgesloten ogen hoeven turen, geen stoflucht hoeven hoesten, niet bij iedere beweging overvloedig moeten zweten.

De afgebroken voetbalwedstrijd van donderdag was voortgezet, de tweede helft en een dubbele pot, tienduizend kronen. De tijd was om en de wedstrijd was nog steeds onbeslist. Ze lagen weer net als de vorige keer ieder met zijn eigen team achter het doel, maar nu in de regen, met hun gezicht naar de hemel voor instant verkoeling.

Lindgren lag tussen Hilding en Skåne in; hij veranderde van houding en de anderen volgden, schoven een eindje op.

'Hoe kon je zo stom zijn, Skåne, makker? Hoe kun je verdorie de inzet verdubbelen als je toch al geen cent hebt?'

Skåne schoof heen en weer, keek naar Hilding, maar kreeg geen steun.

'Verdomme, het is onbeslist. Waar heb je het over? We hebben toch niet verloren?'

'Nog niet, klotejunk. Maar we doen het slecht. Is iemand van ons aan de bal geweest deze helft?'

Hij tilde zijn hoofd op, keek in het rond.

'Nou? Is hier iemand die iets anders heeft gedaan dan rennen en jagen? Verlenging, verdorie! Snap je het? Wij gaan door met jagen en zij gaan door met elkaar de bal toespelen. Verdomde sukkel!'

Hilding staarde naar de druppels, hij vond het moeilijk om stil te blijven liggen en om met zijn vinger van de wond aan zijn neus af te blijven. Hij was ongerust, met zijn gedachten ver bij de luizige voetbalwedstrijd vandaan waar een paar duizendjes op het spel stonden. Hij gluurde herhaalde malen naar Skåne, probeerde zijn aandacht te trekken. Nu waren zij nog de enigen die het wisten en ze kenden Lindgren goed genoeg om te weten dat hij die kerel dood zou slaan.

Skåne had die ochtend zijn zes uur verlof zonder begeleiding gehad. Van zeven uur tot een uur. Verlof in de stad zonder bewaarders. Hij had de auto van zijn broer geregeld en daarin was hij snel naar Täby, naar zijn liefje gereden, ze hadden even koffiegedronken in de keuken van haar tweekamerflat en elkaar toen bijna verlegen uitgekleed. Daarna had hij stil tegen haar naakte lichaam aan gelegen en ze had zijn wang gestreeld en gezegd dat ze had gewacht, ze had gefantaseerd en verlangd en begrepen dat ze het nog wel vier jaar uit zou houden. Hij was een halfuur te lang gebleven en op weg naar de stad had hij harder gereden dan eigenlijk zou moeten, er stonden files bij de toegangsweg en hij had zijn geduld verloren, had de auto bij een worstkraam bij Roslagstull neergezet en was te voet verder gegaan, hij had in Odengatan de bus gepakt, was in Fleminggatan weer uitgestapt en het gerechtsgebouw binnengegaan. Een verschrikkelijk trage ambtenaar had die vermaledijde uitspraak uiteindelijk gevonden en hij was weer naar de auto gerend en teruggereden naar Aspsås; hij had nog zeventien minuten over toen hij bij de inrichting aanbelde.

Het vonnis had precies de inhoud die hij had gevreesd. Hij was net voor de voetbalwedstrijd terug op de afdeling en had met Lindgren afgesproken dat ze na het eindsignaal door zouden nemen wat hij nu wist, wat hij al had vermoed: Håkan Axelsson was veroordeeld wegens het in bezit hebben van kinderporno. Axelsson was een van de zeven uit het merkwaardige pedofielennetwerk die elkaar op afgesproken tijdstippen eigen opnames lieten zien op het internet, eigen documentatie van grove schendingen. Bernt Lund was een van de zeven geweest, twee anderen waren eerder veroordeeld en zaten al op de vieze afdeling van

Aspsås. Skåne had Hilding al tijdens de wedstrijd, op een moment dat hij even vlak bij hem stond, verteld wat hij wist, wat er te gebeuren stond. Hilding was aan zijn neus gaan krabben, hij had het door, als Axelsson niet verdwenen was voordat Lindgren het te horen kreeg, zou het eindigen met een executie, en daar hadden ze geen zin in, niemand van hen; na een executie werd de beveiliging verscherpt en was uitgebreid fouilleren gewettigd en zouden er ontzettend veel bewaarders rondrennen om alle cellen ondersteboven te halen, totdat ze beseften dat ze niets wijzer zouden worden.

Hilding kwam overeind, schudde het gruis van zich af dat met behulp van de regen aan zijn lichaam was blijven plakken. Lindgren stoof op.

'Waar ga jij heen? We zijn met een wedstrijd bezig.'

'Gewoon naar de wc. We beginnen pas over een paar minuten. Ik kan het moeilijk hier in mijn broek doen.'

Hij liep naar het grijze gebouw, naar de deur in de gevel. Hij deed de deur naar de afdeling open, holde naar de cel van Axelsson. Die was leeg. Naar de wc, de douche, de keukenhoek. Geen mens. Hij krabde aan zijn neus, het bloedde en hij holde verder naar de fitnesszaal. Bleef een seconde voor de deur staan, keek om zich heen, ging naar binnen.

Daar lag hij. Op zijn rug op een bank, zijn handen om een halter boven zijn borst, hij liet hem zakken, duwde hem omhoog. Er hing een gewicht van tachtig kilo aan. Hilding wachtte af. Axelsson haalde diep adem, liet de ijzeren staaf weer zakken. Een paar snelle stappen en Hilding was bij hem voordat hij de staaf weer helemaal omhoog had geduwd. Hij hield hem tegen, leunde met zijn volle gewicht op de staaf en op Axelsson, duwde hem naar beneden, tegen zijn keel.

'Hoor es, ik doe dit niet omdat ik je zo aardig vind.'

Axelsson probeerde hem te schoppen, liep rood aan, kreeg moeite met ademhalen.

'Waar is dit voor nodig?'

Hilding gaf een schreeuw, duwde de staaf nog harder tegen zijn keel.

'Bek houden, klootzak!'

Axelsson schopte niet meer, hij probeerde niet meer om tegenstand te bieden.

Hilding verminderde de druk een beetje.

'Ik heb net met Skåne gesproken. Hij heeft jouw vonnis gehaald vandaag. Gore viespeuk, je hebt verdomme kleine kinderen geneukt.'

Håkan Axelsson werd bang. Hij kon niets zeggen, maar uit zijn ogen bleek dat hij begreep waar het om ging.

'Maar je hebt mazzel, smeerlap. Je begrijpt, ik wil hier geen moorden op de afdeling hebben. Dat is veel te veel gedonder. Dus nu krijg je een kansje. Ik wacht vanaf nu tien minuten voordat ik het aan Lindgren vertel. Als hij het hoort en je bent nog niet weg, dan mag je van geluk spreken als je hier met een ambulance vandaan gaat.'

Axelssons rode gezicht verloor zijn kleur en hij werd steeds witter, begon te trillen, praatte geforceerd, begon weer te trappen om los te komen.

'Waarom vertel je mij dit?'

'Heb je niet opgelet? Het gaat me niet om jou. Maar ik moet hier geen moorden.'

'Wat moet ik doen, verdorie? Ik kan toch geen kant op?'

Hilding drukte een laatste keer tegen zijn keel. Axelsson hoestte, hapte naar lucht.

'Als je vandaag wilt overleven moet je verdraaid goed luisteren. Begrepen?'

Axelsson knikte.

'Moet je horen, pedofiel, ik ga zo meteen hier weg. Dan ga je naar de bewaarders op de afdeling en dan vraag je of je naar de strafcel mag. Vraag om vrijwillige isolering en vertel dat wij je vonnis hebben. Dan doen ze niet moeilijk. Maar je zegt niet wie je gewaarschuwd heeft! Begrepen?'

Axelsson knikte, enthousiaster deze keer. Hilding stond nog over hem heen gebogen, lachte kort, verzamelde speeksel terwijl hij met een lelijk gezicht zijn wangen bewoog; hij bracht zijn mond boven Axelssons gezicht en liet de klodder spuug langzaam vallen.

E wert Grens wilde niet naar huis. Hij was moe, hij was sinds Lunds ontsnapping iedere avond op het bureau gebleven, zoals altijd als er iets bijzonders aan de hand was. Hij werd een dagje ouder, dat kon hij wel merken, een grijze man van tegen de zestig, die er moeite mee had om een boef in te halen; zijn lichaam was trager, zijn armen hingen losser, maar hij droeg nog steeds die verdomde drang ergens in zijn borst die hem aanzette en voortstuwde, die zich niets aantrok van de maanden die op het leven in mindering waren gebracht, die hem opjoeg totdat er alleen resultaten waren waar je wat aan had; meestal een gestoorde gek achter slot en grendel. Hij zag het, de kracht was er, maar hij dacht steeds vaker een paar jaar vooruit, aan pensioen, stoppen met werken en dood. Hij had het echte leven vervangen door deze nepvariant, hij was zijn werk en niet meer dan dat, geen privépersoon, geen vader of opa of zelfs nog zoon tegenwoordig, hij was rechercheur Grens en hij genoot van het respect en de waardigheid die dat vaak meebracht en hij schrok ervan hoe armoedig dat eigenlijk was, hoe verschrikkelijk eenzaam hij zou zijn, getroffen door een soort eenzaamheid die hij niet zelf had gekozen en die daarom zo naar was.

Die middag zou hij ook niet naar huis gaan. Hij zou door de gangen dwalen en op zijn kamer naar Siwan zitten luisteren en als de uren van het etmaal om waren, zou hij in zijn ene bezoekersstoel wat gaan zitten slapen, onrustig zoals altijd, vier, vijf uur, totdat het weer licht werd en de lust en de drang terugkwamen. Nog een eindje wandelen, nu de hemel even helder was en de lucht gemakkelijk in te ademen. Hij pakte zijn alpinopet en verliet de kamer, op weg naar het naamloze parkje naast het bureau. Hij wilde net de deur dichtdoen toen Sven gehaast aan kwam lopen.

'Ewert, wacht even.'

Ewert keek naar Sven, zijn magere gezicht was gespannen, zijn wangen waren rood.

'Wat zie jij er gestrest uit.'

'Ik ben gestrest. Er hebben zich nog meer problemen voorgedaan.'

Ewert wees naar het eind van de gang, naar de uitgang.

'Ik ben op weg naar buiten, ik heb frisse lucht nodig. Als je wilt praten, moet je even meelopen.'

Ze liepen naast elkaar, Ewert langzaam als altijd, Sven ongeduldig met korte passen om in hetzelfde tempo te kunnen blijven.

'Je had problemen.'

'Ik heb gedaan wat we hadden afgesproken.'

Sven nam een aanloop, zocht iets om zich aan vast te houden, om mee te beginnen.

'Kom ter zake, jongen!'

'De taxitheorie van Ågestam. Ik heb alle taxibedrijven in het Mälardal afgebeld.'

'En?'

'Zonet Enköpings taxibedrijf.'

Ze stapten het trottoir op, de lucht van uitlaatgassen en vuilniswagens in. Ewert haalde diep adem, het was lang geleden dat een ademteug zo goed gesmaakt had.

'Ja, en?'

'Het probleem is dat de dame met wie ik sprak, een verstandige vrouw, ze kende het bedrijf echt van binnen en van buiten, het probleem is dat zij beweerde dat ik al eerder had gebeld, dat ik dezelfde vragen vanmorgen vroeg al had gesteld.'

Ze staken over en liepen het park in. Een paar bomen, een grasveldje, twee speelplaatsen, voor een oase wel heel bescheiden, maar toch een paar honderd strekkende meters in de schaduw.

'Nu kan ik het even niet meer volgen. Had je eerder gebeld?'

'Ågestam had het goed geschoten: Enköpings taxibedrijf bevestigde dat Lund schoolritten had gehad. Ik kreeg acht adressen van kinderdagverblijven. Vier in Strängnäs, vier in Enköping. De Duif was er een van.'

'Verdomme. Verdomme!'

'Ik heb al contact opgenomen met de beveiligingsbedrijven en onze wachtcommandanten. We hebben de bewaking van alle acht verscherpt.'

Ewert bleef midden op het paadje staan.

'Dan weten we het wel. Het duurt nu niet lang meer. Hij kan het niet meer houden. Het is een zieke drommel en zieke drommels zoeken een medicijn.'

Hij maakte aanstalten om verder te lopen, om het pad door het park weer te volgen, maar hij hield zijn pas in.

'Wat bedoelde je dat je eerder had gebeld, vanmorgen?'

'Net wat ik zeg. Iemand had vanmorgen gebeld en dezelfde vraag gesteld. Iemand die zich Sven Sundkvist noemde. Iemand die het ook doorhad van Lunds eventuele schoolritten, die ook achter Lund aan zit en vermoedelijk niet om hem voor het gerecht te slepen.'

Ze liepen zwijgend naast elkaar. Ewert voelde dat Sven meer wilde zeggen, dat hij nog iets op zijn lever had, maar hij had zijn kamer verlaten voor een pauze en dan zou hij pauze nemen ook. Onder het lopen floot Ewert luid en vals *Meisjes op de achterbank*, hij floot en hijgde en wist dat het snel voorbij zou zijn – de schoolritten, Lunds wanhoop en de tijd die een opgejaagd man verzwakte – het liep ten einde, zoals het altijd ten einde liep, hij verkeerde al zo lang tussen de gekken, hij had ze keer op keer ontmoet, hij wist zoals alleen iemand die al zo lang meeloopt kan weten dat er niet veel meer kwam.

'Dan mag je me nu de rest wel vertellen, Sven.'

Sven bleef voor een bankje staan, gebaarde Ewert met zijn hand om te gaan zitten. Ze gingen beiden zitten, naast elkaar, en keken uit op een speelplaatsje, waar drie kinderen van een jaar of drie in de zandbak zaten.

'Ewert Grens is op tv te zien geweest, Ewert Grens is geïnterviewd. Ik was niet zichtbaar. Slechts een enkeling kent mij. Mensen van hier natuurlijk, een enkeling in Aspsås, de schouwarts, degenen rondom Marie Steffansson die ik toen op de plaats van de moord heb gehoord. Er zijn er maar een paar die een motief hebben. Ik ben ze nagegaan en ben begonnen bij haar vader. Verder hoefde ik niet te zoeken.'

Ewert knikte, wuifde ongeduldig met zijn hand, wilde dat hij verder praatte.

'Ik heb met Micaela Zwarts gesproken, de huidige vriendin van Fredrik Steffansson, zij werkt immers op De Duif. Ze had hem sinds de moord afgelopen dinsdag niet meer gezien. Hij was er natuurlijk slecht aan toe, dat kan ook niet anders. Maar ze maakte zich zorgen. Hij rouwt niet, niet echt, hij heeft het nog niet tot zich door laten dringen. Ze heeft contact gezocht, ze wonen toch al een paar jaar samen, maar ze beschreef hem als ongenaakbaar, iemand die ze niet meer kende. Hij was kennelijk vanmorgen in de woning geweest terwijl zij op haar werk was, hij had een briefje achtergelaten, met zo'n magneetje op de koelkast, waarin hij zijn excuus maakte en zei dat hij gauw weer terug zou zijn.'

Ewert maakte weer een draaiende beweging met zijn hand, ongeduldig.

'Ik heb ook met Agnes Steffansson, de moeder van het meisje, gesproken. Zij is verstandig, ten prooi aan haar verdriet, maar toch begreep ze het meteen, ze bevestigde de indruk van Zwarts. Het was niet alleen dat Fredrik Steffansson niet rouwde, maar hij gedroeg zich ook wonderlijk; na de begrafenis had hij haar twee keer gebeld met niet ter zake doende vragen. Ze had het opgevat als pogingen tot contact en een gesprek, maar nu schrok ze.'

'Ga door.'

'Ze belde met haar mobiel, ze was in Strängnäs om Maries spulletjes op te halen van De Duif, maar plotseling wilde ze ons gesprek afbreken en later terugbellen. Ik wachtte. Twintig minuten later belde ze weer. Ze had De Duif verlaten en was naar de huurflat gegaan waar haar vader tot aan zijn dood, vier jaar geleden, had gewoond. Ze legde uit dat de vragen van Fredrik voor haar aanleiding waren om naar de zolder te gaan, naar de berging van haar vader, die ze nog steeds in gebruik hadden. Ze hadden de nalatenschap in zakken gestopt en die daar laten staan.'

Sven kuchte, hij wond zich op, had er moeite mee de woorden in de goede volgorde te krijgen.

'Het jachtgeweer van haar overleden vader had daar gelegen. Voor de elandenjacht. Een 30-06 Carl Gustaf, krachtige optiek, laserzicht – hoe haalt iemand het in zijn hoofd een geweer te bewaren in een zolderberging waar geen slot op zit!'

Ewert zat zwijgend te wachten. Sven pauzeerde even, alsof het niet echt was zolang hij het niet had uitgesproken.

'Ze was bang. Ze huilde. Het was er niet meer.'

Lars Ågestam wilde dat hij kon overgeven. Hij stond gebogen over de wastafel op het grote toilet van het parket. Net was het nog zo makkelijk geweest. Hij had de grote opdracht gekregen waarvan hij had gedroomd. Hij had gevochten met een van die verbitterde figuren van een generatie die had afgedaan en van hem gewonnen; zijn kennis van Lunds taxibedrijfje was genoeg geweest om Grens mee om de oren te slaan en om de voorsprong van Lund te verkleinen.

Dat was vóór het gesprek met Sven Sundkvist.

Nu was hij alleen.

Hij wilde geen vader die zijn vermoorde dochter wreekte.

Hij begreep wat dat betekende. Een meisje van vijf dat was verkracht en vermoord, dat was zwart-wit, dat was simpel, dat was belangstelling van de media, goed tegen slecht, dat was de opinie leiden naar waar die al was. Maar dit! Als de vader het eerst bij hem was, als hij een wapen gebruikte dat krachtig genoeg was om een enigermate stilstaande persoon van driehonderd meter afstand mee neer te leggen, dan werd het een heel ander verhaal. Dan was het hel, waanzin en spugen op het goede. Hij zou een vader in staat van beschuldiging moeten stellen die handelde uit verdriet. Op dat moment zou hij de beul van de maatschappij worden en tegenover de kleine man komen te staan; zijn doorbraak zou meteen zijn ondergang worden.

Hij stopte zijn vingers in zijn keel. Hij had geen keus. Het moest eruit, hij moest helder kunnen denken en zo deed hij dat.

H et liep tegen vijven. Kinderdagverblijf Freja in Enköping-West was nog een uur open. Het was fraai gelegen in een dal, aan alle kanten door lage heuvels omsloten. Fredrik had dertig minuten zitten wachten in de auto, die in een weiland stond geparkeerd. Hij had voor het hoogste punt gekozen, met vrij uitzicht op het kinderdagverblijf. Toen hij aankwam, had hij hetzelfde gedaan als bij de andere adressen: hij had de auto laten staan, had voorzichtig, in grote bogen, het terrein om de gebouwen heen afgespeurd.

Pas toen hij weer terugkwam, toen hij zijn portier weer wilde openen, had hij hem ontdekt.

Daar zat hij, licht gehurkt, zo'n beetje pal voor hem.

Gedeeltelijk aan het zicht onttrokken door een bosje, met zijn rug tegen de wortels van een omgewaaide boom, op het iets lagere heuveltje dat tussen Fredrik en het kinderdagverblijf in lag, een paar honderd meter van de twee witte gebouwen. Een groen trainingspak, een kijker in zijn ene hand. Hij was stil blijven zitten, na een halfuur zat hij nog steeds stil, met zijn gezicht naar de speelplaats, naar de kinderen achter het hek. Fredrik had het gecontroleerd met zijn eigen kijker: het was Lund, hij had hem zes dagen geleden gegroet, het was hetzelfde gezicht, dezelfde lichaamshouding.

Hij had een eind gemaakt aan het leven van zijn dochter, haar van hem afgepakt en nu zat hij daar, een eindje verderop.

Fredrik probeerde niets te voelen, verjoeg de pijn.

Voor de ingang van het gebouw stond een politieauto. Twee geüniformeerde personen zaten op de voorbank, ze observeerden, ze telden vermoeid hun langzaam verstrijkende diensttijd af terwijl ze naar een gesloten hek zaten te staren. Het was warm, nog warmer in een stilstaand metalen pantser. In de korte tijd dat Fredrik de twee had gadegeslagen, waren ze allebei al twee keer uit de auto gestapt om tegen het voertuig geleund een sigaretje te roken. De rook was makkelijk te zien, want het was windstil daar beneden.

Een enkele vogel, zo nu en dan geluiden van de snelweg wat verderop, verder kalme, slaapverwekkende rust.

Fredrik deed het voorportier open, stapte uit, liep naar de voorkant van de auto. Hij ging op zijn knieën zitten, de broekspijpen van zijn lichte pak werden wat groenig, hij dook in elkaar, zijn ellebogen op de motorkap, hij schatte de afstand in, steunde op het zwarte metaal, schoof heen en weer en deed net of hij aanlegde, totdat hij een comfortabele houding had gevonden.

Hij haalde diep adem. Hij voelde zich fit, zijn lichaam was soepel, hij kon zich makkelijk bewegen.

Hij haalde de jutezak uit de achterbak en schudde hem leeg. Het was een zwaar geweer. Het was een tijd geleden dat hij ermee geschoten had, wel zeven of acht jaar, hij was met Birger mee op jacht geweest, Marie was toen nog niet geboren en ze hadden wanhopig geprobeerd raakvlakken te vinden. Jacht was hun enige onderwerp van gesprek, dan konden ze even schoonvader en schoonzoon spelen en net doen alsof ze meer deelden dan hun liefde voor Agnes.

Fredrik woog het wapen in zijn hand, liet het een paar keer heen en weer zwaaien. Toen ging hij op zijn knieën zitten, zoals hij het net had uitgeprobeerd, het geweer in beide handen, steunend op de motorkap, nu legde hij echt aan, door het dradenkruis zag hij de rug van Bernt Lund.

Hij wachtte. Hij wilde hem van voren.

Een kwartier. Toen stond Lund op en even was er helemaal geen sprake meer van dat de boomwortel en het bosje het zicht op hem belemmerden; hij rekte zich uit, boog een paar keer voorover, rekte zijn verstijfde leden.

De laserstraal zocht zich een weg over zijn lichaam, bewoog onrustig over de ademende man. Fredrik bleef even op zijn gulp richten, hield een paar seconden stil, toen verder, hoger.

Plotseling kreeg Bernt Lund het rode, dwalende puntje in de gaten, hij begon ernaar te slaan, als naar een wesp, in het wilde weg wapperend.

Fredrik loste het eerste schot.

Alsof het geluid het overnam van de stilte, alsof er een seconde lang niets anders bestond.

De wapperende handen verdwenen, Lund werd met kracht achteruit gegooid, viel met een smak op de grond.

Hij probeerde overeind te komen, langzaam, Fredrik verplaatste het lichtpuntje naar zijn voorhoofd, daar bleef het rusten, het zag er anders uit dan hij zich had voorgesteld toen Lunds hoofd explodeerde.

Weer die stilte.

Fredrik legde het geweer op de motorkap. Hij zonk op de grond neer, eerst in een zittende, toen in een liggende houding, hij pakte zijn hoofd vast, kroop in elkaar, zocht de foetushouding op.

Hij huilde.

Voor het eerst sinds Marie was weggerukt, huilde hij. Het deed pijn, dat vreselijke verdriet moest eruit, het had vastgezeten, was gegroeid en moest er nu uit geperst worden. Hij schreeuwde, zoals mensen schreeuwen die bijna de geest geven.

*

Ondervrager Sven Sundkvist (ov): Neemt u plaats.

Advocaat Kristina Björnsson (kb): Hier?

ov: Dat is prima.

kb: Dank u.

ov: Verhoor in Kronoberg twintig uur vijftien met Fredrik Steffansson. Aanwezig behalve Steffansson zijn ondervrager Sven Sundkvist, leider van het vooronderzoek Lars Ågestam en advocaat Kristina Björnsson.

Fredrik Steffansson (fs): *(onhoorbaar)*

ov: Pardon?

fs: Ik wil graag een beetje water.

ov: Staat voor je. Pak maar gewoon.

FS : Bedankt.

OV : Fredrik, zou je willen vertellen wat er is gebeurd?

FS : *(onhoorbaar)*

OV : Je moet harder praten.

FS : Ogenblikje.

KB : Is alles in orde?

FS : Nee.

KB : Kun je meewerken?

FS : Jawel.

OV : Nog een keer dan, kun je me vertellen wat er is gebeurd?

FS : Je weet wat er is gebeurd.

OV : Ik wil dat jij het beschrijft.

FS : Een veroordeelde moordenaar en verkrachter heeft mijn dochter vermoord.

OV : Ik wil weten wat er vandaag is gebeurd, in Enköping, bij kinderdagverblijf Freja.

FS : Ik heb de moordenaar van mijn dochter overhoop geschoten.

KB : Sorry, Fredrik, wacht even.

FS : Ja?

KB : Ik moet even met je praten.

FS : Ja?

KB : Weet je zeker dat je op die manier over de gebeurtenis van vandaag wilt praten?

FS : Ik begrijp niet wat je bedoelt.

KB : Ik krijg het gevoel dat je op een heel bepaalde manier wilt praten over wat er vandaag is gebeurd.

FS : Ik wil de vragen beantwoorden.

KB : Je weet dat moord met voorbedachten rade levenslang kan betekenen. Tussen zestien en vijfentwintig jaar.

FS : Dat kan zijn.

KB : Ik raad je aan op je woorden te letten. In ieder geval totdat jij en ik de tijd hebben voor een lang gesprek samen.

FS : Ik heb niks fout gedaan.

KB: Het is jouw keus.

FS: Mijn keus.

OV: Zijn jullie klaar?

KB: Ja.

OV: Dan ga ik verder. Fredrik, wat is er vandaag gebeurd?

FS: Ik had de informatie van jullie.

OV: Informatie?

FS: Op het kerkhof, na de begrafenis. Jij was daar met die manke.

OV: Inspecteur Grens?

FS: Ja, die was het.

OV: Op het kerkhof?

FS: Iemand van jullie beiden legde uit dat er een groot risico bestond dat hij het weer zou doen. Ik geloof dat die manke dat zei. Toen nam ik mijn besluit: het zal niet weer gebeuren. Niet nóg een kind, nóg een gemis. Mag ik gaan staan?

OV: Natuurlijk.

FS: Ik ga ervan uit dat je begrijpt wat ik bedoel. Hij zit opgesloten, slaagt erin te ontsnappen en jullie krijgen hem niet te pakken. Hij vergrijpt zich aan Marie en vermoordt haar daarna. Jullie zijn verdomme niet in staat hem op te pakken. Jullie weten dat hij opnieuw zal doden. Dat weten jullie. En jullie hebben laten zien dat jullie dat niet kunnen verhinderen.

Lars Ågestam (LÅ): Mag ik iets zeggen?

OV: Ga je gang.

LÅ: Je neemt wraak.

FS: Als de maatschappij de burgers niet meer kan beschermen, moeten de burgers zichzelf beschermen.

LÅ: Je wilde Maries dood wreken door Bernt Lund te doden.

FS: Ik heb minstens één kind het leven gered. Daar ben ik van overtuigd. En daar deed ik het voor, dat was mijn motief.

LÅ: Geloof je in de doodstraf, Fredrik?

FS: Nee.

LÅ: Je daad wijst wel in die richting.

FS: Ik geloof dat je levens kunt redden door leven te nemen.

LÅ: Dus jij denkt dat je kunt bepalen wiens leven het meest waard is?

FS: Een kind dat op het plein van het kinderdagverblijf speelt of een ontsnapte zedendelinquent die van plan is zich aan het spelende kind te vergrijpen, het te vernederen en dan af te slachten? Vind je hun levens evenveel waard?

OV: Waarom liet je het eigenlijk niet aan de politie over om hem te pakken?

FS: Ik heb het overwogen, maar ik heb ervan afgezien.

OV: Je hoefde toch alleen maar naar de politieauto toe te lopen die vlak voor het hek stond?

FS: Hij was erin geslaagd uit de gevangenis te ontsnappen. Eerder al had hij uit een psychiatrische inrichting weten te ontsnappen. Als ik het aan de politie had overgelaten om hem te grijpen en hij was na zijn veroordeling in de gevangenis of in een psychiatrische inrichting terechtgekomen, waarom zou hij dan niet weer ontsnappen?

OV: Jij koos er dus voor om zelf voor rechter en beul te spelen?

FS: Dat was geen keus. Het kon niet anders. Ik had maar één gedachte: hem doden zodat hij absoluut geen kans zou krijgen te herhalen wat hij Marie had aangedaan.

LÅ: Ben je uitgesproken?

FS: Ja.

LÅ: Nu, dan is het als volgt, Fredrik.

FS: Ja?

LÅ: Dan moet ik nu formeel zijn.

FS: Ja?

LÅ: Ik deel je mee dat je bent aangehouden, op goede gronden verdacht van moord.

III

(een maand)

H et dorp heette Tallbacka. Nou ja, dorp, eerder een dorpje: tweeduizend zeshonderd inwoners, een ICA-winkel, een kiosk, een filiaal van de Föreningssparbank dat op dinsdag en donderdag geopend was, een eenvoudige lunchroom met vergunning, die 's avonds open was, een station dat niet meer in gebruik was en naast de grote lege gerenoveerde staatskerk nog twee vrije kerken.

Leven bij de dag, zo'n plaats was het.

Met een heden.

Met mensen die hier begonnen waren.

Gewoon was gek genoeg, niemand die wegging of kapsones had. Een dag was nooit meer dan een dag, zelfs niet op deze plek, die je via twee nieuw aangelegde afritten van een doorgaande 70-kilometerweg kon bereiken.

Desondanks, of wellicht juist daarom, zou Tallbacka misschien wel het duidelijkste voorbeeld van vele worden van wat Zweden enkele maanden lang veranderde in een vacuüm tussen de rechtspraak in de rechtszaal en de gevolgen die de interpretatie van die rechtspraak door de bevolking kreeg.

Het werd een bijzondere zomer, zo'n zomer waar je niet graag aan terugdenkt.

*

Vieze Göran werd hij genoemd. Hij was vierenveertig jaar, hij had een lerarendiploma, maar hij had nog nooit ergens gewerkt. Een stage in zijn laatste halfjaar op de lerarenopleiding, op een middelbare school, een kilometer of twintig, dertig van Tallbacka. Nu twintig jaar geleden, bijna zijn halve leven en hij had nog steeds geen idee waarom. Het was gewoon gebeurd. Toen hij op een middag naar huis zou gaan, was hij plotseling op het plein blijven staan en had hij zich uitgekleed. Het ene kledingstuk na het andere had hij uitgetrokken. Hij had in zijn blootje luid staan zingen, een paar meter van de rookplek van de leerlingen. Met zijn gezicht naar het raam van de rector had hij het volkslied gezongen, beide coupletten, hard en vals. Daarna had hij zich weer aangekleed, was naar huis gewandeld, had de lessen voor de volgende dag voorbereid en was gaan slapen.

Hij had zijn opleiding mogen afmaken, had examen gedaan. Hij had een betrekking gezocht binnen een straal van honderd kilometer. Op iedere vacature, of er nu voor geadverteerd was of nog niet, had hij gesolliciteerd, een paar jaar lang had hij iedere week diploma's en getuigschriften gekopieerd, totdat hij besefte dat hij nooit voor de klas zou staan. Hij had het vonnis nooit hoeven kopiëren, dat lag toch bovenaan op de stapel en benam het zicht op de rest, een boete en eeuwige schande omdat hij zich onder schooltijd op een schoolplein had uitgekleed in het bijzijn van minderjarigen. Hij had meermalen overwogen om de streek te verlaten, om een baan te zoeken in een ander deel van het land, weg van de gerechtelijke uitspraak en zijn reputatie, maar daar was hij, zoals zoveel anderen, te laf voor, te klein, te veel Tallbacka.

Het was nog steeds warm. Niet zo warm als op het hoogland van Småland, waar hij gisteren geweest was om dakpannen te kopen, maar wel zo warm dat hij geen lange broek hoefde te dragen, dat hij overvloedig zweette en de driehonderd meter lopen van zijn huis naar de winkel een heel eind vond.

Hij hoorde hen al toen hij overstak. Ze stonden daar altijd bij de kiosk, hij had meerderen van hen zien opgroeien, ze waren nu groot, vijftien, zestien jaar, aan hun stemmen te horen geen kleine jongens meer.

'Laat je ballen eens zien!'

'Hé, pedofiel, laat zien, verdorie!'

Ze hadden blikjes Coca-Cola in hun handen, een paar van hen dronken ze gauw leeg en gooiden de blikjes op de grond. Ze grepen met beide handen in hun kruis, gingen op een rij staan en maakten synchrone rijbewegingen met hun onderlichaam.

'Laat je ballen zien, pedofiel, laat je ballen zien!'

Hij keek hen niet aan. Hij had besloten dat hij hen onder geen beding aan zou kijken. Toen gingen ze harder schreeuwen, iemand gooide een blikje naar hem.

'Vuile potloodventer! Ga maar gauw naar huis om je uit te kleden, dan kun je lekker rukken!'

Hij liep door, nog een paar meter, dan langs het oude postkantoor, ze zagen hem niet meer, ze schreeuwden niet. Daar was het winkeltje, dat de twee andere eruit had geconcurreerd en nu alleen over was, met rode prijskaartjes en de reclame van de dag.

Hij was moe. Zo moe was hij deze lange, hete zomer iedere dag. Hij ging op het bankje voor de winkel zitten uithijgen na de snelle wandeling, hij zag mensen die hij allemaal bij naam kende de winkel in en uit gaan, met zware plastic tassen in hun handen op weg naar fiets of auto. Een eindje verderop, op het volgende bankje, zaten twee meisjes van een jaar of twaalf, dertien. De dochter van de buren en haar schoolvriendin. Ze giechelden zoals meisjes van die leeftijd doen, ze moeten lachen en kunnen dan niet meer stoppen. Zij hadden nog nooit naar hem geschreeuwd. Ze zagen hem niet. Hij was de buurman, ze zagen hem zijn huis in en uit gaan en soms het gras maaien, dat was alles.

De Volvo.

Op de weg voor de winkel. Hij kreeg altijd buikpijn als hij die zag, dan was het heibel, dan zat er iemand achter hem aan en moest hij voor hem uit rennen.

De auto remde abrupt, slipte een eindje door en kwam tot stilstand. Bengt Söderlund deed het portier open en stormde naar buiten. Een grote, forse man, vijfenveertig, een pet met 'Söderlunds Bouwbedrijf' op de klep, een werkmansbroek met een duimstok, een hamer en een groot zakmes. Hij kwam bij de bank van de meisjes, riep naar hen, naar Vieze Göran, naar Tallbacka.

'De auto in. Nu!'

Hij pakte de beide meisjes bij hun schouders, ze doken in elkaar toen ze begrepen hoe kwaad hij was, ze wilden weg. Ze holden naar de auto, gingen op de achterbank zitten en deden de deur op slot.

Hij liep naar de volgende bank, vatte Vieze Göran in zijn dunne kraag, trok er hard aan, dwong hem op te staan.

Hij schudde hem door elkaar, dat deed zeer, zijn boord brandde in zijn hals.

'Nu heb ik je verdorie op heterdaad betrapt!'

De meisjes in de auto keken naar de beide mannen, ze wendden hun gezicht af, konden het niet begrijpen.

'Verdomme, vuile viezerik, dat is mijn dochter, die zou je graag eens willen pakken, hè?'

Het groepje opgeschoten jongens had het remmen en het gebrul gehoord, ze zagen Söderlund en Vieze Göran in gevecht en vechten was leuk. Ze kwamen aanhollen, er was niet veel te doen, als er iets gebeurde moest je erbij zijn.

'Sla die pedofiel dood!'

'Sla die pedofiel dood!'

Op een rijtje, met hun handen in hun kruis, maakten ze stootbewegingen met hun bekken.

Bengt Söderlund keek niet naar de jongens, hij schudde Göran nog eens ruw door elkaar, liet hem toen los, stootte hem van zich af en duwde hem op de bank. Hij liep naar de auto, opende het gesloten portier met zijn sleutel, draaide zich om en riep: 'Ik weet niet of je het begrepen hebt, vuilak! Twee weken. Die tijd krijg je nog. Twee luizige weken. Als je dan niet weg bent, slaan we je dood.'

Hij stapte in de auto, startte die woest met een gierend geluid.

De jongens bleven een paar meter verderop staan. Ze hadden Bengt Söderlund gezien. Ze hielden meteen op met hun stootbewegingen en hun geschreeuw in koor.

Ze hadden de woorden gehoord, die logen er niet om.

Het was een mooie avond. Vierentwintig graden, windstil. Bengt Söderholm verliet zijn huis, keek naar het huis van de buurman, dat hij had leren haten, en spuugde ernaar. Hij was hier geboren, was hier naar school gegaan, was in de zaak gekomen en had die een aantal jaren later overgenomen, slechts een paar weken voordat zijn beide ouders waren overleden; ze waren langzaam weggekwijnd om op een dag helemaal te verdwijnen. Hij had niet eerder over de dood nagedacht. Hij had er immers niets mee. Toen had hij er plotseling tot zijn enkels in gestaan en was erin vast komen te zitten. Hij had zowel zijn vader als zijn moeder naar het graf gedragen en was gaan beseffen dat hijzelf nog de enige schakel met zijn verleden was. Dit was zijn dagelijks leven, zijn feestje, zijn geborgenheid, zijn avontuur. Hij had bij Elisabeth in de klas gezeten, ze hadden elkaars hand vastgehouden sinds de negende klas, nu hadden ze drie kinderen: twee die al het huis uit waren en een nakomertje dat nu een bakvis was.

Hij wist hoe het hier rook.

Hij kende het geluid van een passerende auto die ergens heen reed.

Hij wist hoe een uur voelde, dat duurde hier langer, je kon er meer mee.

De lunchroom vlak naast de ICA zat midden op de dag vol met de vrijgezelle mannen van Tallbacka die niet werkten en nooit hadden leren koken. Ze kochten lunchbonnen, waarbij ze de tiende gratis kregen, ze aten degelijke kost en probeerden met elkaar te praten en zagen de ochtend in middag veranderen. 's Avonds een eenvoudige kroeg, twee gokautomaten in een hoek, het bier van de week en pinda's in de aanbieding; het was er rokerig en vrij morsig, maar het was de enige neutrale ontmoetingsplaats in Tallbacka voor jongens en meisjes die geen zin hadden om aan de gesprekskringen van de kerk mee te doen.

Hij had hun gevraagd daarheen te komen, hij had hen zodra hij thuis was gebeld, kwaad, bang en onverzettelijk. Elisabeth wilde niet mee, ze moest niets hebben van hun haat, maar Ola Gunnarsson was er wel en Klas Rilke, Ove Sandell en zijn vrouw Helena. Hij kende hen al zijn hele leven, ze hadden samen op school gezeten, hadden vele seizoenen gevoetbald bij Tallbacka IF en hadden voor het eerst alcohol gedronken op de feesten in het dorpshuis. Ze waren heel lang kind gebleven en ze hadden geen haast gemaakt met volwassen worden.

Ze hadden het al vaak over hem gehad.

Maar in een proces zijn er beslissende stadia, wanneer alles óf stopt óf doorgaat. Daar stonden ze nu, het vervolg was aan hen.

Bengt Söderlund had voor iedereen een flink glas bier besteld en dubbele schalen pinda's. Hij was gejaagd, hij wilde vertellen van die middag, van Göran op het bankje voor de winkel, met de meisjes er vlakbij; hij vertelde en keek toen de anderen even aan, bracht het glas naar zijn mond, doopte zijn lippen in het witte schuim. Hij hield een vel papier in zijn hand. Hij liet het zien, vouwde het uit.

'Hier is het. Ik heb het vandaag bij de rechtbank gehaald. Nu is het genoeg, ik weet het gewoon. Ik werd zo kwaad, toen ik hem door elkaar had geschud, ben ik als een gek naar de stad gereden en was er net op tijd, want ze gingen bijna sluiten. Het was nog een heel gezoek, zo lang geleden dat het met de hand gearchiveerd was, niet in de computer, gewoon op alfabetische volgorde in mappen.'

Ze bogen allemaal naar voren, probeerden het te lezen, ook ondersteboven.

'Het vonnis van die viespeuk. Zwart op wit. Laat zijn piemel aan kinderen zien. Hij is verdorie net als die kerel die ze bij Enköping hebben doodgeschoten.'

Bengt Söderlund stak een sigaret op, liet het pakje rondgaan. 'Dat waren jouw kleine zusjes, Ove.'

Hij keek naar Ove Sandell. Hij wist wat hij aan hem had.

'Hij liet mijn kleine zusjes zijn piemel zien. Ik was er niet bij. Anders had ik die klootzak doodgeslagen. Dat had me niks uitgemaakt. Ik had hem afgemaakt.'

224

Ze proostten. De jongens die met hun schunnige bewegingen bij de winkel hadden gestaan, kwamen de kroeg binnen en liepen naar de gokautomaten, posteerden zich achter twee mannen die erop aan het spelen waren. Ze keken en applaudisseerden als iemand wat won. Ze probeerden niet om bier te bestellen, dat kregen ze toch niet, ze probeerden niet eens geld te wisselen voor de automaat, daar hadden ze al genoeg over gezeurd, achttien jaar was achttien jaar, die grens lag zelfs in Tallbacka vast.

Helena Sandell was ongeduldig, ze klopte op de tafel om de aandacht van de vergadering te krijgen. Ze keek hen een voor een aan, totdat ze haar ogen op haar man vestigde.

'We hebben nu zelf dochters, Ove.'

'Ja, dat is zo.'

'Wanneer zijn zij aan de beurt?'

'Ze hadden hem moeten castreren. Toen hij veroordeeld was.'

Bengt knikte, stond op van tafel, keek en wees de kant op waar hij vandaan gekomen was.

'Snappen jullie het? Er wonen meer dan tweeduizend mensen in dit dorp. Waarom moest ik dan een pedofiel als buurman krijgen? Hè? Kan iemand mij dat vertellen?'

De jongens met hun stootbewegingen hadden geen zin meer om over de schouders van anderen naar de gokautomaten te kijken. Ze pakten de afstandsbediening van de tapkast en zetten de tv aan. Te hard, Bengt wapperde geïrriteerd met zijn hand naar hen totdat ze het geluid zachter zetten.

'Jullie geven geen antwoord. Wat doe je eraan? Zo iemand moeten we hier toch niet? Echt niet.'

Helena Sandell schreeuwde zo hard dat ze er hees van werd.

'Hij moet weg. Hij moet weg. Hoor je dat, Ove?'

Een paar pinda's, Bengt kauwde langzaam en slikte ze door.

'Hij moet weg. En als hij daar zelf niet voor zorgt, dan helpen we hem. Ik beloof hier en nu dat ik hem in elkaar sla als hij over twee weken niet weg is.'

Nog een rondje, Bengt betaalde weer, hij boekte het op zijn

bedrijf, ze schreven altijd 'consumptie' op de bon.

Ze dronken van het nieuwe, koude biertje, totdat Ove plotseling hard floot, het geluid sneed de dikke rook in grote plakken, het was ogenblikkelijk stil in het lokaal.

Hij wees naar de tv, naar de jongens met de afstandsbediening.

'Hallo jongens, zet hem eens wat harder.'

'Wat willen jullie nou?'

'Nu willen we het horen. Hup, harder dat geluid, of moet je een draai om je oren?'

Fredrik Steffansson in beeld. Slowmotion door een gang in het huis van bewaring van Kronoberg. Zijn jasje over zijn hoofd.

'Stik, dat is die vader. Hij heeft die pedofiel doodgeschoten.'

Nog steeds stilte in het lokaal. Van meerdere tafeltjes werd naar het scherm gekeken, naar Fredrik Steffansson, die een afwerend gebaar naar de camera maakt en hoofdschuddend uit beeld verdwijnt. Voor hem staat een vrouw met een camera en een microfoon voor haar neus, het is de advocate, Kristina Björnsson.

'Dat is juist. Mijn cliënt ontkent de feitelijke toedracht niet. Hij heeft Bernt Lund neergeschoten en hij is een paar dagen met het beramen van die daad bezig geweest.'

De camera nu nog dichter bij haar gezicht, een verslaggever probeert haar in de rede te vallen met een vraag, maar ze verheft haar stem en gaat verder.

'Maar het gaat hier niet om moord. Dit is iets heel anders. Wij voeren noodweer aan.'

Bengt Söderlund sloeg voldaan met zijn hand op tafel.

'Moet je nou eens horen.'

Hij keek om zich heen, de anderen knikten langzaam, volgden iedere beweging van de camera over het scherm, iedere nieuwe bewering.

'Het was gewoon een kwestie van tijd voordat Bernt Lund zijn misdaad zou herhalen. Dat weten we. Dat kunnen we zien in de profielen die van hem gemaakt zijn. Mijn cliënt Fredrik Steffansson voert daarom aan dat hij door Lund van het leven te beroven tevens minstens één kind het leven heeft gered.'

'Zo is het. Verdorie, zo is het maar net.'

Ove Sandell glimlachte, hij boog naar voren en kuste zijn vrouw op haar wang.

De stem van de verslaggever weer, met de vraag die hij zonet niet mocht stellen.

'Hoe gaat het met hem?'

'Naar omstandigheden goed. Hij heeft zijn dochter verloren. Hij is teleurgesteld in de maatschappij, zíjn maatschappij, die zijn dochter en toekomstige slachtoffers niet kon beschermen. Nu zit hij opgesloten in afwachting van het gerechtelijk onderzoek, hij is de dupe van het onvermogen van de maatschappij.'

Helena Sandell streelde de wang van haar man en pakte zijn hand vast. Toen ze ging staan, moest hij ook wel overeind komen.

'Hij heeft gelijk.'

Ze hief haar glas, maakte een proostend gebaar naar de tv, naar Bengt Söderlund, Ola Gunnarsson en Klas Rilke en ten slotte naar haar man.

'Weten jullie wat hij is, die Steffansson? Dringt het tot jullie door wat hij is? Een held! Begrijpen jullie dat? Een rasechte held. Proost, proost op Fredrik Steffansson!'

Ze hieven allemaal het glas, dronken, zwegen tot iedereen zijn glas leeg had.

Ze bleven langer zitten dan anders. Ze hadden een besluit genomen. Ze hadden nog niet besloten hoe, maar wel dát. Ze hadden hun stap gezet, ze lieten het proces doorgaan. Het was hún Tallbacka, hún leven van alledag.

N iet dat het nou zo druk was, daar lag het niet aan, maar toch kon hij het niet vinden; hij kon nooit iets vinden in grote warenhuizen. Zes verdiepingen, roltrappen en gratis proeven, er werden mededelingen omgeroepen, nummertjes getrokken, creditcards gecontroleerd en er werd gekocht, gekocht, gekocht. Er stonden mensen in de rij die een sterke zweetlucht uitwasemden, kinderen schreeuwden en achter de toonbank van de parfumafdeling stonden hologige verkoopsters, een vrouw liet haar kleren voor het pashokje vallen en een man was op zoek naar een zwembroek en dan waren er al die vele aangevoerde, verpakte en geprijsde artikelen.

Lars Ågestam was al moe zodra hij binnen was. Maar hij wist geen andere winkel, hij kocht nooit muziek, had geen tijd ernaar te luisteren, hij had wel een radio in zijn auto. Hij liep naar de cd-afdeling, werd duizelig van de rijen onbekende grootheden, het was alsof ze boven op hem vielen, hij leunde achterover als om niet geraakt te worden. In het midden een informatiebalie, een jonge vrouw, vermoedelijk mooi, dat was moeilijk te zien onder alle make-up en het haar dat voor haar ogen hing.

Hij ging voor haar staan en wachtte.

'Ja?'

'Siw Malmkwist.'

'Jaa?'

'Hebben jullie iets van haar?'

De jonge vrouw glimlachte, hij wist niet of het superieur of begrijpend was, hoe glimlachten jonge vrouwen eigenlijk?

'Vast wel. Ergens onder Zweeds. Er moet wel iets van haar bij staan.'

Ze liep door het hekje, wenkte dat hij mee moest lopen, hij keek naar haar rug, zijn wangen werden rood, ze droeg dunne kleren. Ze zocht in een van de rijen, trok een van de plastic doosjes omhoog, een foto van een vrouw die lang geleden jong was geweest.

'*Siwans Klassieken.* Zo heet deze. Is dat wat u zoekt?'

Hij hield hem in zijn hand, woog hem, dit was vast wat hij zocht.

Ze glimlachte breed toen ze zijn geld aannam. Hij bloosde weer, maar raakte ook geïrriteerd, ze lachte hem uit.

'Wat is er zo leuk?'

'Niets.'

'Het lijkt wel of je me uitlacht.'

'Dat doe ik niet.'

'Dat doe je wel.'

'Het is gewoon dat u er niet uitziet als iemand die Siwan koopt.'

Hij glimlachte.

'Hoe ziet zo iemand er dan uit? Wat ouder?'

'Niet zo netjes in pak.'

'O.'

'En cooler.'

Hij liep met *Siwans Klassieken* en een ijsje in zijn hand over Kungsgatan naar Kungsholmen, liep voor zijn kantoor op het parket langs, door naar de afdeling Ernstige Delicten in Scheelegatan.

Hij was gespannen, bleef iets te lang voor de deur staan, kon zich er niet zo gauw toe zetten om aan te kloppen.

De geërgerde stem. Hij ging naar binnen.

Ewert Grens zat nog net zo als hij hem de vorige keer had achtergelaten. Achter zijn bureau, voor op zijn stoel, voorovergebogen met zijn ellebogen op zijn bovenbenen. Hij staarde hem aan met die blik waarmee hij iedereen verzocht op te rotten, je bent niet welkom, niemand is welkom.

Ågestam stapte de kamer in. De verachting binnen.

'Hier.'

Hij legde de cd op het bureau.

'Omdat ik zo onbeleefd was laatst.'

Grens keek hem aan, zei niets.

'Ik weet niet of je hem al hebt. Ik heb alleen je cassetterecorder maar gezien.'

Geen kik. Ewert Grens spande zijn lippen en zweeg.

'Ik wil graag even met je praten. Ik zal eerlijk zijn, net als afgelopen maandag. Ik vind je echt een enorme zuurpruim. Maar ik heb je nodig. Ik heb niemand anders om dit op te testen, niemand anders van wie ik zeker weet dat hij weerwerk levert en de juiste vragen stelt.'

Hij wees naar de bezoekersstoel, vroeg met zijn handen of hij mocht gaan zitten. Ewert zweeg nog steeds, een vermoeide hand in de lucht, een soort uitnodiging.

Ågestam leunde achterover, zocht naar een begin.

'Gisteren moest ik overgeven. Ik stond op het toilet te janken als een klein kind en gooide mijn ontbijt en mijn middageten er weer uit. Ik was bang. Dat ben ik nog steeds. Dit had het belangrijkste kunnen zijn wat ik ooit heb gedaan. Nu er een zedendelinquent doodgeschoten is door een rouwende vader kan het alleen maar fout gaan, ik ben niet stom, ik zie aankomen dat het één grote ellende wordt.'

Ewert schudde zijn hoofd. Hij grinnikte. Voor het eerst sinds zijn gast de kamer in gekomen was, deed hij zijn mond open.

'Net goed voor je.'

Lars Ågestam telde in stilte tot dertien. Hij telde altijd eerst tot dertien. Hij had zich kwetsbaar opgesteld, had om hulp gevraagd. Die ouwe zag dat niet, die moest zijn machtsspelletje spelen. Hij probeerde er geen aandacht aan te schenken.

'Ik ben van plan levenslang te eisen.'

Dat werkte. Hij werd gezien. Hij had een mening die telde.

'Wat zeg je me nou?'

'Je hebt het goed gehoord. Ik wil niet dat er iemand rondloopt die voor eigen rechter speelt.'

'Waarom zeg je dat in vredesnaam tegen mij?'

'Ik weet het niet. Ik geloof dat ik mijn gedachten wil testen. Zien of ze standhouden.'

Ewert grinnikte weer.

'Wat ben je toch een streber. Levenslang?'

'Ja.'

'Het zijn allemaal idioten, dat heb ik altijd al gevonden. De helft van de bevolking in onze gevangenissen is een of meerdere keren veroordeeld voor geweldsdelicten. Het zijn idioten maar daarom zijn het nog steeds wel mensen. Ze zijn bijna allemaal zelf het slachtoffer geweest van geweld, meestal van de kant van hun eigen ouders. Dus zelfs ik kan begrijpen dat het soms gaat zoals het gaat.'

'Dat weet ik allemaal wel.'

'Je zou het moeten leren, Ågestam, uit ondervinding bedoel ik. Niet die onzin uit boekjes geloven.'

Ågestam haalde een aantekenboekje met een harde zwarte kaft uit de binnenzak van zijn jasje. Hij bladerde heen en weer, zocht in zijn notities.

'Steffansson heeft bekend dat hij de moord van tevoren had beraamd. Hij had meer dan vier dagen om erover na te denken. Hij behield zichzelf het recht voor om op te treden als politieman, officier van justitie, rechter en beul.'

'Hij wist niet of hij het zou doen. Hij wist niet of Lund zou opduiken.'

'Steffansson had tijd genoeg. Hij had contact met jullie op kunnen nemen. Jouw manschappen stonden er een paar honderd meter vandaan te observeren. Als hij contact met jullie had opgenomen, had hij ervan afgezien om Lund neer te schieten.'

'Natuurlijk, het is moord. Dat is het zeker. Maar levenslang? Nooit! In tegenstelling tot jou heb ik veertig jaar lang echt gewerkt in deze stad. Ik heb grotere gekken dan Steffansson minder zien krijgen, ik heb andere mooie officiertjes streng zien doen.'

Ågestam haalde diep adem, van de sarcastische opmerkingen, de persoonlijke aanvallen trok hij zich niets aan, daar moest hij boven staan, hij moest zich niet nog eens in die val laten lokken. Hij bladerde weer in zijn opschrijfboekje. Hij slikte zijn woede in, begon van lieverlee te glimlachen, dit was immers wat hij wilde, die chagrijnige vent deed precies wat hij had verwacht. Het was net alsof het proces al begonnen was, alsof hij zijn vragen en zijn bewijsvoering aanscherpte. Ten slotte zat hij door zijn aantekeningen te bladeren zonder er nog iets van te zien, omdat hij te vrolijk was, het gevoel in zijn buik was te spannend, net een examen.

Ewert raakte geërgerd door de onderbreking, hij vloekte net zo hard dat het verstaanbaar was.

'Wat zit je nou te doen, verdorie? Ben je argumenten aan het zoeken in je boekje? Het is moord. Maar het is moord met verzachtende omstandigheden. Eis in godsnaam een lange straf als je denkt dat je dat voor elkaar kunt krijgen, maar wees tevreden met acht à tien jaar. Jij en ik, wij zijn de samenleving. Snap je dat? Wij zijn de samenleving die Steffanssons dochter niet kon beschermen en anderen ook niet.'

Net een requisitoir. Hij had al steekwoorden opgeschreven, zo had hij het zich aangeleerd, om samen te vatten, om het geheel zichtbaar te maken en het daarna in kleine stukjes van één vraag tegelijk te kunnen breken. Nu ging hij harder praten, hij wist dat hij een iel stemmetje had, daar was weinig aan te doen, alleen hard praten en luid galmen, met valse gewichtigheid.

'Ik hoor wat je zegt, Grens. Maar zou een defect in de samenleving hem het recht geven een vermóédelijke zedendelinquent te executeren? Stel je voor dat Lund onschuldig is? Daar weet je geen donder van. Belangrijker: daar wist Steffansson geen donder van. Wil je zeggen dat het juist was om Lund te executeren aangezien hij in de buurt van de plaats delict was gezien? Wil je in zo'n samenleving politieman zijn? Een samenleving waarin mensen de straat op gaan en de wet in eigen hand nemen? Andere mensen ter dood veroordelen? Ik weet het niet, in mijn wetboek staat niets over de doodstraf. We hebben een verantwoordelijkheid, Grens. We moeten iedere afzonderlijke burger duidelijk maken dat je levenslang krijgt als je zo doet als Steffansson. Hoe groot het verdriet over je kind ook is.'

Grens had een ventilator aan het plafond. Zo een als je in hotels aan de Middellandse Zee zag. Ågestam had hem niet eerder opgemerkt, nu pas, nu hij stopte, nu het helemaal stil werd in het vertrek. Hij keek ernaar, toen weer naar de oudere man tegenover hem, hij zocht bitterheid in zijn gezicht, vroeg zich af waar al die angst vandaan kwam. Hij was ervan overtuigd dat het angst was, die zich manifesteerde in teruggetrokkenheid en agressiviteit. Waar was hij zo bang voor? Wat was er moeilijk aan om iets van jezelf te laten zien, om te spreken zonder scheldwoorden en verwijten? Al die verhalen die hij had gehoord, op de universiteit al, over Grens, de politieman die zijn eigen zin deed, die beter was dan de rest. En nu? Wat hij zag klopte niet met wat hij had gehoord. Hij zag een zielige kerel die zich in de hoek geschilderd had en daar eenzaam en afgeleefd zat en niet in staat was eruit te komen, die spuugde en haatte en er geen idee van had hoe hij thuis moest komen.

Zo wil ik niet worden, dacht hij. Bitterheid is lelijk, bijna net zo lelijk als eenzaamheid.

Ewert zat met de cd in zijn hand te wachten. *Siwans Klassieken*, zevenentwintig nummers. Hij maakte het doosje open, haalde het dunne stukje kunststof eruit. Hij maakte vette vingers op het gladde deel, hij draaide het alle kanten op en stopte het weer in het doosje.

'Ben je klaar?'

'Ik geloof het wel.'

'Dan mag je dit weer meenemen. Ik heb niet zo'n apparaat.'

Hij wilde de cd aan Ågestam geven, maar die schudde zijn hoofd.

'Hij is van jou. Als je hem niet wilt, dan gooi je hem maar weg.'

De oudere man legde het doosje neer. Het was woensdag, twee weken nadat Lund twee bewakers had neergeslagen en was ontsnapt. Een klein meisje was dood. Haar moordenaar was dood. De vader van het meisje zat een paar gebouwen hiervandaan te wachten, achter een gesloten deur, in afwachting van de procedures van inhechtenisneming en een proces. Een mooie officier zou spoedig levenslang tegen hem eisen.

Soms wilde hij niet meer. Soms keek hij uit naar de dag dat alles voorbij was.

D ode lichamen waren erger als het buiten warm was. Ze deden hem denken aan het soort natuurfilms waar hij een afschuw van gekregen had, pretentieuze commentaarstemmen die de kijker in de felle zon over een verlaten savanne in Afrika loodsten, vliegen die koppig om de microfoon heen zoemden, een roofdier dat zich voorbereidde op de jacht, dat in een paar seconden bij zijn zwakke tegenstander was en zich er weldra op wierp, hem in stukken reet, opat wat eetbaar was en de rest liet liggen, een bloederig stuk vlees, waar opnieuw op werd aangevallen, nu door de gonzende vliegen, ze maakten deel uit van het stinkende verrottingsproces dat voor snelle afbraak zorgde.

Dat beeld zag hij altijd voor zich als de deur met de smalle trap ervoor achter hem dichtgevallen was en hij op weg was naar de ontleedzalen in de kelder van het Gerechtelijk Geneeskundig Laboratorium.

Ze waren daar een week geleden nog geweest, hij had zijn gezicht afgewend toen ze het kleed opsloegen. Het gezicht van het meisje was vredig, intact, maar het had een vernield lichaam vertegenwoordigd. Ewert had naar hem geknikt, gezegd dat hij mocht weigeren te kijken, dat hij niet méér hopeloosheid in zich op hoefde te nemen; hij hoefde het zinloze niet op te zoeken.

Het was onwerkelijk geweest. Ze was te jong, te veel onderweg, ze was nog maar pas begonnen. Hij herinnerde zich haar voeten. Die waren zo klein, echt de voetjes van een vijfjarige. Er had speeksel op gezeten. Lund had ze afgelikt. Na haar dood.

'Sven?'

'Ja?'

'Hoe gaat het?'

Ewert deed niet superieur, niet sarcastisch. Hij vroeg het uit belangstelling.

'Ik heb de pest aan deze plaats. Ik begrijp het niet. En Errfors, die oogt normaal, hoe komt iemand erbij dit als werkplek te kiezen? Dit is het eindpunt. Wie zit erop te wachten, wie kan ertegen? Hoe zit iemand in elkaar die lichamen doorzaagt die het zonet nog deden?'

Ze liepen langs het grote archief. Sven was daar één keer geweest. Mappen, verzamelbakken, mappen. Schuifdeuren met allemaal kasten erachter. Een catalogus van overledenen. Hij had in het wilde weg gezocht die keer, samen met een jonge schouwarts had hij foto's gezocht die ze niet hadden gevonden. De doden stonden geboekstaafd, als getypte aantekeningen, in alfabetische volgorde. Hij hoopte dat die deur niet meer open hoefde, het was net als rondhupsen op een graf, als het bepotelen van een laatste overblijfsel.

Ludvig Errfors begroette hen hartelijk. Ook deze keer geen steriele kleding. Hij droeg de beide politiemannen ook niet op die aan te trekken. Ze gingen de ontleedunit binnen, betraden dezelfde zaal waarin Marie Steffansson ook had gelegen. De schouwarts wees met zijn hand naar de brancard.

'Het is me wat. Ik heb sectie verricht op beide slachtoffers van de Skarpholmsmoord, op het meisje Steffansson en nu op hun moordenaar.'

Ewert gaf de man die voor hem lag een tikje op het been.

'Deze vent? Die was gedoemd om hier te eindigen. Maar je weet het dus? Je weet dus zeker dat hij het deze keer ook was?'

'Dat zei ik vorige week al. Het was precies dezelfde aanpak. Hetzelfde buitensporige geweld. Ik werk hier al langer dan goed voor een mens is en ik heb nog nooit eerder zulk geweld tegen kinderen gezien.'

Hij wees naar het lichaam onder het kleed.

'We zullen het gauw aantonen. Zwart op wit dus. Voor het proces hebben jullie het. Een DNA-test, we hebben nog sperma van de vorige keer. Ik weet het heel zeker en de officier, de rechter en het hele rechtswezen krijgen het dus op schrift.'

'Die mooie officier gaat levenslang eisen tegen Steffansson.'

Sven keek Ewert verbaasd aan.

'Ja, dat is zo. Hij wil met de grote jongens meedoen.'

Errfors schoof het lichaam een stukje op tot vlak onder de lamp. Hij richtte zich vriendelijk glimlachend tot Sven.

'Het ziet er nogal kapot uit allemaal. Ik weet niet, je had het er de vorige keer moeilijk mee. Misschien moet je de andere kant op kijken.'

Sven knikte, kort oogcontact met Ewert, toen ging hij er met zijn rug naartoe staan. Errfors haalde het kleed weg.

'Je ziet het. Van het gezicht is niet veel over. Steffansson heeft hem in zijn voorhoofd geraakt. Net een explosie. We hebben de tanden gebruikt om zijn identiteit vast te stellen.'

Errfors verschoof de brancard een stukje, nu was de lamp op de buik gericht.

'Hier is hij het eerst geraakt, in zijn heup. De kogel is er dwars doorheen gegaan, heeft een deel van het skelet weggeslagen. Twee schoten, een in de heup, een in het hoofd. Dat komt overeen met de gegevens die ik gekregen heb, de getuigenverklaringen waarin van twee knallen gesproken wordt.'

Sven hoefde het niet te zien. Hij luisterde. Hij zag het toch wel.

'Zijn jullie klaar?'

Errfors legde het kleed weer over het lichaam.

'Nu wel.'

Sven draaide zich weer om, naar de contouren van het lichaam van een man. Hij keek ernaar, zag het gezicht van Lund voor zich. Wat voor zin had het leven van iemand die zo gestoord was? Hoeveel had hij begrepen van wat er was gebeurd, van wat hij had gedaan? Je eigen soort verwoesten, was je dan nog wel mens? Hij had die vragen eerder gesteld, hier kwamen ze altijd boven, waar ze levenloos lagen, dan werden ze duidelijker.

Ze maakten zich gereed om te vertrekken, trokken hun jasjes aan, rondden langzaam het gesprek af.

'Voordat jullie gaan wil ik jullie nog iets laten zien.'

Errfors kwam bij de brancard vandaan, opende een glazen kast die tegen de muur stond.

'Dit. Dit was van hem. Ik kwam het tegen toen ik hem uit-kleedde.'

Een pistool. Een mes. Twee foto's en een handgeschreven briefje.

'Dit pistool, dat jullie zeker beter kennen dan ik, droeg hij op zijn onderbeen. Dit mes van een type dat ik nog nooit eerder heb gezien, met een verschrikkelijk scherp lemmet, zat in een andere holster aan zijn onderarm.'

Ewert nam de plastic zakken in ontvangst, hield ze in zijn handen. Hij was bewapend geweest. Hij was klaar geweest om zich te verdedigen.

'Hij wil levenslang, die mooie officier. Voor de moord op een gestoorde gek die bewapend en al kleine meisjes zocht op kinder-dagverblijven.'

Sven pakte de foto's en het handgeschreven briefje aan. Hij hield ze tegen het licht, bestudeerde de kiekjes een hele tijd. Zijn blik bleef erop gevestigd toen hij het woord nam.

'De meisjes zijn gefotografeerd bij het dagverblijf waar hij is doodgeschoten. Ze hebben zomerkleren aan. Het zijn recente foto's. De meisjes horen daar, het is hun dagverblijf. We gaan het na, maar het is duidelijk dat het zo zit.'

Ewert gaf de beide wapens weer terug en hij ging naast Sven staan. Hij keek naar de foto's, naar het handgeschreven briefje. Hij grinnikte, zoals hij die ochtend om Ågestam had gegrinnikt.

'Lund had zelfs hun namen. Dit is precies wat we nodig heb-ben. Hij was dus van plan er nog twee van het leven te beroven.'

Ewert hield de foto's weer omhoog, twee meisjes van dezelfde leeftijd als het meisje Steffansson, blonde, door de zon gebleekte haren, ze lachen op de foto's, ze zitten op de rand van een zandbak en lachen om iets wat zij alleen weten. Hij ging verder.

'Begrijpen jullie wat dit betekent? Door Bernt Lund te ver-moorden heeft Fredrik Steffansson naar alle waarschijnlijkheid het leven van deze beiden gered. Twee meisjes van nog geen zes kunnen dankzij Steffansson morgen ook weer lachen.'

Toen deed hij weer wat hij altijd deed, Sven had het vaker gezien, hij pakte het lijk voor zich vast, gaf er een pets tegen, een paar klappen op zijn schouders, een paar klappen op zijn heup, toen kneep hij in zijn voet, in de tenen die tegen het kleed aan kwamen, hij kneep en draaide en hij zei iets met zijn mond de andere kant op wat niet te verstaan was.

H et was het vijfde achtereenvolgende jaar dat Bengt Söderlund thuisbleef in de vakantie. Ze hadden een jaar een zomerhuisje op Gotland gehuurd, een paar kilometer van Visby, het was duur en het regende tijdens zijn eerste bezoek aan het eiland waar iedereen het over had en hij had na die week, die een eeuwigheid duurde, besloten daar nooit meer naartoe te gaan. Het jaar daarop waren ze in Ystad geweest, weer in een zomerhuisje, het waaide er nogal en de omgeving was niet veel bijzonders. Ze hadden Österlen gezien en hoefden het niet nog eens te zien. Twee zomers met de caravan, files op de wegen en kinderen die 's nachts bang waren; een reis naar Rhodos, veertien dagen achtereen achtendertig graden; ze hadden de hotelkamer ten slotte alleen nog maar verlaten om te gaan eten; een paar busreizen naar Stockholm, overal Stockholmers, van die types die gingen lopen op de roltrap. Het hoefde voor hen niet meer. Voor het bedrijf was het beter als ze thuisbleven en voor henzelf ook. Ze konden op twee plaatsen in Tallbacka zwemmen als je het kleinere meertje meetelde, dus de kinderen vermaakten zich wel, en zelf hadden ze de tijd, ze wandelden door het dorp, konden zo nu en dan ongestoord seks hebben als de kinderen tegelijkertijd weg waren, ze dronken koffie in de tuin en vroegen af en toe gasten te eten.

Bengt en Elisabeth zaten aan de keukentafel toen Ove en Helena voor hun open ramen langsliepen. Ze wenkten hen dat ze binnen moesten komen, het was immers elf uur, tijd voor zwarte koffie en elk twee kaneelbroodjes. Met Ove en Helena konden ze goed opschieten. Het was ooit, nu tien jaar geleden, even wat moeizaam geweest. Toen hadden ze elkaar een paar maanden lang zo veel mogelijk gemeden. Ove en Elisabeth hadden elkaar tijdens een kreeftenfestijn vaker vastgepakt dan noodzakelijk was en de vriendschap was tijdelijk bekoeld, totdat ze allemaal beseften dat het dorp te klein was om je te verstoppen. Daarom hadden ze op een avond laat luidkeels staan schreeuwen voor de kiosk, ze hadden geschreeuwd totdat alles gezegd was en iedereen had begrepen dat Ove en Elisabeth niet van plan waren relaties stuk te maken, het was door de drank gekomen en doordat ze al sinds hun schooljaren benieuwd naar elkaar waren geweest en toen iemand de lamp in de keuken had aangedaan, hadden ze eigenlijk daar in dat felle schijnsel alweer een eind gemaakt aan wat niet eens iets was. Niemand had er ooit meer over gesproken, niet na die avond bij de kiosk, ieder had genoeg aan zichzelf.

Ove had een krant in zijn hand. Bengt had er net zo een open voor zich liggen op de keukentafel. Er was niet veel groot nieuws meer nu het Russische vliegtuigongeluk onderzocht was, alleen de pedofiel uit Stockholm die een vijfjarig meisje had verkracht en vermoord en de vader van het meisje die hem had neergeschoten. Voor de tweede week werden de pagina's gedomineerd door de laatste ontwikkelingen, de laatste interviews, de laatste analyses. Het was hun verhaal, iedereen had recht op een mening, het meisje en haar vader maakten deel uit van ieder gezin.

Vanaf het begin, sinds de ontsnapping en de moord, hadden ze het telkens als ze elkaar zagen over de pedofiel uit Stockholm gehad. Allemaal behalve Elisabeth, die weigerde mee te doen; zij hield haar mond en toen ze vroegen waarom, had ze geantwoord dat ze kinderachtig bezig waren, dat hun haat en betrokkenheid nergens op sloegen. Ze hadden geprobeerd het uit te leggen, zich te verdedigen, maar uiteindelijk lieten ze haar maar, het was niet verboden om kinderachtig te zijn en als zij niet mee wilde praten, dan maar niet.

Bengt schonk koffie in, donker gebrand en met een wolkje room, de koffie rook zoals koffie hoort te ruiken, naar thuis, warm, knus. Hij schonk hen een voor een in, presenteerde het mandje met de kaneelbroodjes van de vorige dag, dan waren ze lekkerder, je kon er beter mee dopen als ze een harde korst hadden.

Hij wees naar de foto van Fredrik Steffansson. Dezelfde pasfoto die er al een paar dagen in stond.

'Ik had hetzelfde gedaan. Zonder met mijn ogen te knipperen.'

Ove doopte zijn broodje in de koffie, duwde het tegen de bodem van het kopje.

'Ik ook. Als je dochters hebt, dan spreekt het vanzelf dat je zo denkt.'

Bengt tilde de krantenpagina op, trok er aan alle kanten aan.

'Ik zou het niet doen op de manier zoals hij het gedaan heeft. Ik zou niet aan anderen gedacht hebben. Ik zou het voor mezelf gedaan hebben. Puur uit wraak.'

Hij keek om zich heen om de reacties te peilen. Ove knikte. Helena knikte. Elisabeth stak haar tong uit.

'Wat doe jij nou?'

'Ik word zo moe van jullie. Ik word zo moe van het gezeur, het gaat maar door, van 's ochtends vroeg tot 's avonds laat! Steeds als we elkaar zien. Vieze Göran, pedofielen, haat!'

'Je hoeft er niet naar te luisteren.'

'Wraak? Wat een flauwekul! Hoezo wraak? Hij heeft niets gedaan. Hij heeft niemand met een vinger aangeraakt. Hij heeft naakt naast een vlaggenmast gestaan. Jullie zijn zielig!'

Ze snikte even, kuchte om haar stem niet te laten trillen, haar ogen glommen.

'Ik ken jullie niet meer terug. Jullie zitten in mijn keuken en doen net of jullie erbij betrokken zijn. Ik wil dit niet meer.'

Helena zette haar kopje meteen op tafel, legde haar hand op die van Elisabeth.

'Elisabeth, rustig.'

Elisabeth duwde de hand opstandig weg. Bengt zag het, verhief zijn stem.

'Laat haar. Zij houdt van die etterbakken. Hè? Pedofielen!'

Hij richtte zich tot zijn vrouw.

'Denk je dat ik daar mijn hele leven voor heb gewerkt? Me heb afgebeuld? Voor een maatschappij die een man aanhoudt en gevangenzet die kleine kinderen het leven heeft gered?'

Hij draaide zich om naar het raam, gaf uiting aan zijn woede door naar buiten te spugen. Hij volgde de klodder spuug, zag hem op het gazon vallen. Hij hoorde ook de deur. Recht voor hem. Hij wist precies welke deur het was.

'Verdorie. Daar heb je die vent.'

Hij ging voor het raam staan en keek naar buiten.

'Die verrekte viespeuk gaat naar buiten.'

Vieze Göran stond voor zijn voordeur, deed de deur achter zich op slot. Bengt keerde zich naar de anderen toe, keek naar Elisabeth.

'Zielig, zei je?'

Hij boog voorover, leunde uit het raam en brulde: 'Versta je geen Zweeds, vieze goorlap! Ik wil je niet zien! Blijf binnen!'

Vieze Göran keek op, in de richting van de stem die hij zo goed kende. Hij liep door, over het grindpad naar het hek. Bengt knipte met zijn vingers. Twee keer. De rottweiler kwam meteen uit de hal.

'Hier.'

De hond rende naar het raam, langs de keukentafel. Bengt pakte hem bij zijn halsband, hield die stevig vast en gaf plotseling een commando.

'Baxter, pak ze!'

Hij liet de hond los, die meteen uit het raam sprong, over het gras, door de tuin, over het hek. Vieze Göran hoorde de hond, die luid blaffend snel naderbij kwam. Hij was vlak bij het schuurtje met de grasmaaier, het gereedschap en wat afvalhout, hij zette het op een rennen, zijn hart bonsde en zijn maag was stuk, het liep hem dun door de broek en langs zijn benen. Hij bereikte de deurklink, opende de deur, trok hem dicht. De hond wierp zich woest tegen het houtwerk, blafte nog harder. Bengt stond nog steeds voor het raam met Ove en Helena naast zich en hij applaudisseerde hysterisch.

'Braaf, Baxter! Blijf daar de rest van de dag maar zitten, smeerlap! Blijf, Baxter!'

De hond hield op met blaffen, ging voor de deur van het

schuurtje zitten, staarde naar de deurklink. Bengt applaudisseerde nog steeds, hij lachte, hij keek naar Elisabeth, die nog aan tafel zat, hij zag dat ze haar hoofd schudde en hij voelde verachting voor haar.

Ze was lelijk. Dat zag hij nu pas goed. Ze keek lelijk en ze had hangtieten.

Hij besefte dat ze nooit meer verlangen in hem zou opwekken.

H et leek alweer lang geleden dat de regen hen had verlost. Een korte dag van koelte was voorbijgegaan en het was weer heet en windstil. In een penitentiaire inrichting had je er meer erg in. De hoge muur, de open binnenplaats, het grind; de lucht was er ook ingeperkt, opgesloten, gecontroleerd. Hilding wandelde alleen over het voetbalveld, in korte broek en met zijn magere bovenlichaam bloot. Hij maakte zich zorgen. Lindgren zou er gauw achter komen, hij zou snappen wie het had gedaan en het zou hem geen moer uitmaken dat het zijn beste vriend was. Hilding zou enorm op zijn lazer krijgen, dat wist hij. Hij rekende er zelfs op, zo was het, als je iets jat van een kameraad, krijg je op je falie, en nu had hij gejat.

Hij had ervoor gezorgd dat Axelsson wegging. De kinderverkrachter had zich bij de bewaarders gemeld en ze hadden snel gereageerd, na een paar minuten was hij op eigen verzoek naar de strafcel overgebracht. Lindgren was bijna door het lint gegaan, hij vermoedde wel dat iemand hem had gewaarschuwd, maar wist het niet helemaal zeker en wat nog belangrijker was: hij wist niet wie. Hij had geschreeuwd als een bezetene en hij had flink tegen de muren lopen schoppen, maar was tot bedaren gekomen, had zelfs whist gespeeld in de tv-hoek later die avond en had daarbij in één keer twee ruiten tien weten te vergaren.

Hilding krabde furieus aan de wond op zijn neus. Hij liep van het ene doel naar het andere. Telde de rondjes. Zevenenzestig rondjes. Nog drieëndertig. Hij had het spul niet moeten nemen. Maar verdorie, die geschiedenis met Axelsson had hem uitgeput, het was meer een soort beloning, hij had het verdiend en hij wilde maar een beetje nemen. Hij stond alleen in de doucheruimte, tilde de plafondplaat op en haalde de hasj tevoorschijn. Hij had een kleintje gerookt, het was net zo verdomd fantastisch geweest als de vorige keer, zijn lichaam was weer tot rust gekomen. Hij had nog een kleintje gerookt en had de rest opgemaakt, hij had er hartkloppingen van gekregen; hij was even gaan liggen in zijn cel en was midden in de nacht wakker geworden. Het drong tot hem door wat er gebeurd was en hij ging overeind zitten in bed en wachtte op de ochtend en op de afranseling. Maar Lindgren kwam niet, hij had het niet ontdekt. Dat was een paar dagen geleden. Hij zou het gauw zien en dan kwam de afstraffing. De uren gingen voorbij en Hilding wachtte alleen maar, krabde zijn wond open, liep nog een rondje om het doel zonder net.

Hij liep honderd rondjes. Het zweet droop vanaf zijn haargrens over zijn gezicht, hals, borst en buik. Hij overwoog om nog honderd rondjes te lopen. Het lopen had bijna hetzelfde effect als een pijp roken, zijn gedachten dobberden zachtjes rond, terwijl hij bijna wegsmolt in de zon. Hij besloot door te gaan totdat de volgende man kwam. Honderdzevenenvijftig rondjes, toen kwam de Rus naar buiten met een bal onder zijn arm. Hilding zag hem en ging van het veld af.

Hij douchte koud. Water in zijn gezicht, de brandende wond, het zweet dat niet meer glom. Hij kleedde zich aan, een schone onderbroek, sokken, korte broek. Hij liep heen en weer over de gang, probeerde zijn ongerustheid van zich af te schudden. Hij ging weer tellen. Driehonderd keer door de gang langs de cellen naar de snookertafel en weer terug. De tv stond aan, die stond altijd aan, verder was er geen geluid, de moord op het kleine meisje en later die op Lund knetterden door de ruimte terwijl hij heen en weer liep, hij moest wel luisteren, het leidde hem even af van dat andere.

Hij was bang. Dat had hij lang niet meer hoeven zijn; bij Lindgren vond hij bescherming, maar nu had hij het verpest. De ongerustheid was verscheurend en vol haat in hem bezig. Niets meer te roken. Hij moest van zijn onrust af, zijn onrust doven.

Hij klopte op de deur van Jochums cel.

Geen antwoord.

Hij klopte weer aan.

Jochum had liggen slapen.

'Wie is daar?'

'Hilding.'

'Rot op.'

'Ik vroeg me alleen af of je dorst had.'

Hij had een besluit genomen. Hij ging weer jatten. Hij moest van die rottige pijn in zijn borst af. Met Jochum erbij zou dat makkelijker zijn. Lindgren zou hem niet te lijf gaan.

Jochum deed de deur open.

'Waar heb je het?'

'Kom maar kijken.'

Jochum ging weer naar binnen, trok een paar sloffen aan, deed toen de celdeur achter zich dicht. Hij liet hem nooit open. Hilding was er nooit binnen geweest. Ze liepen langs de keuken, langs de douches, langs de snookerhoek waar Hilding zonet driehonderd keer langs gelopen was.

Hij liep naar een brandblusser die aan de muur hing. Een rode metalen cilinder met een zwarte slang en een uitgebreide gebruiksaanwijzing aan de zijkant, een heleboel woorden die niemand nog zou gaan lezen als het vuur raasde. Hij keek om zich heen, geen bewaarder in de buurt; hij schroefde de zwarte rubberen dop van de cilinder en legde die aan de kant. Uit de zak van zijn korte broek haalde hij een plastic bekertje.

'Gewoon water, een dik stuk Skogaholmsbrood en een paar appels.'

Hij pakte de brandblusser, hield hem op de kop en vulde het bekertje.

'Gadverdarrie, wat een rotsmaak zeg!'

Het gistende mengsel rook sterk, hij kokhalsde.

'Maar wat kan het schelen?'

Hij zette het bekertje aan zijn mond en slikte het troebele vocht door.

'Het gaat niet om de smaak, maar om wat je voelt, om het effect!'

Hij goot het bekertje weer vol, reikte het Jochum aan.

'Drieënhalve week, bijna klaar. Minstens tien procent.'

Jochum kokhalsde, maar sloeg het in één keer achterover.

'Nog een.'

Ze schonken ieder vijf keer in. Ze begonnen de warmte in hun lichaam te voelen, de rust, de alcohol die de ziel opzocht. Eerder had het in de werkkast gestaan, in een emmer achterin, maar dit was beter, een lege brandblusser, een brood voor de alcohol, fruit voor de smaak, het gistingsproces in een afgesloten vat waar je gemakkelijk bij kon. Ze dronken totdat ze een hese stem op de gang hoorden, het leek Skåne wel.

'Bewaarder op de afdeling!'

Het kwam niet vaak voor dat er bewaarders op de afdeling kwamen en het waarschuwingssysteem was er altijd geweest, iemand gaf een schreeuw en iedereen wist het. Hilding wees naar de rubberen dop, Jochum gooide hem die toe en hij draaide hem er snel op. Ze liepen weg, kwamen de bewaarder tegen, die hen aankeek zonder iets te zeggen, ze liepen door naar de bank en gingen zitten.

Ze waren een beetje aangeschoten, de drank had hen voor even verbroederd, niemand slaat een alcoholisch brouwsel af en Hilding en Jochum deelden voor het moment gemeenschap, vertrouwelijkheid.

De tv voor hen, hetzelfde nieuws, de hele afdeling had de jacht op Lund gespannen gevolgd, maar ze hadden nu genoeg gezien, het was immers voorbij, de vader had de kop van die vent eraf geschoten en nu wist iedere kinderverkrachter waar het op stond. Ze leunden achterover, zagen de beelden van de vader en van Lund voorbijglijden, ze luisterden niet, het ging om het gevoel, de rust, dat was het belangrijkste.

'Waar zit die randfiguur trouwens? Ik heb hem al een paar dagen niet gezien.'

'Broekie?'

'Ja. Die sijsjeslijmer.'

Jochum grijnsde. Hij grijnsde. Sijsjeslijmer.

'Hij zit meestal in zijn cel. Hij moet niets van dat gedoe op tv hebben.'

'Waar heb je het over?'

'Ik weet het niet.'

'Weet je het niet?'

'Dat zijn Broekies spoken. Dat weet ik verder niet. Hij kan er niet tegen om over dat kleine meisje en die kinderverkrachter te horen. Hij weet dat hij hem eerder om zeep had kunnen brengen.'

'Maakt toch niks meer uit?'

'Dan was het toch nooit gebeurd?'

'Nu is het wel gebeurd.'

Hilding keek om zich heen. De bewaarder was weer op weg naar buiten. Hij sprak met gedempte stem.

'Hij heeft ook een dochter. Daarom.'

'En?'

'Ja, dan is het logisch dat je zo denkt.'

'Er zijn er een heleboel die dochters hebben. Jij niet?'

'Die van hem woont daar. Waar het meisje is vermoord. Ergens bij Strängnäs, denkt hij.'

'Denkt hij dat?'

'Hij heeft haar nog nooit gezien.'

Jochum wendde een moment zijn blik van het tv-scherm af, hij sloeg met zijn hand tegen zijn kaalgeschoren schedel en keek Hilding aan.

'Ik begrijp het niet.'

'Dit is belangrijk voor Broekie.'

'Maar zij was het toch niet?'

'Nee, maar ze had het kunnen zijn.'

'Ga weg.'

'Zo denkt hij. Hij heeft een foto van haar. Hij heeft er zelf een vergroting van gemaakt. Zo groot als de hele muur.'

Jochum wierp zijn hoofd achterover, tegen de rugleuning van de bank, hij lachte luid, zoals iemand lacht die door een roes gekieteld wordt.

'Stompzinnige kerel! Hij spoort verdorie niet. Loopt hij zich gek te maken over iets wat niet gebeurt en absoluut niet kan gebeuren omdat die kinderverkrachter al doodgeschoten is en totaal verdwenen? Dan is hij er nog slechter aan toe dan ik dacht. Hij hallucineert. Als er iemand alcohol nodig heeft, dan hij wel.'

Hilding ging rechtop zitten, hij kreeg de schrik te pakken.

'Je zegt niks, verdorie!'

'Waarover?'

'Over die drank.'

'Ben je bang voor die achterbuurtjongen?'

'Zeg gewoon niks.'

Jochum lachte weer, hield zijn wijsvinger in de lucht. Hij keerde zich naar de tv, nog steeds reportages over de moord op de kinderverkrachter: een interview met de officier van justitie, tegen de muur gedrukt op een trap in het Rådhus, een keurige man in pak, met blond haar in een scheiding en een microfoon voor zijn neus; hij zag eruit zoals ze er altijd uitzagen, te jong, te tuk op carrière, zo iemand die je een beetje door elkaar moest schudden.

T oen Fredrik Steffansson aangehouden werd, begreep Lars
Ågestam pas goed waar het om ging.
Waar de hele geschiedenis om draaide.

Hij had in zijn vuistje gelachen toen hij de pedofiliezaak kreeg
en het nog slechts om een zieke zedendelinquent ging die een
klein meisje had vermoord. Later had hij op het toilet van het
parket moeten overgeven, omdat er een plotselinge metamorfose
opgetreden was en het de zaak geworden was van een rouwende
vader die een zedendelinquent had vermoord.

Dus toen Steffansson was gearresteerd, betekende het voor
Ågestam dat er weer een kans verkeken was op een carrièredoor-
braak binnen de Zweedse rechtbanken.

Maar dat niet alleen; het had veel meer effecten.

Hij werd zelf bang, hij kon niet meer over straat lopen zonder
om zich heen te kijken, het ging nu om leven en dood.

Hij had er bij de onderhandelingen over de inhechtenisneming
op aangedrongen dat Steffansson, die op goede gronden werd
verdacht van moord, tot het proces in hechtenis zou blijven.

Steffanssons advocate, Kristina Björnsson, van wie hij zojuist
informeel had verloren in de zaak-Axelsson, wilde Steffanssons
daden als noodweer betitelen en had daarom tegen inhechtenisneming geprotesteerd.

Ze beweerde dat er duidelijk geen gevaar bestond dat hij nog
iemand zou ombrengen, ze had gesproken over het geringe risico
dat Steffansson het onderzoek zou belemmeren of zou weglopen
voor het komende proces, ze had verklaard dat het redelijkerwijs
voldoende was als hij werd verplicht zich dagelijks te melden bij
de politie van Eskilstuna.

De woordvoerder van de rechtbank, Van Balvas, had slechts
een minuut later beslist dat de op goede gronden van moord
verdachte Fredrik Steffansson in het huis van bewaring zou blijven tot het proces, waarvan de datum later vastgesteld zou worden.

Terwijl de hamerslag weerklonk, brak de hel los.

Eerst de mensen die buiten stonden.

De mensen met de microfoons, die hem in het trappenhuis tegen de muur duwden.

Steffansson is toch een held.

O ja?

Hij heeft het leven van twee kleine meisjes gered.

Daar weten wij niets van.

Bernt Lund had foto's van hen bij zich.

Steffansson heeft iemand vermoord.

Lund wist hun namen. Hij hield hun dagverblijf in de gaten.

Steffansson heeft gemoord, dat was zijn daad. En daar bemoei ik me mee.

Dus u wilt iemand die er een stokje voor steekt dat verscheidene onschuldigen gedood worden, belonen met een lange gevangenisstraf?

Op zulke opmerkingen geef ik geen commentaar.

Vindt u zelf niet dat hij juist heeft gehandeld?

Nee.

Waarom niet?

Het was moord met voorbedachten rade.

Ja?

Moord met voorbedachten rade moet als zodanig worden beoordeeld.

Met een veroordeling tot levenslang?

Met de strengste straf die de wet kent.

Wilt u daarmee zeggen dat het beter geweest was als die twee meisjes waren vermoord?

Ik wil ermee zeggen dat er bij moord met voorbedachten rade geen korting geldt voor vaders in de rouw.

Hebt u zelf kinderen?

Toen de anderen: het publiek, de mensen die gezien, gehoord en gelezen hadden. De mensen die schreeuwden en dreigden; hij had de hoorn nog niet neergelegd of de volgende belde alweer.

Verrekte uitslover!
Ik doe gewoon mijn werk.
Loopjongen.
Ik kan niet anders.
Bureaucraat.
Als iemand de wet overtreedt, is het mijn plicht hem aan te klagen.
Als je dat doet, ga je eraan!
Wat u net zei is bedreiging.
Je gaat eraan!
Het heet bedreiging en het is strafbaar.
Je hele gezinnetje gaat eraan!

Hij was bang. Het gebeurde allemaal echt. Het waren gekken, maar het was ook het grote publiek. Ze haatten, ze meenden wat ze zeiden, dat voelde hij en hij nam het serieus.

Hij zocht Ewert Grens op, trof hem op zijn kamer aan en werd met tegenzin ontvangen.

Hij had gedacht dat hun laatste gesprek, waarin hij zijn on- zekerheid had getoond over de aanklacht, een opening had ge- schapen voor vertrouwelijkheid, maar hij was net als anders, net zo nurks, net zo verbitterd. Grens grijnsde honend naar hem, nog breder toen hij vertelde dat hij bedreigd was, dat zijn gezin bedreigd was, dat hij bang was en politiebescherming wilde. Hij was bijna in tranen, die kwamen plotseling opzetten en hij had de pest in dat hij daar zat, in dat vertrek, maar Ewert Grens deed net of hij het niet zag, hij legde uit dat iedereen bedreigd werd, daar moest je rekening mee houden als je een stoere officier wilde zijn. Hij verzocht hem terug te komen als hij zijn spoken echt had gezien en niet alleen hun stemmen had gehoord.

Lars Ågestam smeet de deur met een klap achter zich dicht.

Het was benauwd buiten, hij liep langzaam terug.

In een kiosk kocht hij een krant en een flesje mineraalwater; van het benauwde weer ging hij flink zweten en hij plaste al dagen donkergeel, de warmte nam meer vloeistof dan hij tot nog toe had doorgehad. De krant, een foto van hemzelf, de kop 'Officier eist levenslang voor held'. Alle mensen, de bosjes toeristen die hij tegenkwam, liepen met camera's om hun nek en een plattegrond in hun hand naar hem te staren, daar was hij van overtuigd. Hij haastte zich, ging harder lopen, begon weer te zweten, maar hield de vaart erin, de hele weg door Kungsholmen, naar het parket.

Hij liep zijn kamer binnen.

Meteen ging de telefoon.

Hij keek naar het toestel, nam niet op. Er werd weer gebeld, hij nam niet op. De telefoon ging acht keer en hij zat met het materiaal voor het vooronderzoek voor zich, las het keer op keer, net zo lang tot het bellen ophield.

B engt Söderlund had het verhaal verteld van Baxter die de hele avond en nacht voor de deur van het schuurtje had gezeten tot hij de volgende ochtend van de baas het commando had gekregen om zijn post te verlaten. Voor de derde keer, iedereen kende het nu wel, Elisabeth die het niet wilde horen, Ove en Helena die in zijn keuken hadden gezeten en het hadden zien gebeuren, Ola Gunnarsson en Klas Rilke, die elke keer harder lachten. Het was net alsof ze het in de aula op school over een leraar hadden die ze een bijnaam hadden gegeven en die ze als mikpunt van hun jarenlange spot gekozen hadden, of alsof ze in de kleedkamer van Tallbacka IF zaten, met zalf en schroefnoppen en sneren naar die dikzak van een keeper van de tegenpartij. Saamhorigheid door vernedering op afstand. Ze hadden even voor de gokautomaten gestaan in het enige restaurant in het dorp, er tienkronenmunten in gestopt en een paar honderd verloren, ze liepen er weer bij weg, naar het tafeltje waaraan ze altijd zaten. Ze bestelden licht bier zonder schuim, proostten op de warmte, die hen dorstig maakte en op Baxter, die hen aan het lachen maakte.

Ze dronken het glas voor de helft leeg, ze dronken er een stuk of drie, vier op een avond, het eerste biertje vulde de maag en leste de dorst, daarna kwamen de discussies op gang, zoals altijd wanneer de alcohol woorden baart.

Bengt dronk langzamer dan anders. Hij wist wat hij die avond wilde bereiken. Hij had in de loop van de week zijn besluit genomen, had de voors en tegens tegen elkaar afgewogen, had in juridische handboeken gezocht en dorre wetsteksten gelezen.

Hij hief zijn glas, knikte naar de anderen.

'Nu drinken we. Daarna wil ik het ergens over hebben.'

Ze proostten, leegden hun glas, de een na de ander. Bengt stak zijn hand op, zocht oogcontact met de kastelein achter de tap, nog een rondje. Toen nam hij het woord.

'Ik heb eens nagedacht. Nu weet ik wat we moeten doen om orde op zaken te stellen in dit dorp.'

De anderen schoven dichter naar de tafel, hielden hun glazen stil. Elisabeth liep rood aan, ze beet haar kaken op elkaar, staarde naar het tafelblad. Bengt ging verder.

'Weten jullie nog de vorige keer dat we hier waren? Weten jullie nog wat Helena zei?'

Hij keek glimlachend naar Helena.

'Zij stond op aan het eind, vlak voordat we naar huis gingen. Ze lieten de moord op de pedofiel op tv zien en Helena vroeg of we stil konden zijn. Ze hadden het over de vader die de moordenaar en verkrachter had doodgeschoten. Toen zei Helena iets. Dat hij een held is. De held van onze tijd. Hij liet zich niet naaien door een pedofiel. Hij bleef niet lijdzaam afwachten. Toen de politie niet deed wat ze zou moeten doen, regelde hij het zelf.'

Helena zat tevreden te luisteren naar de beschrijving van Bengt.

'Ik zei het toch. Hij is een held. Bovendien ziet hij er goed uit.'

Ze glimlachte liefhebbend naar Ove, gaf hem een duwtje. Bengt knikte naar haar, hij was ongeduldig, wilde meer zeggen.

'Binnenkort begint het proces. Dat gaat vijf dagen duren. Daarna komt het vonnis. Dat wordt op de laatste dag van het proces bekendgemaakt. Dan komen wij.'

Hij keek triomfantelijk om zich heen.

'De verdediging houdt het op noodweer. Heel Zweden houdt het op noodweer. Als ze hem opsluiten, breekt de pleuris uit. Je kunt er donder op zeggen dat ze het niet aandurven. Het is hetzelfde als altijd, alleen de rechter is juridisch geschoold, de juryleden zijn leken. Jullie kunnen dus wel nagaan dat de arrondissementsrechtbank heel goed vrijspraak kan geven. Dan komen wij in actie. Dan is het onze beurt.'

De anderen rond de tafel begrepen het nog steeds niet, ze luisterden, Bengt had het vaak wel goed door allemaal.

'Zodra het vonnis komt, als het vrijspraak is, slaan wij toe. Dan zien wij van die klootzak af te komen. Ik wil hier geen pedofiel hebben, niet als buurman en überhaupt niet in dit dorp. We lozen hem en we pleiten noodweer.'

De kroegbaas, een dikke man die eerder een van de kapot geconcurreerde en gesloten kruidenierswinkels had gehad, kwam nieuwe glazen bier brengen, hij hield er in iedere hand drie. Ze dronken allemaal een paar slokken. Totdat Elisabeth haar hoofd hief en haar man aankeek.

'Bengt, je draaft door.'

'Als jij dit niet leuk vindt, Elisabeth, dan ga je maar naar huis.'

'Maar je begrijpt toch wel dat het nooit goed kan zijn om iemand te doden om een probleem op te lossen. Die vader is geen held. Hij is echt een slecht voorbeeld.'

Bengt zette zijn bierglas met een klap op tafel.

'Wat vind jij dan dat hij had moeten doen?'

'Met hem praten.'

'Wat?'

'Je kunt altijd met mensen praten.'

'Nou moet je toch echt ophouden!'

Helena keek naar Elisabeth met een blik waaruit afschuw sprak.

'Ik begrijp niet waar je mee bezig bent, Elisabeth. Ik begrijp niet waarom je het niet onder ogen kunt zien. Kun jij me uitleggen waar je het over moet hebben met een gewapende lustmoordenaar die je eigen kind heeft verkracht? Kun je dat? Over zijn tragische jeugd? Zijn kapotte speelgoed en mislukte zindelijkheidstraining?'

Ove legde zijn hand op de schouder van zijn vrouw toen hij ging staan.

'Kom op jongens, het is geen cursus Freud die ze bij dat dagverblijf georganiseerd hadden! We beginnen nu toch niet van hoe zielig het allemaal was?'

Helena legde haar hand op die van haar echtgenoot, ging verder toen hij zweeg.

'Het was niet goed van die vader om die pedofiel dood te

schieten. Maar hij had een grotere fout gemaakt als hij hem niet gedood had. Dat is toch duidelijk? Het leven is onaantastbaar – totdat je in een situatie komt waarin je persoonlijke moraal en je ethische normen opeens op de tweede plaats komen. Als ik met dat geweer had kunnen omgaan, had ik hetzelfde gedaan als die vader. Kun je dat niet begrijpen, Elisabeth?'

Ze had haar besluit genomen toen ze het restaurant verliet. Ze had zojuist haar man verloren. Ze liep snel naar huis, vroeg haar dochter, het enige kind dat nog thuis woonde, om mee te nemen wat ze kon dragen. Ze pakten allebei een koffer vol met kleren. Ze pakte de auto, verder had ze niets nodig, de zomeravond ging over in nacht toen ze Tallbacka voorgoed verliet.

D e cel in het huis van bewaring van Kronoberg was een meter zeventig breed en twee meter vijftig lang. Een smal bed met een tafeltje ernaast, een wastafel waar hij zich 's avonds bij kon wassen en waar hij 's nachts in kon pissen. Hij had blauw-grijze kleren aan die om zijn lichaam slobberden, met de letters van het gevangeniswezen op mouwen en broekspijpen. Volledige beperkingen: geen kranten, geen radio, geen tv. Geen bezoek behalve van de politie die hem kwam ondervragen, de officier van justitie, zijn advocate, de dominee en het personeel van het huis van bewaring. Een uur per dag frisse lucht, een bij wet geregelde pauze in een stalen kooi op het dak van het gebouw, waar de warmte bleef hangen. Hij had iedere dag nog gevraagd om het luchten eerder te mogen beëindigen en was na een klein halfuur weer naar beneden gegaan.

Nu lag hij op zijn bed en dacht nergens aan. Hij had gepro-beerd wat te eten, het dienblad met het bord en het glas sinaas-appelsap stond op de grond; het eten smaakte nergens naar en hij had het al na een paar happen weggezet. Hij had sinds Enköping niet meer gegeten, wat hij tot zich nam kwam er weer uit, alsof zijn maag met rust gelaten wilde worden.

De hem omringende muren waren leeg en grijs. Er was niets om zijn blik op te laten rusten, om in te kunnen ontsnappen. Hij deed zijn ogen dicht, de tl-buis als een licht waas achter zijn oogleden.

Plotseling klonk er gepiep van de deur. Een gezicht keek naar hem door een luikje.

'Steffansson! Je wilde een dominee spreken?'

Fredrik keek naar het luikje, twee paar starende ogen.

'Ik heet Fredrik. Je hoeft me niet bij mijn achternaam te noemen.'

Het luikje ging dicht om meteen weer open te gaan.

'Zoals je wilt, Fredrik! Je wilde een dominee spreken?'

'Ik wil iedereen graag spreken zolang hij geen uniform draagt en mijn deur niet op slot doet.'

De bewaarder zuchtte.

'Wat wil je nou? Ze staat hier naast me.'

'Kijk aan. Kijk aan! Ik dacht anders dat het de bedoeling was dat ik helemaal van de buitenwereld word geïsoleerd. Om de een of andere stompzinnige reden schijnen jullie te denken dat ik een gevaar ben voor de samenleving als ik vrij ben, of niet? En als ik hier zit, denken jullie dat alle anderen gevaarlijk zijn voor mij. Weet je wel naar wie je zo zit te staren?'

Hij ging rechtop op het bed zitten, schopte het dienblad weg. Het glas met sinaasappelsap viel om en de gelige vloeistof liep over de hele vloer. De bewaarder zei niets. Hij merkte dat Fredrik een instorting nabij was, hij had het vaker gezien, dat ze agressief en luidruchtig werden en gingen dreigen. Totdat ze in elkaar zakten en in hun broek pisten. Fredrik spetterde met zijn voet in het nat.

'Je hebt er geen idee van. Want je kijkt naar iemand wiens misdaad erin bestaat dat hij met voorbedachten rade een kindermoordenaar heeft terechtgesteld. Een kindermoordenaar die jouw vijfjarige kind zou hebben verkracht en geslacht als hij daar de kans toe kreeg. Nu is het jouw taak om degene te bewaken die misschien het leven van jouw kind heeft gered. Ben je blij met je baan? Heb je het gevoel dat je iets nuttigs doet voor de samenleving?'

Fredrik pakte het lege glas op en keilde het naar het luikje. De bewaarder gaf een gil, hij kon het luikje net dichtdoen voordat het glas uit elkaar spatte en de splinters elkaar achterna joegen.

Het duurde even. Toen waren ze er weer, de starende ogen.

'Ik zou eigenlijk om assistentie moeten vragen. Wat jij net deed maakt je rijp voor het spanbed. Maar ik zal je vraag beantwoorden.'

Fredrik wachtte. De bewaarder slikte, begon te stamelen.

'Nee. Het antwoord is nee. Ik vind niet dat ik op dit moment iets nuttigs doe voor de samenleving. Ik vind dat je hier überhaupt niet zou moeten zitten. Je had gelijk dat je hem neerschoot. Maar nu zit je hier. Daarmee uit. Ik stel mijn vraag nog een keer. Wil je met de dominee praten of niet?'

De gesloten deur. Hij aan de ene kant, de anderen daarbuiten. Vluchtige beelden van de gehate gesloten deur, waar geen luikjes in zaten, maar drie ruitjes met het soort glas dat je ook in badkamers tegenkomt, wazig; wat hij zag, zag hij onscherp, vader en Frans in de woonkamer, waar de tv aan stond, vader schreeuwde dat Frans zich uit moest kleden, hij sloeg, Fredrik zag de hand en het naakte lichaam van Frans en alles werd grotesk vervormd door het glas, Frans gaf geen kik, moeder, die had aangegeven waarom Frans een pak slaag verdiende, was daarna gewoon weggelopen, ze zat in de keuken hete thee te drinken en Camel-sigaretten te roken, terwijl vader sloeg en sloeg en sloeg totdat Frank uitdagend schreeuwde dat hij niet hard genoeg sloeg, of hij het niet beter kon, hij voelde er niets van. Dan hield vader er altijd mee op.

De gesloten deur. Een bewaarder met starende ogen.

'Nog één keer, dan gaan we weg. Wat wil je nou?'

Fredrik deed zijn ogen dicht. De deur was weg.

'Laat die dienaar Gods maar binnenkomen.'

De deur ging open. Hij stond versteld.

'Rebecka?'

'Fredrik.'

'Hoe kom jij hier?'

'Ik heb hier vaak gewerkt. Deze keer heb ik mezelf aangemeld. Ik dacht dat je misschien met mij wilde praten, aangezien je met niemand van buiten mag praten. Oké?'

'Kom binnen.'

Hij schaamde zich. Hij schaamde zich ervoor dat hij in een cel van vier vierkante meter zat, in blauwgrijze zakkerige kleren, en dat hij net nog in de wastafel had gepist; hij schaamde zich voor het sinaasappelsap dat over de vloer stroomde, voor zijn woede-uitbarsting tegenover de bewaarder zonet en hij schaamde zich ervoor dat hij begon te huilen van vreugde toen zij op zijn bed ging zitten.

Ze sloeg haar armen om hem heen. Streek hem over zijn haar, zijn wang.

'Ik begrijp het wel. Je hoeft je niet te verontschuldigen. Ik heb wel gekkere reacties gezien van mensen in deze afgesloten kamertjes.'

Hij keek naar haar, probeerde te glimlachen.

'Vind jij dat ik fout gehandeld heb?'

Ze zweeg geruime tijd, woog haar antwoord.

'Ja, dat vind ik wel. Je hebt niet het recht om over leven en dood te beslissen.'

Fredrik knikte. Dat antwoord had hij verwacht.

'Je weet dat wat ik gedaan heb het leven van andere kinderen heeft gered? Als ik Lund niet had gedood, waren zij nu dood geweest. Dat weet je. Was dat beter geweest, vind je?'

Ze nam weer ruim de tijd. Ze kende de man naast zich al van toen hij nog een kind was. Ze had ruim een week geleden zijn dochter begraven. Haar woorden wogen zwaarder dan anders, haar verantwoordelijkheid was groter.

'Dat is een moeilijke vraag, Fredrik. Ik weet niet of...'

Haar stem stokte.

Plotseling begon Fredrik te hyperventileren. Ze legde haar hand op zijn borst.

Hij ging op bed liggen, trillend over zijn hele lichaam.

'Sorry. Ik kan er niets aan doen. Het is zo zinloos.'

De begrafenis. Het kerkhof. De koude vloer. Het geluid van het orgel dat tussen de muren weergalmde. De kist, een kleine kist, heel kort, heel smal. Met bloemen erop. Rebecka had daar gestaan. Vlakbij en ze had iets gezegd. Marie lag in de kist. Hij had haar niet gezien, het deksel was gesloten, maar ze hadden haar mooi gemaakt, haar haar gekamd en haar een mooie jurk aangedaan.

Een paar diepe ademhalingen om op gang te komen.

'Marie is er niet meer. Zij kan niets meer voelen. Ze kan niet zien, niet ruiken, niet horen. Nu niet en nooit meer. Ze is er niet, ze is nergens. Begrijp je dat? Begrijp je waar ik het over heb?'

'Je weet dat ik het niet met je eens ben. Maar ik begrijp dat jij het zo ziet.'

Het luikje in de gesloten deur ging weer open. De starende ogen.

'Wat een herrie. Alles in orde daarbinnen?'

Rebecka stak haar hand op naar de deur.

'Alles in orde.'

'Goed dan. Roep maar als er iets is.'

Fredrik lag nog steeds. Hij hijgde, maar trilde niet meer.

'Toen het me duidelijk werd dat Bernt Lund van plan was meer kinderen te vermoorden nam ik mijn besluit. Ik zou hem doodschieten. Ik zou hem vermoorden. Ik zou hem voor zijn.'

Hij zocht naar woorden.

'Jullie denken dat het wraak was, maar daar had het helemaal niets mee te maken. Ik ben met Marie gestorven. Toen ik besloot hem af te maken, leefde ik weer op.'

Hij stond op en sloeg op het tafeltje, eerst met zijn hand. Toen boog hij voorover en beukte met zijn hoofd tegen het tafelblad. Zijn voorhoofd begon hevig te bloeden.

'Ik heb hem gedood. Waar moet ik nu nog voor leven?'

De deur ging open. De bewaarder liep haastig de cel in, een collega kwam achter hem aan, identieke kleding, identieke gelaatsuitdrukkingen. Ze liepen langs Rebecka, kwamen bij Fredrik, pakten hem ieder bij een arm en sleepten hem bij de tafel weg. Ze drukten hem stevig tegen het bed en hielden hem vast totdat hij niet meer de hele tijd met zijn hoofd in de lucht bonkte.

O p de eerste dag van het proces regende het. Het was pas de tweede dag met neerslag in een zomer met temperaturen ver boven het gemiddelde; het was een rustig regentje, zo'n bui die er bij het krieken van de dag al is en die geduldig voortgaat tot aan de avond, totdat het donker wordt.

's Ochtends vroeg stond er al een lange rij. Er was in Zweden in jaren niet zoveel aandacht geweest voor een proces. Het zou gehouden worden in het Rådhus in Stockholm, in de oude veiligheidszaal. Journalisten en burgers stonden ver voor negenen in de foyer voor het stenen trappenhuis, het aantal plaatsen was beperkt tot vier genummerde rijen en alleen enkele grote mediaconcerns hadden gereserveerde plaatsen, voor alle anderen was het van belang zo ver mogelijk vooraan te staan als de deuren opengingen.

Er was uitgebreide beveiliging. Politiemensen in uniform en in burger, alsmede ingehuurd personeel van beveiligingsbedrijven. Het schrikbeeld was de anonieme burger. Frustratie en agressiviteit hadden de afgelopen weken, sinds de ontsnapping van Lund en de moord op hem, een collectieve geëngageerdheid doen ontstaan onder mensen die anders niet veel meer deden dan lezen en van een afstand commentaar geven, een betrokkenheid die gepaard ging met pedofielenhaat in het algemeen en die als het ware spiedend in hinderlaag lag en voorbereidingen trof.

Micaela stond helemaal vooraan. Ze was vlak na zeven uur gekomen; toen had het iets harder geregend en was het bijna koud geweest. Ze had Fredrik sinds de begrafenis van Marie, al bijna twee weken geleden, niet meer gezien.

Hij was verdwenen. Om jacht te maken op Lund, zoals ze nu wist. Om terecht te komen in het huis van bewaring van Kronoberg, met volledige beperkingen.

Ze was bang.

Het zou haar eerste bezoek aan een rechtszaal worden en de

man van wie ze hield zou een paar meter voor haar zitten, beschuldigd van moord, en hij zou worden verhoord door een officier van justitie die levenslang zou eisen.

Ze had een gezin gehad.

Fredrik, naast wie ze iedere nacht sliep, die ze had leren omarmen. Marie, die bijna haar eigen dochter was geweest, die ze eten had gegeven, had aangekleed, opgevoed. Meer gezin dan ze ooit had gehad.

Binnen een paar weken was aan alles een eind gekomen.

Ze glimlachte zo goed en zo kwaad als dat ging naar de parketwachter, die de inhoud van haar tasje controleerde, hij beantwoordde haar glimlach niet. Daarna liep ze drie keer heen en weer door de elektronische boog voordat die ophield met piepen, ze had een sleuteltje in de zak van haar jasje, een fietssleuteltje van Marie. Ze kreeg een goede plaats, op de derde rij, meteen achter het persbureau en twee tv-maatschappijen. Ze herkende enkele van de reporters, die altijd als ergens iets dramatisch gebeurde ter plaatse waren om verslag uit te brengen. Nu zaten ze hier aantekeningen te maken, korte zinnen in kleine notitieboekjes. Ze probeerde te zien wat ze opschreven, maar het was niet te lezen, ze zag wel dat ze allebei de tijd boven aan hun blaadje schreven en dat ze bij iedere aantekening opnieuw het tijdstip noteerden. Een stukje verderop zaten twee tekenaars. Vlug gleden hun potloden over witte vellen papier, contouren van muren, de vloer, stoelen, ze schetsten de achtergrond, straks zouden ze de mensen invullen.

Ze zag Agnes, schuin achter zich op de laatste rij. Ze bleef net iets te lang omkijken, ze was ontdekt, Agnes knikte en ze knikte beleefd terug. Het was wonderlijk, ze hadden nog nooit met elkaar gepraat. Ze had een paar keer de telefoon opgenomen toen Agnes belde voor Marie, een kort 'mag ik Marie even' en een kort 'ze komt eraan', dat was alle communicatie in drie jaar. Nog weer verder naar achteren de twee politiemannen, die haar, de kinderen en de ouders hadden verhoord, en wie die dag allemaal nog meer in de buurt van De Duif waren geweest. De oudere manke, die de baas was, de jongere, die geduldig was en een gelovige indruk maakte. Ze zagen haar ook, ze knikten beiden, ze knikte terug.

Het zat vol. Er moesten mensen buiten blijven, ze hoorde protesten van sommigen die niet binnengelaten werden. Iemand riep 'boe' tegen de bewaking, een ander schold hen uit voor fascistische zwijnen.

Achter het podium zat een deur. Die zag ze pas toen hij openging en ze een voor een in ganzenmars binnenkwamen. Eerst de vrouwelijke rechter, Van Balvas, daarna de juryleden; ze had hen nooit eerder gezien, maar wel over hen gelezen in de krant, allemaal al op leeftijd, mensen uit de gemeentepolitiek, die niet meer echt midden in de maatschappij stonden. De officier van justitie, Lars Ågestam; die had ze op tv gezien, iemand die zichzelf erg belangrijk vond, zo'n vroegwijs jochie dat maar een paar jaar ouder was dan zij, maar die haar het gevoel gaf dat ze nog piepjong was. De advocate, Kristina Björnsson; ze straalde vertrouwen uit, leek net zo rustig als toen ze haar had ontmoet in haar kantoor tegenover Humlegården.

Fredrik liep achteraan. Tussen twee parketwachters in.

Ze hadden hem een pak laten aantrekken, ze had hem nog nooit eerder met een stropdas gezien. Hij zag er bleek uit. Even bang als zij.

Hij richtte zijn blik op de vloer, vermeed het de zaal in te kijken.

Van Balvas (VB): Uw volledige naam.
Fredrik Steffansson (FS): Nils Fredrik Steffansson.
VB: Adres?
FS: Hamngatan 28, Strängnäs.
VB: U weet waarvoor we hier vandaag zijn?
FS: Wat is dat nou voor vraag, verdorie?
VB: Ik herhaal de vraag. U weet waarvoor we hier vandaag zijn?
FS: Ja.

In de pauze rookte ze drie sigaretten. Een van de journalisten was bij haar komen staan in de trieste wachtkamer met de donkere, eikenhouten panelen en de harde, uitgesleten houten bankjes in het midden, die iets strengs hadden. Hij had haar gevraagd hoe het met Fredrik ging en ze had geantwoord dat ze het niet wist, dat ze niet met elkaar mochten spreken, dat ze met hem samen-woonde, maar niet deugde als bezoeker, en toen hij zijn pakje Zuid-Europese sigaretten zonder filter openmaakte en haar er een aanbood, had ze die aangenomen. Ze wist dat Fredrik het vreselijk vond als ze rookte en het was al een paar maanden geleden dat ze er voor het laatst een had opgestoken, maar nu pafte ze achter-elkaar door en ze werd duizelig omdat de sigaretten zo sterk waren en zij er niet meer aan was gewend. Agnes stond wat verderop, alleen, ze dronk mineraalwater uit een flesje. Ze keken elkaar niet aan, het had geen zin om contact met elkaar te zoeken, waarom zouden ze? Ze hadden er geen behoefte aan, er waren geen raakvlakken, het was mooi genoeg zo. Op een van de houten bankjes zat een dunharige, vrij jonge journalist met een koptele-foon op aantekeningen te maken aan de hand van wat hij op de band had opgenomen. Naast hem een oudere journalist, een van degenen die ze had herkend, ze keek naar de afbeelding die de tekenaar aanreikte, een momentopname in de rechtszaal: Fredrik die met zijn hand gesticuleerde en de officier die een foto liet zien van het kinderdagverblijf in Enköping, genomen vanaf de plaats vanwaar Fredrik had geschoten.

Lars Ågestam (lå): Fredrik Steffansson, ik begrijp het niet. Ik begrijp niet waarom u de politiemensen niet alarmeerde die op minder dan een paar honderd meter voor u zaten.

fs: Zover kwam ik niet.

lå: Zover kwam u niet?

fs: Als twee speciaal opgeleide bewakers Bernt Lund nog niet aankonden terwijl hij een boei om zijn middel droeg, hoe zouden twee slaperige agenten dan een bewapende Bernt Lund kunnen grijpen?

LÅ: U probeerde niet eens contact met hen op te nemen?

FS: Ik kon het risico niet lopen dat hij ervandoor ging. Met nog een meisje.

LÅ: Toch begrijp ik het niet.

FS: Nee?

LÅ: Ik begrijp niet waarom u genoodzaakt was om Bernt Lund te vermoorden.

FS: Waarom is dat zo verdomd moeilijk te begrijpen?

VB: Mag ik de heer Steffansson verzoeken te gaan zitten.

FS: Horen jullie niet wat ik zeg? Jullie hadden al laten zien dat jullie hem niet achter de tralies konden houden. Dat jullie hem niet van zijn problemen af konden helpen. Dat jullie hem na de moord op Marie nog niet eens konden grijpen. Wat valt er dan nog uit te leggen?

VB: Ik herhaal. Ik verzoek de heer Steffansson op zijn plaats te gaan zitten. Mevrouw de advocaat, kunt u daarbij helpen?

Kristina Björnsson (KB): Fredrik, rustig maar. Als je het wilt kunnen uitleggen, moet je hier blijven.

FS: Kun jij hen hier weg krijgen?

KB: Als je gekalmeerd bent, gaan de parketwachters weer zitten.

Hun blikken hadden elkaar één keer ontmoet. Na een uur van openingstoespraken, tijdens het eerste verhoor van de officier. Ze hadden hem op zijn stoel teruggeduwd na een woede-uitbarsting en hij had achterom gekeken, zowel naar haar als naar Agnes, een flauwe glimlach, ze wist zeker dat hij had geprobeerd te glimlachen. Ze had haar hand naar haar lippen gebracht, hem een kushand toegeworpen, ze voelde weer in haar maagstreek hoezeer ze hem miste, terwijl hij daar opgeprikt zat met zijn stropdas om en zijn pak aan, spierwit in zijn gezicht en op het punt om weg te gaan.

LÅ: Mag ik u eraan herinneren, meneer Steffansson, dat Zweden een van de vele landen ter wereld is waar de doodstraf niet in de wet voorkomt.

FS : Als hij gegrepen was, als de politie dat voor elkaar gekregen had, dan was hij deze keer naar een gesloten psychiatrische inrichting gestuurd. Daar had hij nog gemakkelijker uit kunnen ontsnappen.

LÅ : Is dat zo?

FS : Als Bernt Lund was gegrepen, was dat alleen maar uitstel van het onvermijdelijke geweest. Dat hij meer kinderen zou gaan doden.

LÅ : En dan kiest u ervoor om de rol op u te nemen van zowel politieman, officier, rechter als beul?

FS : U wilt het niet begrijpen.

LÅ : Dat is niet waar.

FS : Ik zeg het nog eens. Ik heb hem niet gedood omdat ik hem wilde straffen. Ik heb hem gedood omdat hij gevaarlijk was zolang hij leefde. Net als een dolle hond.

LÅ : Dolle hond?

FS : Die maak je af opdat hij mensen niet langer in gevaar brengt. Bernt Lund was een dolle hond. Ik heb hem afgemaakt.

Ze bleef lang wachten na ieder verhoor. Ze hoopte dat hij langs haar heen geleid zou worden, dat ze hem zou kunnen zien, zou kunnen spreken. Ze zat bij alle uitgangen, wachtte voor verschillende toegangsdeuren, maar ze zag de parketwachters nooit en hem ook niet.

Na de eerste dag van het proces schoor hij zich niet meer. Hij droeg geen stropdas meer. Het leek wel of het hem niets meer uitmaakte, alsof hij het erbij liet zitten. Ze keken elkaar tijdens elke etappe een paar keer aan, hij draaide zich om en zij probeerde kalm te lijken, alsof ze wist dat het goed zou gaan.

Agnes zat er niet meer, een paar van de journalisten waren ook verdwenen. De beide politiemannen losten elkaar af; ze had met de jongste gesproken, Sundkvist, hij was sympathiek, milder dan politiemensen gewoonlijk waren.

Na afloop van iedere procesdag ging ze terug naar Strängnäs, naar wat hun gemeenschappelijke woning was geweest.

Ze kon 's nachts niet goed slapen.

H ij was uitgestapt bij metrostation Åkeshov en was langzaam door de villawijk gaan wandelen. Hij had zachtjes in zichzelf geneuried, daar was het echt een avond voor, de lucht was warm en de dag lag alweer achter hem. Pas toen Lars Ågestam zijn eigen straat in liep, zag hij het.

De auto viel het meest op, de woorden uit een spuitbus, zwarte letters op de rode lak.

De letters sprongen op hem af, gingen in de aanval.

Pedofielenvriendje.

Kinderverkrachter.

Schijtluis.

Wie is hier de psychopaat?

Op beide portieren. Op het dak, op de motorkap. Iemand had zijn haat erop gespoten en alles kapotgeslagen wat maar kapot kon; de ruiten waren ingeslagen, de koplampen ingedrukt, de spiegels eraf gesloopt.

Hij had in de wasbak van het parket staan overgeven toen hij had gehoord dat de vader zijn terechtstelling ten uitvoer had gebracht.

Toen was het hem al duidelijk.

Zijn huis uit de jaren veertig, met geel stucwerk, dat de hele familie vlak voor de zomer had helpen schilderen.

Nu schreeuwden de woorden het uit over de hele façade, van het keukenraam aan de linkerkant over de voordeur naar het woonkamerraam aan de rechterkant.

Dezelfde zwarte verf. Hetzelfde schrift. Een zin van twee regels, van de fundering tot aan de dakgoot.

Je gaat eraan

Loopjongen

Marina, zijn vrouw, zat in de tuin, een paar meter voor die tekst. Ze had haar ogen dicht, schommelde afwezig op de schommelbank die ze een week geleden op een veiling hadden gekocht.

Het leek wel of ze hoestte van inspanning; ze zei niets toen hij dichterbij kwam, zijn armen om haar heen sloeg.

Na drie procesdagen was datgene gebeurd wat vroeg of laat moest gebeuren.

De vader die de moordenaar van zijn dochter had doodgeschoten en nu levenslang riskeerde, was alomtegenwoordig.

Het schrikbeeld was werkelijkheid geworden, de anonieme burger was in actie gekomen.

H ij kon niet in een huis blijven met graffiti over de hele gevel.

Hij was wakker geworden omdat hij naar het toilet moest en hij kon de slaap niet meer vatten. Hij lag in bed, naakt, Marina had het dekbed over zich heen, hij had het plafond afgespeurd.

Daarbuiten, voor het keukenraam, had zijn auto gestaan, vernield, met verf besmeurd.

Hij was een pedofielenvriendje, een kinderverkrachter, een schijtluis en een psychopaat.

Ze had nog steeds dikke ogen, ze kon hem niet aankijken, ze keek de andere kant op. Hij vroeg of ze bang was en ze schudde van niet. Hij vroeg of het haar griefde en ze schudde van niet. Toen hij zijn armen om haar heen sloeg, draaide ze haar gezicht naar de muur en hij bleef eenzaam achter met de gespoten psychopatentekst en de kapotte auto, en na een tijdje begon zijn ademhaling te racen; zij merkte het wel, maar ze bleef naar de muur kijken. Keer op keer fluisterde hij haar naam, totdat ze zich ten slotte omdraaide. Ze zei 'sorry' en ze sloegen hun armen om elkaar heen, hun huid en hun naaktheid, ze vrijden langer dan anders en daarna lagen ze een hele tijd naast elkaar voordat ze zich weer naar de muur keerde.

Hij stond op en liep naakt door het huis.

Hij keek op de klok. Halfvier.

Hij liep naar de keuken, kookte water en deed er poederkoffie in, schaafde plakjes kaas af voor twee boterhammen, schonk een glas karnemelk en een glas sinaasappelsap in. Hij las de kranten van gisteren, *Dagens Nyheter* en *Svenska Dagbladet* en hij verbaasde zich over de teksten, de foto's, de ruimte die besteed werd aan wat het Pedofielenproces gedoopt was.

Het ging niet. De verontrusting, rusteloosheid en woede draaiden in hem rond en na een halve kop koffie stopte hij met zijn vroege ontbijt, kleedde hij zich aan en pakte zijn aktetas. Hij liep naar de slaapkamer en kuste Marina op haar schouder; toen ze opschrok legde hij uit dat hij wegging om rustig na te kunnen denken terwijl de stad ontwaakte. Ze zei iets wat hij niet verstond en hij verliet haar rug bij de muur en ging naar buiten.

Zeven stappen over het pad van betonplaten op het gazon. Toen draaide hij zich om.

Je gaat eraan

Loopjongen

De letters leken in de ochtendschemering nog groter, nog zwarter. Het was een kinderlijk, lelijk handschrift. Stijf, hoekig, weinig geoefend. Het leek net alsof het geen echte letters waren. Alsof ze er straks af zouden druipen, in kleverige hoopjes in de rozenperken.

Hij liep langs zijn auto. Eén jaar oud. Volledig op afbetaling. Een wrak, vernield, geplunderd, zoals de auto's die hij aan de rand van grote Zuid-Amerikaanse steden had gezien.

Hij moest maar blijven staan totdat iemand hem weghaalde. Totdat de woorden te opdringerig werden.

Hij liep naar de stad. Een wandeling van twee uur door de westelijke voorsteden. De aktetas in zijn hand, zijn jasje over zijn schouder, met enigszins knellende zwarte schoenen. Hij had de tijd om na te denken. Om te proberen het te begrijpen. Waar ging het over? Hij wilde officier worden en hij was officier geworden. Hij had een grote zaak willen hebben en hij had een grote zaak gekregen. Daar hield het op. Hij was er niet rijp voor. Hij was te jong. Hij was niet goed genoeg. Een groot proces betekende aandacht. Met de aandacht kwamen complimenten en dreigementen. Dat wist hij ook wel. Hij had het bij oudere collega's gezien. Waarom schrok hij dan van een paar letters op een auto en op een huis? Waarom had hij geweten, toen ze vrijden dwars door Marina's stilte heen, dat hij op een kritiek punt aanbeland was, dat hij zojuist zijn droom had verloren, dat hij ouder was geworden? Hij zou dit proces doorzetten. Hij zou zich hard maken voor een zo lang mogelijke straf. Verder wist hij het niet. Dat vanzelfsprekende was weg. Het was net of hij er alleen voor stond.

Hij kwam om even na zessen aan bij Scheelegatan in Kungsholmen. Het was doodstil bij het Rådhus, een paar meeuwen waren op zoek naar eten in twee afvalbakken, verder was het uitgestorven. Hij liep naar de grote entree, haalde een sleutel uit zijn aktetas en maakte de deur open. Hij had hier wel vaker nachten en ochtenden in een rechtszaal gezeten. Een bewaker die de ronde deed had hem regelmatig binnengelaten voordat het voor de arrondissementsrechtbank unieke besluit werd genomen om nog een set kopieën van de sleutels te maken, voor de jonge officier die zijn leven in dit oude stenen gebouw sleet.

Hij liep de logge trappen op, helemaal tot aan de veiligheidszaal. Hij ging naar binnen, ging op de plaats zitten die hij over drie uur in zou nemen. Hij sloeg zijn mappen open, legde de documenten klaar die vandaag aan de orde zouden komen. De documenten waar geen plaats meer voor was legde hij op de vloer in de volgorde waarin hij ze zou gebruiken.

Hij werkte drie kwartier. Toen ging de deur open.

'Ågestam.'

Lars Ågestam hoorde de hese stem. Hij haatte die stem. Hij keek niet op van zijn papieren.

'Je vrouw zei dat je hier was. Ik geloof dat ik haar wakker heb gebeld.'

Ewert Grens vroeg niet of hij binnen mocht komen. Zijn manke passen naderden, hij droeg vandaag schoenen met harde zolen, iedere keer als hij zijn rechtervoet neerzette, weerkaatste het geluid door de grote zaal. Hij liep achter Ågestam langs, wierp een haastige blik op de stapel papieren, hij klom op de verhoging en ging op de plaats van de rechter zitten.

'Ik begin meestal ook vroeg. Dan is het heerlijk rustig. Geen idioten die aan je kop zeuren.'

Ågestam ging door met zoeken in de documenten, met het noteren van vragen, constateringen en antwoorden.

'Kun je even ophouden met waar je mee bezig bent? Ik praat tegen je.'

Ågestam keerde zijn gezicht naar hem toe. Hij was ziedend.

'Waarom zou ik? Ik heb niks met je te maken. Net zo min als jij iets met mij te maken wilt hebben.'

'Daar kom ik voor.'

Ewert Grens kuchte. Hij frunnikte aan de houten hamer die voor hem lag.

'Ik heb een beoordelingsfout gemaakt.'

Ågestam stopte midden in een beweging. Hij keek naar de verbitterde, oude man die naar woorden zocht.

'Als ik ongelijk heb, geef ik dat ook toe.'

'Nou, mooi.'

'En ik had ongelijk. Ik had dat geklets van jou serieus moeten nemen.'

Het was even stil in de rechtszaal als buiten, achter de grote, lelijke ramen. Op de vroege ochtend van een warme zomerdag.

'Je had politiebescherming moeten hebben. Die krijg je nu ook. We hebben al een auto voor je huis staan. En een wagen hierbeneden. Die komt eraan.'

Ågestam ging voor het raam staan. Een eenzame agent had net het portier van een auto opengedaan. Hij sloot het en liep naar de lage trap voor de ingang.

Ågestam zuchtte. Hij was plotseling moe, alsof de gemiste slaap van de afgelopen nacht zijn tol kwam eisen.

'Dat is wel wat laat.'

'Het is niet anders.'

'Als jij het zegt.'

Ewert Grens hield de hamer van de rechter vast. Hij zwaaide ermee in het rond, gaf er een daverende klap mee. Hij had gezegd wat hij wilde zeggen, maar maakte nog geen aanstalten om te gaan. Ågestam wachtte totdat hij verder zou praten, maar er kwam niets meer. Die mankepoot zat daar maar, alsof hij ergens op wachtte.

'Was je uitgesproken? Ik ben hier om te werken.'

Ewert smakte. Een irritant geluid.

'Dat vat ik dan maar op als een teken dat je uitgesproken bent.'

'Er is nog iets.'

'O ja?'

'Ik heb zo'n cd-speler gekocht. Die staat op mijn kamer, in de kast, naast de cassetterecorder. Nu kan ik je cd draaien.'

Hij bleef een hele poos zitten, op de stoel van de rechter. Hij zei niets en na een poosje ging Ågestam weer verder met zijn werk. Hij zocht de beste argumenten om aan de juryleden, die bloot-stonden aan druk vanuit de media, duidelijk te maken dat moord met voorbedachten rade als zodanig beoordeeld moet worden, ongeacht de omstandigheden. Hij schreef, streepte door, her-schreef. Grens maakte een stukje verderop zo nu en dan dat irritante smakkende geluid, als om te laten merken dat hij er nog was. Hij zat achterover geleund, met zijn gezicht naar het plafond, en het leek wel of hij ingedut was.

Om halfnegen klonken de eerste stemmen buiten. Het geluid van schreeuwende mensen drong door het dikke vensterglas naar binnen.

Ze liepen beiden naar de raamkant en zetten een venster open. Zachte lucht stroomde hun tegemoet. Ze bogen voorover om naar de lege stoep vier verdiepingen lager te kijken.

Die was niet leeg meer. Ze begonnen allebei te tellen, een schatting te maken, er stonden circa tweehonderd mensen bene-den voor de deur. Een volksmassa in beweging, net een elektrische golfbeweging, een pols, toen ze eerst een paar stappen vooruit deden en de agenten met plastic schilden hen weer net zo ver achteruit dreven. Ze schreeuwden, ze droegen borden met leuzen, ze demonstreerden luidkeels tegen het strafproces dat over dertig minuten verder zou gaan, ze hekelden de maatschappij die ie-mand beschuldigde en wilde straffen die dezelfde maatschappij bescherming had geboden – bescherming die de maatschappij zelf had moeten, maar niet had kunnen bieden.

Ze keken elkaar aan. Ewert Grens schudde zijn hoofd.

'Ze zijn niet goed bij hun hoofd. Wat denken ze te bereiken door daar te staan schreeuwen? Denken ze dat onze jongens dreigende oproerkraaiers binnenlaten?'

Er vloog een steen door de lucht. Die kwam neer naast de politieman die aan het eind van de keten van schilden stond. Lars Ågestam maakte een schrikachtige beweging, hij dacht aan zijn auto, aan zijn huis en aan Marina, die misschien wakker was, er stond een politieauto voor de deur, dat moest voldoende zijn. Hij ontmoette Grens' ogen, voelde zich gedwongen het hardop uit te leggen.

'Ze zijn gewoon bang. Ze zijn bang voor zedendelinquenten, zo bang dat ze hen haten. Als dan een vader zo iemand om het leven brengt, is het vanzelfsprekend dat ze een held van hem maken. Hij heeft immers gedaan wat ze zelf wel wilden doen, maar niet durfden.'

Grens snoof.

'Weet je, ik moet niets van dat uitschot hebben. Ik heb mijn hele leven jacht op ze gemaakt. Maar er is wel verschil tussen de een of de ander. Van deze man hebben ze geen held gemaakt; hij ís een held. Hij heeft immers gedaan wat wij niet konden. Hij heeft hun bescherming gegeven.'

De twaalf agenten voor de deur van het Rådhus kregen versterking. Nog twee busjes met elk zes met schilden uitgeruste agenten reden snel naar de volksoploop.

Ze kwamen abrupt tot stilstand toen twee van de demonstranten zich van de groep losmaakten en er recht op afstapten. De twaalf agenten haastten zich uit de voertuigen, sloten zich bij de anderen aan, maakten de menselijke muur breder.

Langzaam kwamen de oprukkende demonstranten tot bedaren, het roepen werd minder, de situatie veranderde van acuut in afwachtend.

Ågestam trok het raam dicht, het geluid van buiten verdween

helemaal. Hij onderdrukte een impuls om Grens een duw te geven, iets in zijn intonatie, zo belerend als hij aldoor was. In plaats daarvan ging hij door met zijn argumentatie, dezelfde die hij hier in deze zaal straks weer zou gebruiken.

'Hoezo Grens? Ik begrijp niet wat je bedoelt. Wat nou held? Wat nou de burgers beschermen?'

'Door hem voelden ze zich veiliger.'

'Hij is ook een moordenaar. Zijn daad is niet anders dan die van Lund. Hij heeft iemand van het leven beroofd. Wat zij daar beneden als heldenmoed zien, wordt in een normaal proces niet eens als verzachtende omstandigheid beschouwd.'

'Je moet verdorie toch toegeven dat wij hen niet konden beschermen. En hij wel.'

Uit het raam zag hij mensen beneden die hij als gewone mensen zou omschrijven. Ze hadden hun conclusie getrokken. De vader had juist gehandeld. En wat hij nu deed, hem aanklagen, was helemaal fout.

Hij zou net zo moeten zijn als zij. Dat was hij ook. En toch ook weer niet.

'Maar dat geeft Fredrik Steffansson of een andere treurende vader niet het recht over leven en dood te beschikken. Je kent mij niet, Grens. Je weet niet of ik niet ten diepste vind dat hij juist gehandeld heeft, dat hij best die lustmoordenaar voor zijn kop mocht schieten. Daar heb je geen idee van. En ik ga je niet wijzer maken. Al het andere dan een lange gevangenisstraf zou fout zijn. Hij moet boeten. We kunnen de mensen buiten geen andere signalen geven.'

Ågestam ging bij het raam weg. Hij liep naar de stapel papieren op de vloer. Hij raapte de documenten bij elkaar, legde ze op de goede volgorde in twee mappen. Ewert Grens bleef nog even staan, een laatste blik door de ruit op de mensenmassa die begon op te lossen. Hij liep naar de bankjes voor de toeschouwers achter in de zaal, ging op dezelfde plaats zitten waar hij de eerste drie dagen ook had gezeten.

De deur ging open. Een conciërge kwam binnen, achter hem aan de talrijke vertegenwoordigers van de media en de toeschouwers die buiten in de rij hadden gestaan en daarna de verscherpte veiligheidscontrole gepasseerd waren.

Het proces tegen Fredrik Steffansson ging zijn vijfde en laatste dag in.

B engt Söderlund was vroeg wakker geworden. Nog twee weken vakantie. Het was zaak om de dagen goed te benutten. Hij had de laatste week maar een paar uur per nacht geslapen. Als hij actief was, als hij met iets bezig was, dacht hij er nauwelijks aan dat Elisabeth en de kinderen weg waren en dat hij niet eens wist waar ze zaten. Hij had als een bezetene gebeld de eerste dag, naar haar ouders en vriendinnen en collega's van vroeger, maar niemand had haar gezien en als ze haar niet hadden gezien, ging hij niet vertellen waarom hij belde. Ze zouden hem verdorie niet een potje gaan zitten uitlachen.

Ze hadden om halftien afgesproken. Nog een paar minuten. Hij keek uit het raam van de woonkamer. Ze stonden er al. Ove en Helena. Ola Gunnarsson en Klas Rilke. Hij knipte met zijn vingers en Baxter kwam aanrennen uit de keuken. Ze gingen uit.

Het gereedschapsschuurtje was groot, het stond recht tegenover dat van Vieze Göran. Hij zou hen naar binnen zien gaan, hij zou zich afvragen wat ze daar deden, hij zou het kunnen raden en dan zou hij het in zijn broek doen.

Ze groetten elkaar, gaven elkaar allemaal een hand, zoals ze gewend waren, zoals ze het al van kindsbeen af deden. Hij wist niet waarom, zo hoorde het gewoon in Tallbacka.

Hij had twee zaagbokken. Een lange, brede plank bovenaan met aan weerszijden een paar schuin geplaatste poten. Hij tilde een ervan op en zette hem tegen de andere aan, zodat de brede plank dubbel zo lang werd. Ove en Klas Rilke droegen elk een grote plastic zak met lege flessen in hun armen. Veertig stuks. Voor de helft flessen van vijfenzeventig centiliter en voor de helft Ramlösa-flesjes van drieëndertig centiliter. Allemaal glazen flessen. Samen zetten ze ze naast elkaar op de lange zaagbokplank. Ola Gunnarsson haalde intussen het deksel van het grote olievat af, dat achter de grasmaaier in een hoek van de schuur stond. Dat zat tot de rand toe vol met benzine. Hij dompelde er een jerrycan in en er ontstonden grote bellen terwijl die volliep. Hij tilde hem op, er liep benzine langs de zijkant. Helena keek naar hem, wachtte totdat hij klaar was, liep toen naar de eerste wijnfles en hield er een plastic trechter boven. Ola Gunnarsson goot er de benzine doorheen, in de fles, die hij voor de helft vulde. Hij verplaatste de jerrycan en de trechter naar de volgende fles, vulde die tot de helft. Zo gingen ze verder, ze vulden alle veertig flessen op dezelfde manier, met in totaal ruim tien liter benzine. Bengt had intussen een vuil laken uitgespreid, dat hij uit de wasmand had gehaald en dat zolang op een stapel hout had gelegen. Hij haalde zijn zakmes door de stof en sneed er allemaal lappen van dertig bij dertig centimeter uit. Hij rolde ze vervolgens op en stopte in elke fles zo'n opgerolde lap, waarvan hij een stukje uit de hals liet steken, als de knop van een speld. Ze verhuisden toen samen de flessen naar een krat op de vloer, iedere fles dicht naast de volgende zodat ze stevig stonden. In een klein kratje ernaast legden ze tien aanstekers, voor ieder twee, voor het geval er een het niet zou doen.

Het had niet veel tijd gekost, er waren nog een paar ochtend-uren over.

F redrik zat midden in de rechtszaal.
Hij zat met zijn ogen dicht, wilde om zich heen kijken, maar

Lars Ågestam (LÅ): De heer Steffansson heeft gemoord
zonder een spoor van meegevoel of bezorgdheid om het
leven van Bernt Lund. Ik zie geen verzachtende omstandigheden voor zijn daad en eis daarom dat hij wegens moord
wordt veroordeeld tot levenslange gevangenisstraf.

hij kon het niet. Het was de vijfde en laatste dag, hij wilde terug
naar zijn cel en

Kristina Björnsson (KB): Fredrik Steffansson stond voor het
kinderdagverblijf. Zijn daad is te beschouwen als noodweer.
Als hij Bernt Lund namelijk niet had doodgeschoten, zou
deze nog twee vijfjarige meisjes – we weten zelfs welke –
hebben verkracht en vermoord.

in de wastafel plassen, dat was alles.
De hele zaal vol, al die mensen om hem heen, ze maakten dat
hij zich verdomd eenzaam voelde.
Net als de kerst die hij had gevierd toen Agnes net bij hem weg
was, een paar weken voordat hij Micaela had ontmoet. Toen was
hij het contact kwijtgeraakt met de dagen en de tijd en met de
mensen die normale dingen doen en had hij plotseling met een
kerstavond opgezadeld gezeten. Hij had geprobeerd hem van zich
af te zetten, maar hij raakte hem niet kwijt en om vijf uur 's middags, toen de duisternis al ondoordringbaar was, was hij een van
de weinige bars in Stockholm binnengegaan die open waren. Hij
zou de mensen daar nooit vergeten, de gedeelde eenzaamheid
waarvoor ze in elkaar krompen. Hij kon nauwelijks ademhalen
door alle verbittering heen en het werd pas echt ondraaglijk toen

op tv de kerstavond met Karl-Bertil Jonsson begon en het tv-
toestel op de ene hoek van de bar een halfuur lang het middelpunt
was. Het programma ging eigenlijk over henzelf; ze hadden gelachen, het was even een poosje warm geworden en toen was de
avond voorbij, nog een pilsje en een sigaret en iedereen was naar
huis gegaan, naar zijn bedompte flat die nodig moest worden
opgeruimd.

Hij keek om zich heen. Hij stond er weer net zo voor als toen,
tussen vreemden in een omgeving die hij niet begreep, zonder
toekomst, want die was hem afhandig gemaakt. De officier

LÅ: Volgens hoofdstuk 3, paragraaf 1 van het Wetboek van Strafrecht moet degene die iemand anders van het leven berooft
voor moord veroordeeld worden tot tien jaar gevangenisstraf of levenslang.

die levenslang eiste en de advocate

KB: Volgens het 24ste hoofdstuk, paragraaf 1.1 van het Wetboek
van Strafrecht is een daad die uit noodweer wordt begaan
slechts dan als misdaad aan te merken als deze, gelet op de
aard van de schending, het belang van hetgeen geschonden
is alsmede de overige omstandigheden, kennelijk onverdedigbaar is.

die noodweer pleitte en de juryleden die een groot gedeelte van de
tijd helemaal niet leken op te letten, dan de journalisten achter
hem, die dingen schreven en tekenden waarvan hij geen kennis
kon nemen, aangezien het recht om te lezen hem was ontzegd, hij
wist niet wie ze waren of welke werkelijkheid ze vertegenwoordigden; achter hen de toehoorders, de nieuwsgierigen die hij had
leren haten, die zich van pret op de dijen sloegen omdat ze van
dichtbij en in het echt ongelimiteerd konden staren naar de vader-
wiens-dochter-was-vermoord-en-die-toen-zelf-de-moordenaar-
had-doodgeschoten.

LÅ : Fredrik Steffansson liep vier dagen rond met het plan om Bernt Lund te vermoorden. Steffansson had dus lang de tijd om tot bezinning te komen. Steffansson moordde om, zoals hij het zelf zag, een dolle hond uit de maatschappij te verwijderen.

Hij draaide zich zo min mogelijk om, ze loerden op zijn gezicht en interpreteerden zijn gedachten. Een paar keer had hij zich toch omgedraaid, om Micaela aan te kijken, hij had iets willen zeggen, iets willen tonen,

KB : Er is sprake van nood als het leven, de gezondheid, het bezit of een ander door de rechtsorde beschermd belang in gevaar is. Wij zijn van mening dat er sprake was van een duidelijk gevaar voor het leven van twee meisjes en dat de daad van Fredrik Steffansson twee jonge levens heeft gespaard.

maar hij schrok van de zoekende blikken en de snuffelende neuzen en daarom was hij ermee opgehouden iemand te zijn. Hij had urenlang met zijn ogen dicht met zijn rug naar de zaal gezeten en had geweigerd te luisteren. Hij had Marie gezien, in een zak op een brancard in het Gerechtelijk Geneeskundig Laboratorium, haar mooie gezichtje en haar borstkas die weer in elkaar getapet was, haar onderlichaam, dat in stukken gesneden was met een metalen voorwerp, en haar voeten, die helemaal schoon waren en sporen van speeksel droegen, hij had de man horen spreken die tegen hem was, en de vrouw die voor hem was, en hij had antwoord gegeven op hun vragen, maar het was net of het niet echt was, alsof een meisje in een zak op een brancard het enige was waar hij zich druk om kon maken.

D e zomer liep langzaam ten einde. De warmte die week na week had geregeerd, loste op, er kwam koelere lucht voor in de plaats en het was alsof het nooit warm was geweest, alsof het plotseling moeilijk was je te herinneren wat eerst allesoverheersend was geweest. Toen de regenbuien ook nog veranderden in aanhoudende neerslag en deze en gene zich beklaagde over wat zojuist nog onmogelijk had geleken – ze hadden het koud, het vocht kroop onder hun bruinverbrande huid, een korte broek en een hemdje werden weer verruild voor een lange broek en een jasje – brachten de avondbladen één dag ander nieuws op hun voorpagina's; het proces tegen de vader die de pedofiel had doodgeschoten werd verdrongen door oudere Duitse mannen die aan de hand van vissenbuiken een regenachtige herfst en een lange, koude winter voorspelden.

Charlotte van Balvas kon opgelucht ademhalen. Ze had op de regen en de kou gewacht, op de gelegenheid om rustig door de straten van Stockholm te lopen en flink nat te krijgen, om niet bij iedere stap te hoeven zweten, om haar ogen niet dicht te hoeven knijpen tegen de oppermachtige zon. Straks zou bleek weer normaal worden gevonden. Haar lichte huid werd knalrood als die aan de zon werd blootgesteld en ze was elke dag langer dan nodig in de rechtszaal gebleven, had zich daarna verstopt in restaurants en bibliotheken en had zitten wachten totdat ze de straat weer op zou kunnen, net als iedereen, net als de gelukkige mensen.

Ze was zesenveertig en ze was bang.

Ze had gezien wat de officier, Ågestam, was overkomen, dat hij was bedreigd, dat zijn huis het doelwit van vandalen was geworden omdat hij de maatschappij vertegenwoordigde en deed wat hij moest doen: levenslang eisen voor moord met voorbedachten rade. Zij was als rechter gekoppeld aan een stelletje clowns, juryleden die geïnstalleerd waren na jarenlange trouwe politieke dienst; ze zou hen zo meteen weer zien in een vergaderzaal achter de rechtszaal en ze moest hen ervan overtuigen dat de vader volgens de wet, die ze gehouden waren na te leven, schuldig was aan moord en daarom een lange gevangenisstraf moest krijgen.

Ze had geen keus.

Ze was de maatschappij, en in de maatschappij was geen plaats voor lynchende meutes die voor eigen rechter speelden.

Ze liep over het Kungsholmsplein en naderde het Rådhus. Ze keek de mensen aan die ze tegenkwam, ze liepen kromgebogen onder paraplu's. Ze vroeg zich af wat ze dachten. Of zij de schoten gelost zouden hebben als ze voor de keus stonden. Of zij van mening waren dat de ene mens meer recht op leven had dan de andere. Ze vroeg zich af of ze haar herkenden. In bijna alle kranten hadden grote foto's van haar en van de juryleden gestaan.

Zij beslissen in het pedofielenproces.

Zij bepalen of het juist was om te doden.

Zij kunnen de doodstraf in Zweden invoeren.

Ze had de kranten gekocht, ze had de koppen gezien, maar ze had niet verder gelezen.

Ze zag de vader voor zich. Ze had vijf dagen lang zijn gezicht bestudeerd, zo broos, zo aangeslagen, hij had geprobeerd zich niets aan te trekken van de aasgieren op de publieke tribune en daarom had hij star voor zich uit zitten kijken. Wat ze zag had haar wel aangestaan. Ze had zelfs 's avonds een boek van hem gelezen. Ze begreep dat het echt zo was, dat hij het Lund echt had willen beletten om nog twee meisjes te misbruiken. Ze begreep ook dat hij daarom had geschoten. Jezus, ze wilde dat breekbare gezicht wel strelen, ze zou zich wel voor hem uit willen kleden; hij boezemde geen angst in, hij was ook niet uit geweest op wraak, ze geloofde hem als hij zei dat hij zijn dochters moordenaar had doodgeschoten opdat andere ouders niet hetzelfde zouden hoeven doormaken.

Een van de juryleden had haar gevraagd hoe ze had geredeneerd als het haar eigen kind was geweest dat hij had gered. Als zij in de buurt van dat kinderdagverblijf in Enköping had gewoond.

Ze had geen kinderen.

Maar ze was slim genoeg om te begrijpen dat ze er dan misschien anders over had gedacht.

Ze wist het niet. Ze had hem geen antwoord gegeven.

Ze zag het Rådhus, ze was er vlakbij.

Op dat moment begon het harder te regenen. Grote druppels die al snel grote plassen vormden. Regen en onweer.

Ze bleef staan. Haar kleren raakten doorweekt.

Ze werd kalmer toen het water over haar wangen liep, in haar hals, het gaf haar de moed en de kracht die ze nodig had om het hele eind te lopen naar de beraadslagingen waarbij ze straks zou proberen de overige leden van de rechtbank zo te beïnvloeden dat ze unaniem een vader in de rouw tot levenslang zouden veroordelen.

B uiten regende het. Hij stond voor het getraliede raam, zocht naar de oorzaak van dat irritante getik. Er was een stuk van de metalen raamdorpel losgeraakt. Hij zag koperkleurig metaal, hij zag de regendruppels ertegenaan tikken, het deed zeer; telkens als het metaal schreeuwde, trok er iets in zijn ingewanden. Hij ging op bed liggen, het smerige plafond, de kale wanden en de dichte deur met het gesloten luikje; hij probeerde zijn ogen dicht te doen, weg te vluchten, maar hij had de laatste dagen zoveel geslapen dat hij niet langer in een halfslaap kon verdwijnen, het lukte niet om meer uren te verslapen.

Hij zat nu al drie weken in hechtenis.

De bewaarders lachten hem uit als hij klaagde, legden uit dat Zweden tot de landen met het langste voorarrest behoorde en dat zijn zaak in ieder geval al voorgekomen was.

Sommigen zaten maanden of zelfs jaren in voorarrest voordat er een proces en een uitspraak kwamen.

Hij had geluk gehad, zeiden ze, dat hij de nationale pedofiel neergeschoten had en in de spotlights van de media terechtgekomen was, die onderzochten en eisten en versnelden. Hij had geen flauw idee van het eigenaardige wachten zonder vastgestelde einddatum, dat mensen ertoe bracht om 's nachts zelfmoord te plegen.

Er kwam iemand aan.

Hij rekende het snel uit, het zou nog een uur moeten duren tot de lunch. Hij keek naar de deur. Er stond iemand achter.

Ogen door het luikje.

'Fredrik?'

'Ja?'

'Bezoek voor je.'

Hij ging rechtop op het bed zitten, streek met zijn vingers door zijn haar, het was voor het eerst in dagen dat hij erover nadacht hoe zijn haar zat. De deur ging open.

Een dominee en een advocate. Rebecka en Kristina Björnsson. Ze kwamen tegelijkertijd de deur binnen. Het leek wel of ze straalden.

'Hallo.'

Hij kon niets terugzeggen.

'Het regent buiten.'

Hij zweeg. Dit waren mensen die hij graag mocht, hij zou hen tegemoet moeten komen, maar daar had hij de kracht niet meer voor, hij wilde niet converseren. Ze bedoelden het goed, maar dit was zijn kamertje, zelfs de tl-buis die alles nog lelijker maakte was van hem, meer had hij op dit moment niet in het leven.

'Wat komen jullie doen?'

'Het is een mooie dag.'

'Ik ben gewoon moe. Dat vreselijke getik.'

Hij wees naar het raam.

'Horen jullie het?'

Ze luisterden even en knikten bevestigend. Rebecka frunnikte even aan de bef van haar toga, stak toen haar hand uit en legde die op zijn schouder.

'Fredrik, nu moet je even goed luisteren. Kristina heeft goed nieuws.'

Ze keerde zich naar Kristina Björnsson, die naast hem op bed ging zitten met haar ronde lichaam en haar kalme stem.

'Het zit namelijk zo, Fredrik, je bent vrij.'

Hij hoorde haar. Hij zei niets.

'Begrijp je het? Vrij. Ze hebben je zojuist vrijgesproken. De rechtbank was niet eenstemmig, maar de conclusie was dat je uitsluitend uit noodweer hebt gehandeld.'

Hij kon zich niet druk maken om haar woorden.

'Je mag hier weg, trek dat flodderige geval uit dat je aanhebt. Vanavond gaat de deur alleen op slot als jij dat wilt.'

Hij stond weer op, ging voor het raam staan, waar de regen nog harder op de raamdorpel kletterde. Er naderde onweer.

'Ik weet het niet.'

'Wat zeg je?'

'Ik weet niet of het wat uitmaakt.'

'Of wat iets uitmaakt?'

'Ik blijf net zo lief hier.'

Hij moest om de een of andere reden aan zijn diensttijd denken. Wat had hij een hekel gehad aan militaire dienst; hij had de minuten geteld, totdat het op een dag opeens voorbij was en hij leeg en stil door de open poort naar buiten ging. Weg waren alle vreugde, verlangen en verwachting waardoor hij had kunnen overleven; ze waren niet meer nodig. Zo was het nu ook weer.

'Ik denk niet dat jullie het begrijpen. Ik ben passé.'

Rebecka en Kristina Björnsson keken elkaar aan.

'Nee, dat begrijpen we inderdaad niet.'

Hij wilde het eigenlijk niet uitleggen, maar ze verdienden het dat hij het hun probeerde duidelijk te maken.

'Ik besta niet meer. Ik heb niets. Ik had een kind. Ze is er niet meer. Haar onderlichaam is kapotgesneden door iemand die al eerder kinderen kapotgesneden had. Ik had een mensbeeld. Dat bestaat niet meer. Ik dacht dat het leven onaantastbaar was, totdat ik iemand doodschoot. Ik weet het niet. Ik weet het verdorie niet. Als je je leven verliest, wat blijft er dan over?'

Ze bleven op zijn bed zitten wachten terwijl hij zich verkleedde, zich klaarmaakte voor een andere wereld.

Hij hoorde niet meer bij degenen die opgesloten zaten.

Hij knikte naar de bewaarder met de starende blik, bleef op weg naar buiten even staan in de gang, haalde koffie in een plastic bekertje uit de automaat, die zacht jammerde, liep bij de ingang pal langs de journalisten, er stonden er wel een stuk of twintig bij elkaar, het was net als in de rechtszaal, ze wilden een stuk van zijn gezicht. Hij zei niets, liet niets blijken, hij omhelsde Rebecka en Kristina Björnsson op het trottoir en stapte toen in de gereed-staande taxi.

B engt Söderlund rende zo snel als hij kon door Tallbacka. Hij spurtte zijn huis uit, zijn heup deed pijn en het was of hij bloed proefde, net als toen hij als kind had meegedaan aan het schoolkampioenschap crosscountry en had gewonnen, niet omdat hij de sterkste of best getrainde was, maar omdat hij vastbesloten was om te winnen. Nu holde hij weer. Het was of hij niet snel genoeg vooruit kon komen, alsof hij elke seconde moest benutten. Van een afstand zag hij het huis van Ove en Helena, ze waren thuis, hun auto stond op het garagepad en in de keuken brandde licht. Hij snelde de trap op, belde niet aan, maar stapte de gang binnen, zwaaide met het papier dat hij in zijn hand had en riep naar de woonkamer.

'Potverdorie, mensen. Potverdorie, mensen!'

Helena zat naakt in een leunstoel te lezen. Ze keek verschrikt naar de man die bij haar in de gang stond te schreeuwen. Hij had haar nooit eerder naakt gezien, als dat wel het geval was geweest, had hij geweten dat ze mooi was; nu zag hij haar niet, hij zag haar, maar ook weer niet, hij kon niet blijven staan, hij kon niet stilstaan, hij liep met zijn schoenen nog aan de woonkamer in en drentelde om haar heen, zwaaide met het vel papier en probeerde uit het raam te kijken om te zien of Ove in de tuin was, of hij überhaupt thuis was.

'Waar is hij?'

'Wat is er?'

'Waar is hij?'

'In de kelder, aan het douchen.'

'Ik haal hem op.'

'Hij komt zo.'

'Ik ga hem halen.'

Hij deed de deur naar de kelder open en stampte onhandig en luidruchtig de hoge treden af. Hij wist waar de douche was, hij had er een paar jaar terug meermalen gebruik van gemaakt, toen ze aan het verbouwen waren. Elisabeth wilde een grotere badkamer, hij had een kast uitgebroken en ze had een zaal van een badkamer gekregen. Hij deed de volgende deur open, liep naar het gordijn, grote vogels op een blauw fond, en trok de stukken plastic vaneen. Ove struikelde haast en dook in elkaar totdat hij zag wie het was.

'Hier. Hier is het! Potverdorie, man!'

Ove draaide de douchekraan dicht, droogde zich haastig af en liep met de handdoek om zijn middel gewikkeld de keldertrap op, vlak achter Bengt aan, die het papier in de lucht hield, alsof hij een eerste prijs toonde aan het publiek dat hem zou bejubelen. Snelle stappen door de gang en weer de woonkamer binnen. Helena zat er nog, zwijgend, ze droeg nu een ochtendjas.

'Begrijpen jullie het? Begrijpen jullie het?'

Hij legde het papier op tafel, vouwde het uit. Ove en Helena kwamen dichterbij staan, wendden hun gezicht naar zijn handen om het te kunnen zien.

'Dit heb ik van het net gehaald, van de website van het persbureau. Twintig minuten geleden binnengekomen. Negentien, om precies te zijn. Kijk maar, elf uur nul nul.'

Ove en Helena lazen het. Twee bladzijden tekst. Bengt wachtte vol ongeduld, stond op en ijsbeerde door de kamer.

'Hebben jullie het gelezen? Snappen jullie het? Ze hebben hem vrijgesproken! Noodweer! Hij heeft die smerige pedofiel doodgeschoten en het leven van kleine meisjes gered en de rechtbank heeft geconcludeerd dat er sprake was van noodweer! Hij is naar huis! Hij zit al thuis aan de borrel! Vier stemmen tegen één; de rechter heeft zich als enige onthouden van stemming, de anderen twijfelden niet!'

Ove las weer verder, Helena leunde achterover in de stoel, met geheven handen. Bengt boog voorover om haar te zoenen en gaf daarna Ove een klap op zijn rug.

'Nu is het zover! Hij moet nu weg! Dat is verdorie ons recht! Hij moet weg, het is noodweer, nu is het godsamme noodweer!'

Ze wachtten totdat het donker werd. Ze hadden de hele middag bij Bengt thuis gezeten, ze hadden niet zoveel gezegd, alleen de tijd maar doorgebracht samen, ze wisten wat ze gingen doen. Nog een kop koffie, een broodje om erin te dopen, toen was het halfelf en de duisternis was ingevallen; het was niet aardedonker buiten, maar wel zo donker dat je de gezichten van de mensen niet kon zien.

Ze gingen in de tuin staan. Bengt, Ove, Helena, Ola Gunnarson en Klas Rilke. Ze lieten hun ogen wennen aan het contourloze duister. Het was stil buiten. In Tallbacka was het altijd stil bij het vallen van de nacht. Achter veel ramen was het licht al uit, de dagen begonnen en eindigden hier vroeg. Bengt vroeg de anderen of ze even wilden wachten, hij ging het huis weer in, liep naar de keuken, knipte met zijn vingers en voelde Baxters tong tegen zijn hand, hij aaide hem even voordat ze naar buiten gingen om zich bij de anderen te voegen. Toen liepen ze achter elkaar aan naar het schuurtje, ze maakten het hangslot open, haalden de beide kratten eruit, eerst het krat waarin twintig wijnflessen van vijfenzeventig centiliter en twintig Ramlösa-flesjes van drieëndertig centiliter dicht op elkaar stonden, allemaal tot de helft gevuld met benzine en met een stuk stof in de hals gepropt, daarna het kleintje dat ernaast stond, met tien aanstekers. Ove en Klas Rilke droegen samen de krat met flessen, Ola Gunnarsson nam de aanstekers mee, hij hield er zelf twee en gaf de anderen er ook ieder twee.

Nog een paar meter. In het huis ernaast brandde overal licht. Ze bleven een paar minuten verdekt opgesteld staan, ze zagen hem binnen rondlopen, van de keuken naar de woonkamer, van de woonkamer naar het toilet. Toen de lamp op het toilet aan was gegaan, gaf Bengt een teken aan Baxter dat hij moest blijven zitten, hij deed een paar stappen naar voren en begon in de paal voor zich te klimmen. Hij was lenig, het ging snel, hij kwam tot bovenin en hield zich daar vast, haalde een tang uit een zak aan de zijkant van zijn timmermansbroek en kneep ermee om de telefoondraad totdat het contact verbroken was. De lamp in de badkamer was nog aan, de eigenaar van het huis stond nog bij de wastafel. Bengt liet zich naar beneden glijden, zijn handen gloeiden, hij ging verder naar de volgende paal, opende met een steeksleutel het kastje dat op een meter hoogte zat. Hij had zelf precies zo'n kastje, hij wist waar de hoofdschakelaar zat.

Het werd helemaal donker in het huis.

Ze wachtten.

Het duurde langer dan ze hadden gedacht. Eerst werden er een paar kaarsen aangestoken, hij zette er in elke kamer een neer. Toen de zaklamp, waarvan het schijnsel langs de muren fladderde.

Nog enkele seconden.

De zaklamp naderde de hal, de voordeur.

Bengt hield Baxter bij zijn halsband vast. De hond wist dat het zover was. Dat hij moest aanvallen. Dat de baas straks het commando zou geven.

'Baxter! Pak ze.'

De zaklamp achter de deur. Die ging open.

Op het moment dat Vieze Göran naar buiten kwam, liet Bengt Baxter los. De hond rende met luid geblaf over het gras. Vieze Göran zag het gevaar bijna te laat. Hij keerde om, rukte de deur weer open toen de hond al bij de trap naar de voordeur was, knalde hem dicht op het moment dat het beest wilde springen.

'Blijf, Baxter.'

De hond hield op met blaffen, ging voor de deur zitten, gereed voor de aanval.

Bengt probeerde door de ramen de schaduw te volgen die door het huis rende, hij ving er meermalen een glimp van op, hij was er vrij zeker van dat Vieze Göran in de keuken gebleven was. Hij schreeuwde die kant op.

'Ben je geschrokken, Göran? Van de duisternis en de kou? Wij zullen je wel helpen, Göran. Je krijgt weer licht en warmte.'

Hij wees naar Ove, Ola en Klas, die snel naar het schuurtje

gingen, waarvan de deur openstond. Ze gingen naar binnen, naar het olievat met benzine. Dat was zwaar, ze tilden het met vereende krachten op, droegen het naar het grasveld, legden het neer en rolden het naar het huis van Vieze Göran. Ove tikte met een schroevendraaier het deksel eraf en ze tilden het vat weer op, net zover dat de benzine eruit liep. Ze droegen het vat om het huis heen, goten het leeg, benzine in de bloemperken en op het grindpad.

Helena had intussen de flessen gepakt en ze over hen vijven verdeeld. Ze pakten ieder een fles en hielden in hun andere hand een aansteker. Ze staken zwijgend de stukken stof aan van de benzinebommen die spoedig zouden exploderen. Op een teken van Bengt gooiden ze allemaal tegelijk: vijf brandende flessen in het donker.

Ze troffen verschillende delen van het huis, maar het was net of het één grote ontploffing was.

Opnieuw gooiden ze, allemaal tegelijk, nieuwe voltreffers. Een voor een, ieder acht flessen. Het huis stond al in brand, het vuur kwam van meer kanten tegelijk.

Bengt haalde een stuk papier uit dezelfde zak waar hij zojuist de tang uit had gehaald. Terwijl het huis voor hen in lichterlaaie stond, begon hij hardop te lezen. Hij las de uitspraak van de rechtbank over Fredrik Steffansson voor. Hij las over een vader die de moordenaar van zijn dochter had doodgeschoten, die een pedofiel belet had zich aan meer kinderen te vergrijpen, die vrijgesproken was, aangezien zijn daad in dienst van de samenleving te beschouwen was als noodweer.

Toen hij klaar was ging het keukenraam open.

Vieze Göran liet zich met een gil naar buiten vallen.

Hij kwam met een zware plof neer en bleef liggen. Het schoot door Bengt heen dat Elisabeth hier naast hem had moeten staan. Als ze dit had gezien, zou ze het wel begrepen hebben.

Hij zag dat Vieze Göran weer in beweging kwam en hij riep Baxter, die nog voor de voordeur op wacht zat. De hond rende de trap af, naar de man die overeind wilde komen, wierp zich boven op hem en begon met zijn kaken de arm kapot te rukken waarmee hij zich probeerde te beschermen.

IV

(een zomer)

I n Tallbacka stond de boel al in brand op de dag dat het vonnis bekend werd. De aanslag op de veertiger die twintig jaar geleden al zijn kleren uitgetrokken had op een schoolplein en daarvoor tot een geldboete was veroordeeld, was een van de negen gewelddaden in Zweden die week die voortkwamen uit beschuldigingen van pedofilie en uitgevoerd werden onder het mom van noodweer. Drie van de slachtoffers die werden overvallen en bruut mishandeld door plaatselijke lynchbendes kwamen te overlijden.

De ondervrager (ov): Ik begin het verhoor.

Bengt Söderlund (bs): Doe dat.

ov: Deze keer betreft het verhoor de gebeurtenissen nadat jullie de benzinebommen hadden gegooid.

bs: O.

ov: Je houding staat me niet aan.

bs: Wat dan?

ov: Je sarcasme.

bs: Als je mijn antwoorden niet wilt, heb ik er niets op tegen om te gaan.

ov: We kunnen eindeloos doorgaan. Als je antwoord geeft op mijn vragen hoeft het iets minder lang te duren.

bs: Als jij het zegt.

ov: Wat gebeurde er nadat jullie de laatste fles hadden gegooid?

bs: Toen stond het huis in brand.

ov: Wat deed jij?

bs: Ik ging lezen.

ov: Wat ging je lezen?

bs: Een vonnis.

ov: Nu even serieus, verdorie!

bs: Ik ging een vonnis lezen.

ov: Wat voor vonnis?

BS: Dat van die vader uit Strängnäs. Die de pedofiel heeft doodgeschoten die zijn dochter had vermoord. Het was zijn vonnis.

OV: Waarom?

BS: De maatschappij keurde het immers goed dat hij ging schieten? Snap je? Die rotzakken moeten weg.

OV: Wat deed je daarna? Toen je klaar was met lezen?

BS: Ik zag Vieze Göran springen.

OV: Waar?

BS: Uit het raam. Uit het keukenraam.

OV: Wat deed je toen?

BS: Ik liet Baxter op hem los.

OV: Je liet Baxter op hem los?

BS: Ja.

OV: Waarom?

BS: Hij wilde weg, hij wilde overeind komen.

OV: En toen liet je je hond op hem los?

BS: Ja.

OV: Wat deed de hond?

BS: Hij beet die kerel.

OV: Hoezo beet?

BS: In zijn armen, zijn bovenbenen. Een paar flinke knauwen in zijn gezicht.

OV: In zijn hals?

BS: Daar ook, ja.

OV: Hoe lang was hij aan het bijten?

BS: Totdat ik hem terugriep.

OV: Hoe lang?

BS: Twee, drie minuten.

OV: Twee, drie minuten?

BS: Zeg maar drie. Het zal wel drie minuten geweest zijn.

OV: En toen?

BS: Gingen we weg.

OV: Jullie gingen weg?

BS: Ja.

OV: Waarheen?

BS: Naar huis. Ik heb de brandweer gebeld. Het vuur ging zo tekeer, ik wilde niet dat het zich zou verspreiden. Ik woon er immers vlakbij.

Behalve Vieze Göran in Tallbacka, die bezweek aan de gevolgen van een hondenbeet in zijn hals, werd een man in Umeå, die tweemaal was veroordeeld wegens zedendelicten, met een ijzeren pijp doodgeslagen door vier jongens toen hij langs een speelplaatsje even buiten de stad liep.

De ondervrager (OV): Ik ga het nu weer opnemen.

Ilrian Raistrovic (IR): Mij best.

OV: Gaat het nu beter?

IR: Ik had even een pauze nodig.

OV: We gaan verder.

IR: Tuurlijk, vooruit maar.

OV: Jij hebt de meeste klappen uitgedeeld?

IR: Dat weet ik niet.

OV: Dat zeggen de anderen.

IR: Dan zal het wel zo zijn.

OV: Waarom heb je geslagen?

IR: Het was een pedofiel, verdorie.

OV: Pedofiel?

IR: Hij zat aan de borsten van kleine meisjes te frummelen en zo. De vriendinnetjes van zijn kinderen. Verdorie, je snapt het wel.

OV: Hoe sloeg je?

IR: Ik sloeg gewoon. Op hem.

OV: Hoeveel klappen?

IR: Weet ik niet.

OV: Doe eens een schatting.

IR: Iets van twintig. Of dertig.

OV: Totdat hij doodging.
IR: Ik denk het.

En in Stockholm twee dagen later misschien wel het bruutste geval: een alcoholist die midden op de dag ingesloten werd door een groep jonge, schreeuwende mannen met honkbalknuppels.

De ondervrager (OV): Waar zat jij?
Roger Karlsson (RK): Op het andere bankje.
OV: Wat deed je daar?
RK: Ik hield hem in de gaten. Ik ken hem. Hij was altijd bezig.
OV: Bezig?
RK: Tegen meisjes. Kleine meisjes.
OV: Wat deed hij?
RK: Hij schreeuwde naar ze. Naar drie meisjes. Hij schreeuwde dat ze hoeren waren.
OV: Hij schreeuwde 'hoeren'?
RK: Hij probeerde hen ook in de kont te knijpen toen ze langsliepen.
OV: Deed hij dat?
RK: Hij is zo godvergeten traag. Maar hij probeerde het wel.
OV: Wat deed jij?
RK: Ze holden weg. Hij maakte hen aan het schrikken. Hij maakt hen altijd aan het schrikken.
OV: Wat deed jij toen?
RK: Ik ging op hem af.
OV: Hoe?
RK: Met de knuppel. In zijn buik. Toen op zijn kop.
OV: Jij alleen?
RK: De anderen kwamen er ook bij.
OV: De anderen?
RK: Er waren er meer. Die hadden staan wachten.
OV: Iedereen had een wapen?
RK: Iedereen had een knuppel.

ov: En toen je hem had geslagen?

rk: Hij schreeuwde iets. 'Waarom doe je dit', geloof ik.

ov: Wat deed je toen?

rk: Ik schreeuwde ook. Dat hij een viezerik was.

ov: En toen?

rk: Toen sloegen we hem. Met zijn allen tegelijk. Het duurde niet lang.

ov: Wanneer stierf hij?

rk: Ik had ook een hamer bij me. Die heb ik gebruikt.

ov: Wanneer heb je die gebruikt?

rk: Daarna. Om het zeker te weten.

ov: Dat hij dood was?

rk: Ja. Dolle honden moet je afmaken. Daar bestaat jurisprudentie over.

Naderhand was de identiteit van de man moeilijk vast te stellen. Twee wijkagenten kwamen aan de hand van zijn kleren tot de veronderstelling dat het Gurra B. was, een plaatselijke bekendheid die al dertig jaar lang met enige regelmaat dronken op een bankje in het Vasapark zat en alle voorbijgangers schunnige woorden nariep.

Z odra ze de voordeur dicht hadden gedaan, hadden ze zich uitgekleed. Ze hadden lang gevreeën, ze hadden elkaars lichamen vastgehouden totdat ze glad en plakkerig waren geworden van de hitte en ze hadden elkaar vierentwintig uur niet meer losgelaten. Het was net of er ieder moment iemand binnen kon stappen die hun hun nabijheid af kwam pakken, alsof huid tegen huid niet alleen een veilig gevoel gaf, maar een voorwaarde was om te overleven. Fredrik had nooit eerder op die manier een vrouw vastgehouden, haar zo nodig gehad, een ander mens zo nodig gehad. Hij had aan haar geroken, haar gestreeld, zijn penis in haar gebracht, maar het leek wel of dat niet genoeg was, hij had nog dichterbij willen komen, hij had haar een paar keer gebeten, in haar achterwerk, haar dij, haar schouder, ze had gelachen, maar hij was ernstig, hij wilde haar, in hem.

Hij was de hele week de deur niet uit geweest. De journalisten stonden beneden te wachten met hun vragen, hun camera's en hun glimlach, hij bleef binnen wachten totdat ze op een dag zouden verdwijnen. Micaela was twee keer boodschappen gaan halen, ze waren niet van haar zijde geweken, ze hadden haar gevolgd van het hek langs Storgatan naar de ICA van Bengtsson, ze waren achter haar aan door de winkel gelopen, ze hadden gevraagd hoe het met hem ging, ze had zich net zo stil gehouden als ze hadden afgesproken, iemand had haar iets nageroepen toen ze de voordeur weer dichtdeed.

Hij meed de kamer van Marie. Ze was er wel, dat wel, maar niet daar, niet echt; de kamer die hij nooit zou verdringen, eiste hem helemaal op en daar had hij gewoon geen zin in. Hij wist dat ze vroeg of laat moesten verhuizen. Als er nog verder leven mogelijk was, dan in ieder geval niet hier, in de resten van dat andere.

Hij was vrij, maar zat nog steeds opgesloten. Hij las geen kranten, dat kon hij niet, keek geen tv, er was een meisje vermoord en haar vader had de moordenaar doodgeschoten, dat was alles wat hem betrof, hij kon niet begrijpen dat er weken later nog over geschreven moest worden, dat er nog steeds belangstelling voor bestond bij het publiek. Hij had een leven gehad, nu had hij praktisch geen leven meer en het beetje dat er nog van over was, pakten ze hem af, maakten ze openbaar.

Hij had Micaela ook de tweede dag stevig vastgehouden. Ze hadden keer op keer de liefde met elkaar bedreven, met alle energie, verdriet, troost, schuld en angst; de laatste keren hadden ze de daad mechanisch uitgevoerd, hadden ze op die punten geduwd waarvan ze wisten dat ze erop moesten drukken om zo snel mogelijk een orgasme te bewerkstelligen. Ze konden elkaar niet aankijken, niet voelen, vanwege de spanningen en de onrust, en ten slotte huilden ze allebei, terwijl ze met gebogen hoofd zijn penis volgden, die langzaam haar vagina binnenging, ze hadden geen kracht meer, ze zouden het niet nog een keer hebben gekund. Ze wisten dat de verstikkende angst er nog was en weer de kop op zou steken zodra ze klaar waren.

De derde dag was hij gaan drinken. Hij had lang gepland dat hij zo dood wilde gaan als het zover was, als zijn lichaam zo zwak was geworden dat hij wist dat het zijn tijd was. Hij was ervan overtuigd dat het dan makkelijker zou worden om te sterven. Nu had hij het geprobeerd en zeker, de alcohol bracht verlamming, hij hield de dag even op afstand, maar de angst was gebleven en had zijn tol geëist, die afgrijselijke eenzaamheid.

Sindsdien bleef hij het grootste gedeelte van de tijd in bed liggen. Drie dagen had hij niet kunnen slapen, hij had haar lichaam aldoor stevig vastgegrepen, maar hij kon niet vrijen, hij wilde bijna naar de fles grijpen, maar hij kon niet drinken, hij kon niet eens eten. Micaela had herhaalde malen gezegd dat ze een arts in moesten schakelen, er was Fredrik al eerder crisishulp aangeboden, maar hij had ervoor bedankt en nu bedankte hij er weer voor.

Waarschijnlijk reageerde hij daarom nauwelijks toen Kristina Björnsson 's avonds belde. Het was halftwaalf en ze keken elkaar aan en dachten: journalisten, maar namen uiteindelijk toch maar op.

Zodra het tot Micaela doordrong begon ze hysterisch te protesteren en Kristina scheen iets troostends van juridische aard te willen zeggen, maar hij kon zich niet verplaatsen in hun gevoelens, helemaal niet, er was hier immers niets.

Het bericht dat de officier van justitie in beroep was gegaan tegen de uitspraak van de rechtbank en daarom had besloten dat hij de volgende dag opnieuw inbewaringstelling zou vorderen, was zelfs bijna een bevrijding.

Ze zouden zijn dagelijks leven weer van hem afpakken.

Ze zouden de uren tot een proces maken, iets wat buiten hem om ging en daarom niet echt was, maar hem toch dwong om mee te doen, waardoor hij dat andere niet zag, wat wel echt was, wat hij bij zich droeg, nu en altijd.

Hij beëindigde het gesprek en ging op bed liggen. Hij kuste haar langdurig, hij zou proberen nog eens met haar te vrijen.

H et was een zwarte auto, het waren altijd zwarte auto's, met extra zijspiegels en ruiten waar je van buitenaf niet doorheen kon kijken. Daarmee was hij 's ochtends vroeg opgehaald door drie politiemannen van wie hij er twee al kende: de manke en de correcte. De derde, een lange jongeman, zat achter het stuur. Ze waren alledrie aan de deur gekomen, in burger, ze hadden niet veel gezegd, ze hadden hem rustig de tijd gegeven om Micaela te omhelzen. Ze waren in stilte door Strängnäs gereden, hij had op de achterbank gezeten naast Grens, de manke. In een minuut reden ze naar de E20, waar ze beduidend sneller gingen rijden. Een tweede zwarte auto was achter hen komen rijden en een motoragent reed voor hen uit.

Grens had zijn collega's voorin gevraagd het geluid van de mobilofoon wat zachter te zetten en de cd die hij in zijn hand hield in de cd-speler van de auto te stoppen. De correcte, Sundkvist, had gevraagd of dat nou op de terugweg ook nodig was en Grens had iets gebromd, duidelijk geïrriteerd, hij had gemopperd totdat de lange jongeman 'geef hier dat ding' had gezegd en hem had aangezet.

Siw Malmkwist, Fredrik wist het zeker.

Je praatjes over auto's en een echte nerts
Klonken mooi, maar het was maar scherts

Grens sloot zijn ogen, hij wiegde langzaam heen en weer met zijn lichaam. Fredrik huiverde. De tekst was onverteerbaar, en dan haar kittige stem, die paste in de periode eind jaren vijftig, begin jaren zestig, de tijd dat het naïeve Zweden nog bestond, dat nog vol verwachting en in opkomst was. Zo was het niet geweest, hij was toen nog klein, dat wel, maar hij herinnerde zich de klappen van zijn vader en de Camel-sigaretten die zijn moeder rookte terwijl ze de andere kant op keek; de wereld van Siw Malmkwist bestond toen net zo min als nu, dat was romantisering en vlucht en hij wilde de politieman met de gesloten ogen bijna vragen waar hij voor op de vlucht was, waarom hij iets weigerde los te laten wat toen, lang geleden, ook al niet had bestaan, waar hij eigenlijk al die tijd verstopt gezeten had.

Ze zong de hele weg. Vijftig minuten naar het huis van bewaring in Kronoberg.

Grens deed zijn ogen niet eenmaal open. De twee voorin staarden voor zich uit, ze waren ergens anders.

Ze zagen hen zodra ze Bergsgatan in draaiden.

Nog meer dan de vorige keer.

In plaats van de tweehonderd betogers van toen waren het er nu vijfhonderd.

Ze stonden met hun gezicht naar het huis van bewaring, ze riepen in koor, ze zwaaiden met borden met opschriften, ze spuugden, hoonden, wierpen af en toe grote stenen naar de ingang. Het duurde enkele seconden voordat een van hen de naderende motor en de twee zwarte personenwagens ontdekte. Ze renden erheen, hielden elkaar bij de hand en vormden snel een kring om de drie voertuigen. Toen gingen ze op de grond liggen, een menselijk cordon, de auto's en de motor konden niet meer voor- of achteruit. De lange, jonge agent keek om zich heen in de auto, alsof hij steun zocht, hij pakte de mobilofoon.

'Collega in nood! Ik herhaal, collega in nood!'

Bijna meteen kwam een stem uit de luidspreker.

'Hoeveel mensen?

'Honderden! Demonstranten voor Kronoberg.'

'Jullie krijgen zo snel mogelijk versterking.'

'Risico voor bevrijdingspoging!'

'Jullie moeten doorrijden. Doorrijden!'

Fredrik zag de mensen om de auto heen. Hij hoorde wat ze schreeuwden, hij las wat ze hadden opgeschreven, maar hij begreep het niet. Wat deden ze hier? Hij kende hen niet. Waarom gebruikten ze zijn naam? Wat er was gebeurd, daar hadden zij niets mee te maken. Dat was zíjn strijd. Dat was zíjn hel. De meesten lagen op de grond, vlak onder hem. Ze riskeerden hun leven. Waarvoor? Wisten ze dat? Hij had er niet om gevraagd. Zij waren niet anders dan de journalisten die voor zijn tuinhekje stonden. Ze leefden allemaal door iemand anders. Nu was hij die ander. Waarom deden ze dat? Hadden zij hun enige dochter verloren? Hadden zij iemand doodgeschoten? Hij wilde dat hij de moed had het ruitje open te draaien en het hun te vragen, hen te dwingen hem in de ogen te kijken.

Ze zaten stil in de auto, omsingeld, verlamd. De lange jongeman leek gestrest, hij ademde zwaar, wapperde met zijn armen terwijl hij beurtelings de handrem losmaakte en aan de versnellingspook trok. Sundkvist en Grens waren beiden kalm, het leek hen niet te deren, ze bewogen zich niet, maar wachtten geduldig af.

Weer kwam de stem uit de mobilofoon onder aan het dashboard van de auto.

'Aan alle wagens. Collega in nood bij Kronoberg, ingang Bergsgatan. Circa vijfhonderd met stenen bewapende demonstranten. Verzoek om de mensen te verspreiden, meer niet. Je privé-mening bewaar je maar voor thuis.'

Grens keek hem aan. Hij wilde zijn reactie peilen. Die kreeg hij niet. Fredrik had de mededeling gehoord, had zich over de inhoud verbaasd, maar hij liet niets blijken, hij zei niets.

De lange jongeman zette hem in zijn achteruit. Hij liet de motor loeien. Hij reed een paar decimeter, als om de moed van de betogers op de proef te stellen.

Ze bleven liggen.

Ze gilden.

Hij zette hem in zijn een, reed vooruit, een meter, liet de motor weer loeien. Ze bleven liggen, nu hieven ze spotliederen aan, ze zongen over hufters van agenten.

Plotseling stonden enkelen van hen op en liepen op de auto af.

Ze hieven een steen, gooiden ermee tegen de achterruit. De steen ging door de ruit heen, kwam op de zitting tussen Fredrik en Grens terecht, ketste tegen de rugleuning van de bestuurdersstoel en rolde op de vloer. Fredrik voelde glassplinters in zijn nek. Het deed pijn. Hij keek naar Grens, die bloedde uit zijn wang. De lange, jonge agent schreeuwde 'verdomme, verdomme, verdomme', draaide het zijraampje open, trok zijn wapen, richtte het pistool omhoog en loste een waarschuwingsschot.

De demonstranten lieten zich op de grond vallen. Hij hield het pistool nog steeds vast.

Plotseling kreeg hij een klap op zijn arm, en nog een, en hij liet het pistool uit zijn hand vallen. Een man van in de twintig raapte het op, hij richtte zich op, hield het met beide handen vast en richtte het op het gezicht van de jonge agent.

Ewert Grens brulde.

'Rijden. Rijden, verdomme!'

De jonge agent had een pistool tegen zijn hoofd. Voor hem lagen mensen op de grond. Achter hem lagen mensen op de grond.

Hij aarzelde.

Het schot ging vlak bij zijn linkeroor af en de kogel ging door de voorruit weer naar buiten.

Hij hoorde niets meer, hij vestigde zijn blik op een boom verderop, hij hield het gaspedaal ingetrapt. De mensen schreeuwden toen hij over hen heen reed. Hun lichamen bonkten onregelmatig tegen het onderstel. De auto kwam weer op Bergsgatan, hij reed weg op het moment dat de twee eerste politiebusjes arriveerden. De demonstranten stonden nu op, ze renden met een hele meute tegelijk naar de nieuwe voertuigen met strijdvaardige agenten erin, omsingelden ze, wierpen zich tegen de zijkant van de busjes, lieten ze een paar keer heen en weer schommelen, tilden ze op en gooiden ze allebei om. Toen deden ze een stap achteruit, ze wachtten totdat de oproerpolitie eruit kon kruipen, ze gingen op een rij voor hen staan, verscheidene met de broek op de knieën, en pisten op hen.

H ij kreeg niet dezelfde cel als de vorige keer. Een andere verdieping, meer in het midden. Maar wel net zo een. Vier vierkante meter: een bed, een tafel, een wastafel om je aan te wassen en in te plassen. De kleren bungelden om zijn lijf. Geen kranten, geen radio, geen tv, geen bezoek.

Hij had er niets op tegen.

Ze konden hem niet breken. Het was zoals het was. Hij wilde niet lezen, hij wilde niemand spreken, hij wilde niet verlangen.

Hij was een andere gevangene tegengekomen toen ze hem door de gang naar de cel gebracht hadden. Ze hadden elkaar herkend. Fredrik had meermalen foto's van hem gezien, hij was een van de bekendste criminelen van het land, iemand die de mensen keer op keer had gecharmeerd en hun sympathie had gewonnen door gewoon een simpel misdrijf te plegen op weg uit de gevangenis, alleen maar om aan die andere maatschappij aan de andere kant van de muur te ontkomen. De bekende gevangene had een schok gekregen toen hij Fredrik zag, was recht op hem af gelopen, had hem hard op zijn rug en op zijn schouder geslagen, had gezegd dat hij een held was en dat hij zich goed moest houden. Hij moest het maar zeggen als de bewaarders niet aardig waren, dan zou hij er wel voor zorgen dat ze zich beter gedroegen.

De bewaarder was wel aardig. Of hij dat nu uit zichzelf was of omdat Fredrik iemand had die hem hielp, wist hij niet, maar er werd niet zo vreselijk vaak meer door het luikje gekeken, hij kreeg vaker koffie dan waar hij recht op had en als hij ging luchten in de kooi op het dak kreeg hij meer dan het toegestane uur. Hij wist het en de bewaarder wist het en een paar dagen kreeg hij het dubbele rantsoen, twee uur achter kippengaas en prikkeldraad, maar wel met een hemel boven zich.

Kristina Björnsson kwam om de dag bij hem op bezoek. Ze verwees naar documenten en strategieën, maar er was niet meer dan er eerder geweest was, de argumentatie voor het gerechtshof zou niet anders zijn dan voor de arrondissementsrechtbank, ze kwam vooral om ervoor te zorgen dat hij de moed erin hield, om de groeten van Micaela over te brengen, om hem te laten geloven in een vervolg, een toekomst.

Hij waardeerde haar pogingen, ze was net zo'n goeie als haar reputatie hem had laten geloven. Maar dit, nee, hier was geen redden meer aan. De enige die zich voor de arrondissements-rechtbank van stemming had onthouden was de rechter, de enige jurist. In het gerechtshof zaten alleen maar juristen, daar had je geen leken, en juristen bekeken de werkelijkheid vanuit het geschreven woord, vanuit wetsartikelen en de rechtspraktijk. Hij gaf het op. Dat zei hij tegen haar en ze was ontdaan, ze zei dat wie het opgeeft al veroordeeld is, dat je het voelt in de rechtszaal, je kunt jezelf net zo goed schuldig verklaren. Ze gaf hem het ene voorbeeld na het andere, van verscheidene vonnissen had hij wel eens gehoord, ze had mensen verdedigd die de meest krankzinnige misdaden hadden gepleegd en vrijgesproken waren, omdat ze daar al bij voorbaat van uitgegaan waren; het gevoel dat zijzelf hadden, hadden ze overgebracht op de rechtszaal.

De bewaarder klopte aan. Een dienblad met een glas vruchtensap, een stukje vlees, een paar aardappelen. Hij schudde zijn hoofd. Hij hoefde het niet. Het was vast lekker, maar hij had geen honger. Het was net alsof eten iets vies geworden was, alsof eten inhield dat je net deed alsof er niets was gebeurd. Als hij niet at, deed hij niet mee. Dit was zijn leven niet. Dit had hij niet gekozen.

Toen het proces opnieuw begon, werd hij iedere ochtend naar de nieuwere veiligheidszaal in Bergsgatan gebracht, waarheen de verhoren na bedreigingen waren verplaatst. Het proces voor het gerechtshof was korter, sommige getuigenissen waren vervangen door bandopnames, sommige vragen werden bondiger gehouden. Het duurde drie dagen. Hij zat weer op dezelfde stoel als eerder, gaf antwoord op dezelfde vragen. Het was net een toneelstuk, de vorige keer was de generale repetitie geweest, nu was de première en zou de voorstelling worden gerecenseerd. Hij probeerde zijn rug recht te houden, rustig te lijken, overtuigd van een hernieuwde vrijspraak, maar dat was moeilijk, het interesseerde hem niet, hij wist niet zeker of hij wel naar huis wilde en dat konden ze vast aan hem zien.

Hij verlangde niet meer. Hij was klaar met verlangen. Na afloop van de procesdag lag hij naar het plafond te kijken, probeerde in het pisgeel iets te zien wat leven geweest was.

Een uur.

Hij had niet veel vrienden, nooit gehad ook. De vrienden die hij had woonden ver weg, een in Göteborg, een in Kristianstad, ze maakten eigenlijk geen deel uit van zijn dagelijks leven, een gevangenisstraf zou daarom hun vriendschap niet veranderen.

Een uur.

Hij had geen broers of zusters, geen ouders.

Een uur.

Hij had Micaela, hij dacht dat hij van haar hield, dat was vast ook zo, maar ze was nog jong, ze kon niet met hem leven in de rouw om zijn kind, dat was niet goed.

Een uur.

Ze zei wel dat ze dat wilde, en hij geloofde haar als ze dat zei, maar dat was nu; ooit zouden ze gedwongen worden verder te gaan en dat zou zij niet kunnen, niet met een verkrachte en vermoorde vijfjarige vastgekleefd in iedere ademhaling.

Een uur.

Het pisgele plafond.

Een uur.

Het was merkwaardig.

Een uur.

Zijn hele leven had hij gerend, had ieder moment gevuld, bang dat er plotseling een leegte zou ontstaan, bang om er niet te zijn.

Een uur.

Hij had het er druk mee gehad, hij had zich aan allerlei afspraken gebonden om de rusteloosheid te doven en de eenzaamheid te ontlopen.

Een uur.

Vroeger had hij mensen om zich heen gehad van wie hij afhankelijk was en hij leefde in het hier en nu om hen te zien.

Een uur.

Toen ze er plotseling niet meer waren, toen hij dat vervloekte hier en nu niet meer nodig had, was dit opeens het enige wat hij had: een pisgeel plafond, tijd en gedachten. Het maakte niet meer uit, hij kon geen invloed uitoefenen, niets veranderen, en daar werd hij rustig van, rustiger dan hij ooit geweest was, zo rustig als een dooie.

Het vonnis liet bijna een week op zich wachten. Het werd twee keer uitgesteld, iedere formulering was belangrijk, ieder woord geladen, het was een vonnis dat in de media onder de loep genomen zou worden, het zou integraal gepubliceerd worden in de grote kranten, juridische experts die het goed deden op tv zouden het in nieuwsuitzendingen analyseren. De vader die de moordenaar van zijn vijfjarige dochtertje doodschoot werd gevolgd

door mensen die zijn verdriet over een afwezige dochter deelden

door mensen die van mening waren dat moord moord was, ongeacht de oorzaak

door mensen die hem prezen om zijn moed en om de bescherming die hij gegeven had door iemand uit te schakelen die de maatschappij niet had kunnen uitschakelen

door mensen die de wraak van de vader onverdedigbaar vonden en een lange gevangenisstraf eisten om voor altijd een voorbeeld te stellen

door mensen die andere zedendelinquenten mishandelden en doodden met de steun van de noodweerredenatie van de arrondissementsrechtbank.

Het kwam op een zaterdag, om veertien minuten over negen 's ochtends. Het volledige vonnis kon worden afgehaald bij de conciërge aan de veiligheidszaal in het Rådhus in Stockholm. Journalisten stonden met een mobieltje in de hand in de rij om meteen hun redactie te bellen met nieuwe teksten, de fotografen ernaast om de stapels papieren in de lengte en de breedte te documenteren, officier van justitie Ågestam was er, Kristina Björnsson en deze of gene nieuwsgierige toeschouwer. Fredrik kreeg het bericht door het gehate luikje. De bewaarder die hem extra koffie en extra luchttijd had gegeven stond achter de deur te sissen. Hij zei dat het hem speet, dat het vreselijk was, dat de hel los zou breken.

Tien jaar.

Het gerechtshof had hem tot tien jaar gevangenisstraf veroordeeld.

L indgren had spijt. Hij had het niet moeten doen. Hij had Hilding niet in elkaar moeten slaan. Die stomme idioot van een Hilding. Waarom had hij dan ook alle hasj gejat? Waarom moest hij zo nodig samen met die huurmoordenaar de brandblusser leegdrinken? Zich vol laten lopen met hun brouwsel. Dan moest hij er toch wel op slaan? Hij kon het toch niet maken om Hilding het spul op te laten maken en hem dan gewoon rond te laten huppelen zonder dat hij hoefde te betalen? Dat kon niet. Dat kon niet! Maar hij had hem niet zo hard moeten aanpakken. Hij zag er beroerd uit. Ze zijn hem aan het hechten, maar hij komt niet terug. Niet hier. Ze sturen hem naar Tidaholm of Hall. Dat doen ze. Nooit meer terug naar hier.

Er zijn er niet veel meer over.

Hilding op de ziekenafdeling. Die schoft van een pedofiel, Axelsson, die gewaarschuwd was en naar de isoleercel gerend was om zich daar te verstoppen. Bekir, die vrijgekomen was.

Skåne en Dragan. Geen mannen om samen hasj mee te roken. Dan die huurmoordenaar en de Rus. En de andere gekken.

Hij had spijt. Hij had niet zo lang door moeten gaan met slaan. Hij had moeten stoppen toen hij bewusteloos raakte.

Het regende nog steeds buiten. Nu al een paar weken. Heel raar. Eerst is het weken zo heet dat je pik niet omhoog wil blijven staan, dan zo nat dat er niemand naar buiten kan om te luchten. Wat willen ze nou? Stomme idioten.

Hij keek uit het raam. De regen stroomde langs de muur. De voetbaldoelen werden bijna kapot geblazen door de wind. Twee mannen liepen buiten over het wandelpad. Hij zag niet wie het waren, ze hadden allebei een regenjas aan en de capuchon over hun voorhoofd getrokken.

Hij draaide zich om. Vier mannen om de snookertafel heen, de Rus liep te brommen en krijtte zijn keu, stootte enkele ballen in de zak, gaf de beurt aan Janoz, die ook bromde, nog wat harder toen hij de zwarte bal in de zak liet verdwijnen en had verloren. Lindgren had nooit wat aan snookeren gevonden, een spel voor oude wijven, met lange stokken op een groen laken. Kaarten was meer iets voor hem. Hij speelde whist, soms poker. Maar vandaag niet. Even een tijdje niet. Hij had geen zin. Nu zat Jochum daar met Skåne en Dragan, ze gaven en bluften. Het was niet hetzelfde, niet als Wilde Hilding er niet bij was.

Hij moest dringend naar buiten, hij had frisse lucht nodig; wat maakte het dan uit dat het regende? Hij liep naar de uitgang. Hij kwam bij de deur en keek de kamer van de bewaarders binnen. Drie bewaarders. Wat deden ze de hele dag? Kregen ze betaald om op hun kont te zitten? Godsamme, zeg.

Hij bleef vlak voor de glazen ruit staan. Hij zag hen niet, maar hoorde hen wel. Ze praatten luid. Ze klonken verontwaardigd. Hij kon geen hele zinnen verstaan, alleen losse woorden, waar hij geen zinnig geheel van kon maken.

Hij verstond een woord. *Zedendelinquent.* Hij hoorde het meerdere keren. Lange straf. Dat hoorde hij ook: *lange straf.* Hij hoorde een halve zin: *bij Oscarsson op de vieze afdeling.*

Waar hadden ze het verdorie over? Niet nog een kinderverkrachter hier. Niet hier. Was het nog niet tot hen doorgedrongen? Hadden ze niet gezien hoe Axelsson hiervandaan was gevlucht? Ze hadden zijn persoonsnummer te pakken gekregen en het vonnis achterhaald en ze zouden hem doodgeslagen hebben als hij niet gewaarschuwd was.

Die lui die anders nooit een woord zeiden, die over de afdelingen liepen met hun verdomde sleutelbossen en geen bek opendeden. Nu zaten ze zich op te winden. Alledrie praatten ze druk. Hij hoorde *held.* Hij hoorde *vermoord.* Hij hoorde weer *zedendelinquent.*

Nog zo'n klerepedofiel hier! Verdorie!

Lindgren kon bijna niet stil blijven staan. Hij voelde de boosheid, hij voelde dat zijn wangen rood werden, dat de vlammen van woede hem uitsloegen.

Stoelen schraapten over de vloer. Ze stonden op. Hij deed snel een stap achteruit. Ze kwamen hun kamer uit, ze praatten nog steeds, een van hen wapperde met zijn handen. Hij hoorde de laatste zinnen, ze stonden buiten, hij kon hen nu duidelijk horen. De eerste vroeg wat die held hier kwam doen. De andere zei dat hij het niet wist, gevangenen die zo'n lange straf hadden namen ze hier nooit op. De eerste weer, hij zei dat er geen gevaar meer was, dat hij niemand meer aan zou vallen, dat hij klaar was. Ze liepen naar de afdeling, de Rus keek op van de snookertafel en schreeuwde 'bewaarder op de afdeling'. Lindgren liep verder, langs de kamer van de bewaarders, en zocht een regenjas uit in de goede maat. Hij pakte een paar laarzen die hem iets te groot waren. Hij liep de regen in, het goot, hij ging naar het wandelpad en nam lange passen. De woede die hem zonet bij de keel gegrepen had, kwam naar buiten, hij trilde, hij schreeuwde: 'Godverdegodver!' Hij nam een besluit, hij zou die schoft te grazen nemen, ze moesten niet nog eens proberen een kinderverkrachter op zijn afdeling te zetten, nooit van zijn leven; als die klootzak van een pedofiel hier kwam, ging hij hier nooit meer weg.

H ij plaste in de wastafel. Hij had geen zin om de bewaarder te roepen om naar het toilet begeleid te worden, hij had geen zin om nieuwsgierige vragen over het vonnis te beantwoorden.

Tien jaar.

Hij wist niet eens wat dat was. Kristina Björnsson was de vorige dag bij hem geweest. Ze was 's middags gekomen, ze had het vonnis met hem doorgenomen, had de formuleringen uitgelegd. Ze had in beroep willen gaan bij de Hoge Raad. Ze wilde een precedent, ze wilde de kracht van het noodweerargument beproeven. Hij had gezegd dat hij niet verder wilde. Dat het genoeg was. Dat het niet interessant was. Wat gebeurd was, was gebeurd. Hij had de man doodgeschoten die hem zijn dochter afgenomen had. Dat was voor hem genoeg. Gevangenis of niet, het maakte niet uit.

Tien jaar.

Dan was hij bijna vijftig.

Hij waste zijn handen, ging midden in de cel staan.

Een veroordeelde lustmoordenaar was ontsnapt, had scherpe metalen voorwerpen in Maries onderlichaam gestoken, had op haar gemasturbeerd, had haar kapotgemaakt. De vader van het vermoorde meisje had hem belet dat nog een keer te doen. Daarom moest hij tien jaar in de cel zitten, afgezonderd van het echte leven, van zijn veertigste tot zijn vijftigste. Hij moest erom lachen. Hij schopte tegen de wastafel en lachte totdat zijn borst er pijn van deed.

De bewaarder die hem extra voorrechten had verleend, klopte verontrust op de deur en deed het luikje open.

'Wat doe je?'

'Hoezo?'

'Het is hier een heidens kabaal.'

'Mag ik niet lachen?'

'Jawel.'

'Laat me dan met rust.'

'Ik wil alleen niet dat je domme dingen doet.'

'Ik doe geen domme dingen.'

'Door zo'n vonnis kunnen mensen verkeerde dingen gaan doen.'

'Ik lach, oké?'

'Best. Ik kom over een paar minuten naar binnen. Je moet je spullen pakken.'

'Pakken?'

'Ze hebben een plek voor je.'

Hij ging op het bed zitten. Het pisgele plafond, de witte muren, de smerige vloer. Hij ging hier weg. Hij moest zijn spullen pakken. Wat voor spullen? Een plastic zak met een tandenborstel, tandpasta, zeep? Hij stond op, deed de plastic zak open en stopte de toiletartikelen erin. Hij was klaar met pakken.

De bewaarder klopte aan. Hij deed de deur open. Hij was jong, nauwelijks ouder dan vijfentwintig. Zijn haar stond recht overeind. Hij had een ringetje door zijn ene neusgat. Hij was musicus, of wilde musicus worden. Daar had hij het vaak over. Hij dacht zeker dat Fredrik dat wilde weten. Hij wilde zeker laten zien dat een bewaarder nog wel iets meer was, een mens met dromen. Dit werk deed hij zolang hij nog geen platencontract had. Hij wachtte er al een paar jaar op en hij was bereid nog een paar jaar te wachten. Totdat hij te oud was. Dertig of zo. Nu liep hij de cel in, legde zijn hand op Fredriks schouder.

'Je weet hoe ik erover denk.'

'Sorry, maar het kan me niet schelen hoe jij erover denkt.'

'Het is waanzin. Jou opsluiten is het gekste wat ik ooit heb gehoord.'

'Geen interesse.'

'Wij vinden dat hier allemaal. Bewaarders en gevangenen, dat maakt niet uit, iedereen vindt dat. Ik geloof niet dat we het ooit eerder ergens zo over eens zijn geweest.'

Fredrik hield zijn plastic zak omhoog.

'Ik heb mijn spullen gepakt.'

'Ik begrijp dat het geen troost is om dat te horen.'

'Ik ben nu klaar om hier weg te gaan.'

'Je had vrijgesproken moeten worden.'

'Klaar.'

'Er zijn nogal wat mensen op de been die weten waar jij naartoe gaat.'

'En ik weet het zelf niet eens.'

'Er zijn er veel die het wel weten. We zorgen ervoor dat de protesten gehoord worden.'

'Je hebt gelijk, dat is geen troost.'

Hij was weer alleen. Hij wachtte. Hij had zijn gewone kleren gekregen. Die zou hij een paar uur dragen. Dan zou hij zich uitkleden, ze in een kast leggen, tot de dag dat hij weer vrij was om naar buiten te gaan. Hij zou intussen andere kleren dragen. Andere, zakkerige kleren. Het gevangenisuniform.

De volgende keer werd er niet geklopt. De deur ging opeens open en twee bewaarders en twee politiemannen in uniform stapten naar binnen. Grens was er ook; hij bleef voor de deur staan. Sundkvist stond naast hem.

Fredrik wist dat ze zouden komen. Toch verbaasde het hem. Hij keerde zich af van de vier die zijn cel binnengekomen waren, zocht door de deuropening oogcontact met Grens.

'Waarom?'

Grens deed net of hij het niet hoorde.

'Waarom zoveel? Waarom agenten in uniform?'

Het lukte Sven niet net te doen alsof. Hij gaf antwoord.

'Het leek ons nodig.'

'Dat zie ik. Maar waarom?'

'We hebben informatie dat er problemen kunnen ontstaan als we jou naar de Aspsåsinrichting overbrengen.'

Fredrik schrok.

'Aspsås? Ga ik daarheen?'

'Ja.'

'Maar daar kwam hij vandaan.'

'Jij komt op een andere afdeling. Een normale afdeling. Lund zat op een speciale afdeling voor zedendelinquenten.'

Fredrik deed een stap naar de deur, naar Sven toe. De geüniformeerde agenten gingen er meteen tussen staan en grepen hem vast. Hij schudde hen geïrriteerd van zich af en ging zijn cel weer in.

'Problemen, zei je?'

'Je krijgt een politie-escorte.'

'Zie ik eruit alsof ik van plan ben te ontsnappen?'

'Meer kan ik er niet over zeggen.'

Het was nog vroeg in de ochtend. Buiten regende het, de regen tikte regelmatig tegen de metalen raamdorpel achter de tralies, net zo hard, net zo aanhoudend als de afgelopen dagen steeds het geval was geweest.

Hij zou het nog bijna gaan missen.

H ij zat in een minibus. Het regende hard, hij werd kletsnat alleen al van die paar meter die hij moest lopen van de ingang van het huis van bewaring van Kronoberg naar het busje met stationair draaiende motor buiten. Hij liep met korte passen, zijn voetboei trok strak en hield hem tegen als hij een grotere pas wilde maken.

Hij werd nauwelijks als ontsnappingsgevaarlijk beschouwd.

De kans op recidive werd klein geacht, hij had degene neergeschoten die hij wilde neerschieten.

Toch werd hij met de strengste veiligheidsmaatregelen vervoerd. Twee politieauto's met zwaailicht een paar meter voor de bus. Twee geüniformeerde motoragenten erachter. De betoging een paar weken geleden voor Kronoberg stond iedereen nog levendig voor de geest en boezemde angst in. Mensen die op de grond waren gaan liggen en die overreden waren toen het transport op de vlucht sloeg, het pistool dat op de slaap van de agent gericht was, de busjes die omgegooid waren en de demonstranten die op de agenten die eruit gekropen waren hadden staan pissen. Niet weer. Niet nog eens.

Hij zat op de achterbank, tussen Ewert Grens en Sven Sundkvist in. Het was net of ze elkaar kenden. Ze hadden voor De Duif gestaan en de een na de ander verhoord toen Marie verdwenen was. Ze hadden in het Gerechtelijk Geneeskundig Laboratorium bij haar brancard gestaan. Ze waren in het zwart gekleed op haar begrafenis verschenen. Ze hadden hem van Strängnäs naar het gerechtshof gebracht, een uur lang Siw Malmkwist. Nu deze rit nog, dan waren ze van hem af.

Hij zou met hen moeten praten. Iets zeggen, het gaf niet wat.

Hij kon het niet.

Het hoefde ook niet.

De correcte, die Sundkvist heette, begon zelf.

'Ik ben veertig jaar.'

Sundkvist keek hem aan.

'Ik was jarig op de dag dat jouw dochter werd vermoord. Ik had wijn en een taart in de auto staan. Ik heb het nog niet gevierd.'

Fredrik Steffansson begreep het niet. Dreef hij de spot met hem? Of vond hij dat hij medelijden met hem moest hebben? Hij gaf geen antwoord. Dat hoefde niet. Sundkvist zocht geen dialoog.

'Ik ben twintig jaar bij de politie. Mijn hele volwassen leven. Het is een rotvak. Maar het is nou eenmaal mijn vak, datgene wat ik kan.'

Ze zouden vijftig kilometer rijden. Vijfendertig, veertig minuten. Fredrik wilde niet meer horen. Hij wilde zijn ogen dichtdoen, de uren gaan tellen. Tien jaar lang.

'Ik dacht altijd dat ik iets nuttigs deed. Iets goeds. Dat ik iets rechtzette. En misschien is dat ook wel zo.'

Sundkvist zat de hele tijd naar hem toe gekeerd. Met zijn gezicht vlak bij hem, Fredrik kon zijn adem voelen.

'Maar dit. Snap je? Natuurlijk snap je het. Snap je hoe ik me schaam dat ik je hier moet zitten bewaken, dat ik je naar de inrichting moet brengen, zodat je daarin opgesloten kunt worden? Verdomme! Ik vloek anders nooit, maar nu met jou, Steffansson, verdomme!'

Het zou wel sympathie zijn. Fredrik had geen enkele boodschap aan sympathie.

Sundkvist boog naar hem toe, trok aan Fredrik Steffanssons natte overhemd.

'Zo zat Lund een aantal maanden geleden. Nu zit jij hier. Als een doodgewone moordenaar. En ik doe eraan mee. Steffansson, ik bied je mijn welgemeende excuses aan.'

Ewert Grens had zwijgend aan de andere kant van hem gezeten. Nu schraapte hij zijn keel.

'Sven. Zo is het wel genoeg.'

'Genoeg?'

'Nu is het genoeg.'

Ze reden even in stilte. Een 90-kilometerweg, enkele tientallen kilometers ten noorden van Stockholm. Het regende nog steeds. De ruitenwissers zwiepten van de ene naar de andere kant, drongen het water weg dat tegen de voorruit kletterde.

De bus verliet de grote weg, ze kwamen over een rotonde, langs twee pompstations, toen over een smallere weg, met bebouwing erlangs. Daar stonden de eerste demonstranten in de rij.

Kilometers lang. Een lange rij mensen, sommige zongen, er klonken spreekkoren, er werd met borden met leuzen gezwaaid.

Fredrik kreeg weer buikpijn, net als bij de betoging bij Kronoberg. Andere mensen scandeerden zijn naam, mensen die hem niet kenden, die geen fluit met hem te maken hadden. Wat gaf hun het recht? Ze stonden daar niet voor hem. Ze stonden er voor zichzelf. Het was hún manifestatie, niet de zijne. Het waren hún angst en hún haat.

Het laatste stuk stonden ze dichter op elkaar. Een grindweg naar de grote poort van de Aspsåsinrichting. Fredrik keek naar beneden, staarde naar zijn bovenbenen. Het was deze keer rustiger, niet dreigend, niet agressief, maar het gevoel dat hij hen niet aan kon kijken was heel sterk, hij had er een soort afschuw van.

De bus stopte een eindje van de grote poort af. Ze kwamen simpelweg niet verder. Ewert Grens maakte snel een schatting, telde een paar duizend demonstranten. Ze stonden stil. In de weg. Tussen de auto en de ingang van de Aspsåsinrichting.

'Blijf zitten. Wacht.'

Ewert had het tegen zijn jongere collega's op de voorbank, tegen Fredrik Steffansson, tegen Sven.

'Dit is anders dan de vorige keer. Ze willen alleen iets duidelijk maken. Provoceer hen niet. Ze worden straks wel verspreid.'

Fredrik bleef naar beneden kijken. Hij was moe. Hij wilde slapen. Hij wilde uit deze bus, weg van de mensen die buiten stonden, hij wilde de vormeloze gevangeniskleren aantrekken en op bed gaan liggen in zijn cel. Hij wilde het plafond zien, de lamp daar, één uur tegelijk.

Ze wachtten twintig minuten. De demonstranten zongen niet, ze riepen niet, ze stonden gewoon bij elkaar, als een zwijgende muur van mensen. Totdat er versterking kwam. Zestig agenten. Met schilden en wapens liepen ze op de mensenmenigte af, dreven hen een voor een van hun plaats. Zonder vechten, zonder dreiging. Ze droegen systematisch de onbeweeglijke mensen, die als blokken aan hun armen hingen, weg van de poort. Toen het gat groot genoeg was, reed de bus langzaam verder. Degenen die weggedragen waren renden niet terug. Ze kwamen helemaal niet van hun plaats. Het transport reed op slechts centimeters afstand langs degenen die het dichtstbij stonden. Ze stonden met rechte rug, zagen het voorbijkomen, de poort naderen, erdoorheen rijden toen die werd opengedaan, het gevangenisterrein op.

Ewert en Sven hielden Fredrik elk bij een arm. Ze liepen de laatste stappen naar het portiershuisje. Ze keken hem aan, knikten kort, draaiden zich om en liepen weg. Fredrik Steffansson was niet langer hun verantwoordelijkheid. Ze hadden hem gegrepen, hij was veroordeeld, hij was overgebracht naar de inrichting. Nu zou hij hier bewaard worden. Tien jaar lang. Opdat hij dezelfde misdaad niet nog eens zou begaan.

Fredrik zag de twee politiemannen weggaan. Zij keerden terug naar de andere samenleving, daarbuiten. Hij werd door twee bewaarders naar binnen gebracht, naar de kamer meteen links, waarvan de deur openstond. Hij zou ingeschreven worden.

Ze stonden beiden toe te kijken terwijl hij zich uitkleedde. Ze hadden rubberen handschoenen aan toen ze in zijn mond keken, toen ze zijn billen van elkaar deden en in zijn anus voelden. Ze namen zijn kleren mee en borgen ze op in een kast. Hij kreeg de zakkerige plunje aangereikt en trok die aan. Hij was een gevangene, hij droeg gevangeniskleren, hij was een van de anderen. De bewaarders brachten hem naar de volgende ruimte, met een bed, een stoel, tralies voor de ramen en een muur erachter, ze zeiden dat hij even moest wachten, ze deden de deur op slot en legden uit dat hij zo meteen naar de afdeling ging.

H ij had een uur op de stoel zitten wachten.
Regen buiten, er stonden plassen op het grasveld tussen de grijze betonnen muur en het getraliede raam.

Hij probeerde aan Marie te denken, maar dat lukte niet.

Ze wilde niet in zijn gedachten blijven. Hij kreeg haar niet te pakken. Haar gezicht was wazig, haar stem kon hij niet horen, hij wist niet hoe die klonk.

Er werd op de deur geklopt.

Sleutels in het slot. Een man in een bewaardersuniform kwam binnen. Hij kwam Fredrik vaag bekend voor, hij had hem eerder gezien, maar wist niet waar.

'Sorry, ik moet iemand anders hebben.'

De bewaarder keek snel om zich heen, wilde alweer weggaan.

Fredrik zocht in zijn geheugen. Bekend, maar ook weer niet.

'Hallo!'

De bewaarder draaide zich om.

'Ja.'

'Wat wilde je?'

'Niets. Verkeerde deur.'

'Ik ken je ergens van. Wie ben je?'

De bewaarder talmde. Hij had maandenlang geprobeerd het schuldgevoel weg te houden, maar nu had het hem te pakken.

'Ik heet Lennart Oscarsson. Ik ben hier afdelingshoofd. Van een zogeheten vieze afdeling. Een van de twee afdelingen voor zedendelinquenten.'

Op tv. Interviews. Daar had Fredrik hem gezien.

'Het was jouw schuld.'

'Ik had de verantwoordelijkheid voor hem. Ik keurde het transport goed waaruit hij is ontsnapt.'

'Het was jouw schuld.'

Lennart Oscarsson keek de man aan die een meter van hem af zat. Hij dacht aan de tijd die was voorbijgegaan sinds de ontsnapping van Lund, sinds de vader, die hem nu beschuldigde, zijn dochter had verloren. Toen ging hij al gebukt onder schuld vanwege zijn verraad jegens Maria en zijn gevoelens voor Nils. Hij had geprobeerd van twee mensen te houden en dat was finaal fout gelopen. Toen kwamen Lund en het meisje dat kapotgesneden onder een spar lag en het was alsof er geen eind kwam aan alle schuld; Maria, Nils, Bernt Lund, Marie en Fredrik Steffansson, ze hadden hem 's nachts achtervolgd en hem overdag aangekeken en hij had zich verstopt, hij was in bed blijven liggen en had niet durven opstaan.

'Ik heb het veel over je gehad met een collega. Een collega die ik vertrouw. Met wie ik tegenwoordig samenwoon, trouwens. Ik luister altijd naar hem. Wij zitten op één lijn. Toen Lund hier zat, hebben we hem alle zorg gegeven die we in huis hadden. We hebben iedere bestaande therapie uitgeprobeerd.'

Lennart Oscarsson stond nog in de deuropening. Ze waren van dezelfde leeftijd. Het zweet parelde op zijn voorhoofd, zijn haar was nat.

'Het spijt me wat er gebeurd is. Nu moet ik gaan.'

'Het was jouw schuld.'

Lennart Oscarsson stak zijn hand uit.

'Sterkte.'

Fredrik keek ernaar. Hij pakte hem niet aan.

'Haal je hand maar weg. Ik ga jou geen hand geven.'

Fredriks woorden waren een slag in het gezicht van Oscarsson, die in elkaar kromp, zwaar ademde en hem smekend aankeek.

Zijn nog uitgestoken hand trilde. Fredrik keek de andere kant op.

Lennart Oscarsson wachtte, toen gaf hij het op, legde even een hand op Fredriks schouder, sloot de deur achter zich en deed hem op slot.

Vlak na de lunch werd het droog. Het enige geluid dat hij had gehoord, het gekletter tegen de ruit, hield bijna abrupt op. Verscheidene dagen met aanhoudende neerslag en dan was het opeens voorbij, bijna een leegte. Hij liep naar het raam, zocht de hemel, verder weg was het lichter, tegen de avond zou het nog wel opklaren.

Hij had nog eens zes uur op de stoel zitten wachten. Het was ochtend geweest toen ze langs de demonstranten voor de poort in de muur gereden waren, het was laat in de middag toen twee bewaarders de deur openmaakten en binnenkwamen. Twee grote kerels met wapenstokken en autoritaire tred, ze hadden eerder nieuwkomers opgehaald, dan moest je laten zien wie de baas was, respect en orde moesten er zijn. De ene, met een bril in een blauw montuur, hield een paar vellen papier in zijn hand, bladerde erdoorheen, las even.

'Steffansson. Heet je zo?'

'Ja.'

'Goed. Dan ga je nu naar de afdeling.'

Fredrik bleef zitten.

'Ik heb hier zeven uur gezeten.'

'O.'

'Waarom?'

'Dat kan gebeuren.'

'Proberen jullie me iets te zeggen?'

'Waar heb je het over?'

'Heb ik daarom zo lang zitten wachten?'

'Daar is geen bepaalde reden voor. Dat is gewoon zo.'

Fredrik zuchtte. Hij stond op, maakte zich gereed om te gaan.

'Waar ga ik heen?'

'Naar je afdeling.'

'Wat is dat voor afdeling?'

'Een gewone afdeling.'

'Wat voor mensen zitten daar?'

De bewaarder had besloten rustig te blijven. Hij keek om zich heen in de steriele kamer, naar de kale muren, het bed zonder beddengoed en de stoel die nu leeg was.

'Je hebt veel vragen.'

'Ik wil het weten.'

'Wat wil je horen? Een gewone afdeling. De lui die daar zitten hebben alle soorten misdaden gepleegd die er maar te plegen zijn. Behalve zedendelicten. Daar hebben we een aparte afdeling voor.'

Hij onderbrak zichzelf, zwaaide met zijn armen.

'Je begrijpt het waarschijnlijk nog niet, Steffansson. Dit is nu je thuis. De anderen, tja, dat zijn je maten.'

Ze liepen langzaam door een keldergang. Fredrik zag de beschilderde muren, therapeutisch werk van de gevangenen, talentloze afbeeldingen zonder betekenis. Ze kwamen door drie gesloten deuren, bij iedere deur hetzelfde ritueel: de bewaarder keek naar de camera, het klikkende geluid als de deur vanuit een wachthokje ergens werd geopend, de hoofdknik naar de camera, bij wijze van dank. Hij telde de stappen, de onderaardse gang was minstens vierhonderd meter lang. Ze kwamen andere gevangenen tegen, begeleid door andere bewaarders. Ze knikten naar hem, hij knikte terug. Ze sloegen het laatste gedeelte van de gang in, witte pijlen met 'Afd. H' op de muur. Dat was dus zijn afdeling.

Ze liepen twee trappen op. Weer een gesloten deur, met een bordje 'Afd. H' erop.

Het rook sterk naar eten. Iets gebakkens. Haring? De bewaarder die opendeed zag dat hij de lucht opsnoof.

'Ze hebben net gegeten. Jij krijgt later nog wat.'

Hij keek een lelijke gang in. Eerst een tv-ruimte, waar er een paar op de bank hingen en kaartspeelden aan de tafel. Toen de smalle gang met cellen, waarvan de meeste deuren half openstonden. Helemaal achteraan een kleiner vertrek waar in de breedte een tafeltennistafel in stond.

'Jij zit wat verderop, bijna helemaal achteraan. Cel nummer veertien.'

De kaarters keken op toen hij langskwam. Een donkere met littekens en een gouden ketting die net nog luid had gepraat, staarde hem aan en verloor hem niet uit het oog. Achter hem stond een grote man met een vlecht, type bodybuilder. Tegenover hen een buitenlander, kort en donker met een snor, een Turk of misschien een Griek. In de hoek een magere waar het druggebruik van afstraalde, zou wel Fins of zoiets zijn.

Hij ging de openstaande, lege cel binnen. Iets groter dan die in het huis van bewaring. Verder hetzelfde. Een bed, een tafel, een stoel, een smalle kast, een wastafel. Tralies voor het raam, uitzicht op de muur. Bleekgroene muren, een even pisgeel plafond. Hij ging op het onopgemaakte bed zitten. Er lagen een deken en een laken aan het voeteneinde, een kussen zonder sloop aan het hoofdeinde.

Hij deed hetzelfde als die ochtend in de cel in het huis van bewaring, hij liet zijn pijn de vrije loop, hij sloeg met zijn vlakke hand tegen de muur en begon hard te lachen.

'Wat is er?'

'Niets.'

De bewaarder prutste aan zijn blauwe montuur.

'Je lacht.'

'Mag dat niet?'

'Ik dacht dat je een inzinking kreeg.'

Fredrik pakte de deken en het laken en maakte het bed op. Hij wilde rusten. Hij wilde de deur dichtdoen en naar het plafond staren.

'Je had wel een beetje gelijk zonet.'

Fredrik keek de bewaarder aan.

'Je hebt wel erg lang bij de inschrijving gezeten. Misschien wil je even douchen? Als je dat wilt, haal ik een badlaken.'

Hij liet het kussen los.

'Misschien wel.'

'Dan ga ik dat halen.'

Fredrik hield hem staande.

'Zal ik dat wel durven?'

'Wat bedoel je?'

'Douchen.'

'Douchen?'

'Gevaar voor verkrachting.'

De bewaarder glimlachte.

'Daar hoef je niet over in te zitten, Steffansson. In Zweedse gevangenissen worden homo's en zedendelinquenten niet getolereerd. Niemand pakt je onder de douche.'

Fredrik ging op het half opgemaakte bed zitten wachten. Hij zou het bed verder moeten opmaken, de plastic zak met toiletspullen uitpakken. Hij telde streepjes. Iemand had met een rode pen lange strepen gezet langs de plint. Hij was bij honderdzestien toen de bewaarder met een badlaken in zijn hand terugkwam.

Hij liep op badslippers door de gang. Twee mannen, vermoedelijk zijn naaste buren, groetten hem met een krachtige handdruk. Hij liep langs de tv-hoek en langs de mannen die zaten te kaarten. De junk zat te mekkeren dat er een heer te veel in het spel zat en de donkere met de gouden ketting zei dat hij zijn mond moest houden. Vervolgens kreeg de donkere hem in het oog, staarde weer naar hem, net als daarnet, met krankzinnige ogen vol haat en Fredrik wist niet waarom.

Een grote ruimte. Vier douches. Hij was alleen. Hij deed de deur naar de gang dicht, wilde de stemmen buitensluiten terwijl hij het water opzocht dat over zijn lichaam zou lopen, dat hem even zou helpen ontsnappen.

Lindgren zag de nieuwkomer. Hij herinnerde zich het opgewonden gesprek dat de bewaarders de dag ervoor in hun kamer hadden gevoerd. Hij wist nog wat ze hadden gezegd. Toen die ellendeling daarna terugkwam met de handdoek over zijn schouder, legde hij zijn kaarten midden onder het spel neer.

'Verdorie, ik moet naar de plee.'

Hij richtte zich tot Skåne.

'Skåne, jongen.'

'Wat is er?'

'Maak jij het even af, zorg dat je de slag binnenhaalt.'

Hij gaf de kaarten aan Skåne, liep naar het toilet, keek achterom, zag dat de anderen verder speelden, hij liep het toilet voorbij en deed de volgende deur open, die van de doucheruimte. Hij was daar een minuutje binnen, langer was het niet.

Het had geklonken als gebonk op de deur. Zo beschreef de bewaarder die het eerst had gereageerd het naderhand tenminste. Alsof iemand tegen de dichte deur had geslagen om de aandacht te trekken, om eruit te komen. Toen hij Fredrik daarna de deur zag openen en hem bijna naar buiten zag vallen, was zijn hand hem het eerst opgevallen; die hield hij tegen zijn buik aan gedrukt, tegen het deel waar het meeste bloed uit kwam, waar de punt van het mes het diepst gestoken had. De bewaarder had alarm geslagen en was naar de man toe gerend die gevallen was, die op de grond liggend iets had trachten te zeggen, terwijl het bloed ritmisch uit zijn mond gestoten werd. Toen hij geen woord kon uitbrengen had hij Lindgren gezocht met zijn blik. Hij had angstig gekeken, dat waren de woorden van de bewaarder, hij keek angstig uit zijn ogen. Vervolgens waren er twee collega's gekomen en samen hadden ze geprobeerd het bloeden te stelpen, toen zijn pols gevoeld, ze hadden hem van de vloer opgetild totdat ze gezamenlijk hadden geconstateerd dat ze een dode vasthielden.

De stapeltjes kaarten lagen op tafel. Ze waren opgehouden met spelen zodra de nieuwkomer de deur had opengedaan en bloedend op de grond gevallen was. Ze hadden allemaal wel eens gezien hoe een paar messteken inwendige organen vernielden en ze begrepen dat hij zo meteen zou stoppen met ademen. Jochum stond een stukje verderop in de gang. Zijn schedel glom van het zweet, hij had Steffansson een paar minuten geleden welkom geheten, tegen hem gezegd dat hij in de cel ernaast zat, dat hij zijn lotgevallen op het nieuws had gevolgd en dat hij het maar moest zeggen als hij hulp nodig had. Nu lag die man daar dood.

Hij liep snel langs de bewaarders die de bloeding probeerden te stelpen, naar de tafel waar ze hadden zitten kaarten. Zijn gezicht op een paar centimeter van dat van Lindgren. Jochum siste hem toe: 'Waar was dat nou voor nodig?'

Lindgren smakte met zijn lippen.

'Gaat jou geen moer aan.'

Jochum ging harder praten.

'Verdomde… weet je verdorie wel wie je gemold hebt?'

Lindgren glimlachte nu, hij keek voldaan, hij fluisterde tegen het gezicht voor hem.

'Natuurlijk weet ik wie het is. Natuurlijk weet ik dat. Een kinderverkrachter. Een godvergeten kinderverkrachter. Nu verkracht hij geen kleine kinderen meer.'

De deur van de afdeling werd opengesmeten.

Ze waren met zijn vijftienen, met helmen, vizieren en schilden.

De commando-eenheid ging in een halve cirkel voor de gedetineerden staan.

'Jullie kennen de procedure.'

Jochum duwde Lindgren van zich af. Hij keek naar de schreeuwende bewaarder die met zijn wapenstok op tafel sloeg.

'Geen gelazer! Jullie kennen de procedure. Jullie gaan een voor een naar je cel!'

Degenen die achteraan in de gang stonden, gingen het eerst. Een voor een met twee bewaarders achter hen aan, die de deur op slot deden als ze hun cel binnengegaan waren. Toen de twee die in de keuken stonden. Ze bewogen geruisloos naar de open deuren, het was sowieso erg stil op de afdeling. De bewaarder die het bevel voerde wees naar de bank, naar degenen die zojuist hadden zitten kaarten.

'Jij.'

Skåne kwam overeind, staarde naar de gehate bewaarders, stak zijn middelvinger naar hen op toen hij bij de tafel wegliep.

'En jij.'

De bewaarder wees naar Lindgren. Die bleef zitten.

'Naar je cel.'

'Vergeet het maar.'

'Nu!'

Lindgren stond op, maar in plaats van de gang op te lopen naar zijn cel, boog hij voorover, pakte de tafel vast, gooide die tegen de in het zwart gestoken bewaarders aan. De kaarten vlogen door het vertrek, landden voor de halve cirkel van voeten. Hij ging op de bank staan, sprong lenig over een groot aquarium dat tegen de muur stond.

'Klotebewaarders! Kun je hier nog niet eens rustig een potje kaarten? Kom maar op, als je durft!'

Hij ging door met brullen, terwijl hij tegelijkertijd met beide handen tegen het glas van het aquarium duwde. Vierhonderd liter water spoelde op de bewaarderseenheid af toen de rechthoekige bak op de grond kletterde. Voordat de eerste helmen bij hem waren, spurtte hij naar de snookertafel en wist een keu van de muur te trekken. Hij begon als een gek met de stok te zwaaien, hij sloeg degene die het eerst bij hem was, raakte hem hard in zijn hals. Hij rende naar het kamertje van de bewaarders, opende het en deed de deur dicht, met de keu sloeg hij alles kort en klein waar hij bij kon komen: een tv-toestel, communicatieapparatuur, een koelkast, lampen, bloempotten, spiegels. Vijf bewaarders forceerden intussen de deur, vielen na een paar minuten aan, hun schilden geheven om zich tegen Lindgrens lange wapen te beschermen. Ze omsingelden hem, muren rondom hem, zijn vluchtwegen waren afgesneden.

De chef van de commandogroep stond nog in de gang bij het vernielde aquarium. Hij gaf instructies.

'Hou hem daar vast! Hij moet naar de isoleercel!'

Op de gang stonden nog steeds vier gevangenen te wachten die ze nog niet naar hun cel hadden kunnen brengen om hen op te sluiten. Ze hadden Lindgrens krankzinnige uitbarsting gezien, zijn vlucht, de achtervolging. Jochum keek geërgerd naar hem door het kogelvrije glas van de bewaarderskamer, naar de bewaarders die om hem heen stonden. Hij wendde zich tot Dragan, fluisterde een paar korte woorden in zijn oor. Dragan knikte, hij had het begrepen, hij rende plotseling op een van de bewaarders af die voor hun kamer stonden te wachten, en schopte hem vol in zijn kruis. De bewaarder viel, de anderen draaiden zich naar hem om. Een ogenblik van verwarring. Daar was het Jochum om te doen geweest. Hij gaf een harde klap tegen de slaap van de bewaarder die het dichtstbij stond en was in een paar snelle stappen in de bewaarderskamer. Hij brak door de muur die om Lindgren gevormd was heen en ging naast hem staan.

Lindgren glimlachte, schreeuwde.

'Verdorie, Jochum. Verdorie, *tjavon*. Nu zullen ze eens wat beleven, die schoften!'

Lindgren keerde zich naar de bewaarders, hij zwaaide met de keu, hij was weer sterk nu hij een medegevangene aan zijn zijde had. Hij zag Jochums arm totaal niet aankomen, hij voelde de gebalde vuist in zijn gezicht, in zijn middenrif. Hij sloeg jammerend dubbel.

'Waarom doe je dat nou?'

Jochum wierp zich op zijn voorovergebogen lichaam, pakte zijn hoofd stijf vast en knalde ermee tegen de muur. Lindgren was bewusteloos toen hij hem losliet en de bewaarders erbij kwamen.

E wert Grens sloot zijn portier. Hij keerde zich naar zijn collega en schudde zijn hoofd.

'Dit duurt nou al deze hele rotzomer en het is nog steeds niet afgelopen.'

Sven Sundkvist keek naar de grond. Naar een steen om tegen aan te schoppen.

'Ik zei tegen Jonas dat het klaar was. Dat de vader opgesloten zat. Dat hij een tijdje moest zitten en dan weer vrijgelaten zou worden. Jonas zei dat dat vet cool was. Zo zei hij het precies. Het was vet cool dat de vader straf kreeg, dat was rechtvaardig; het was ook rechtvaardig dat hij weer vrij zou komen, aangezien zijn dochtertje eerst vermoord was. Ik weet niet wat ik nu moet zeggen. Hij weet het natuurlijk al. Er zijn te veel actualiteitenprogramma's op tv.'

Ze liepen naar de muur. Naar het deurtje naast de hoofdpoort. Ewert drukte op de bel.

'Ja?'

'Grens en Sundkvist van de citypolitie.'

'Ja, nu ken ik jullie wel. Ga maar naar binnen.'

Ze liepen over de parkeerplaats op het Aspsåsterrein. Naar de hoofdconciërge, Bergh weer, hij gebaarde dat ze door konden lopen.

Ze bleven in de grote hal staan. Ze zouden niet veel verder gaan, ze hadden een van de bezoekersruimtes vlak bij de ingang gereserveerd. De deur stond open, ze gingen naar binnen. De kamer stelde niet veel voor. Ewert wees naar het plastic op het bed, naar de keukenrol op de tafel, hij walgde van het idee dat ze op de plek zaten waar de gevangenen eens per maand een uurtje de vrouwen mochten zien die op hen wachtten en hun ergste beklemming van zich af konden neuken. Ze zetten de tafel in het midden van de kamer, zetten de twee stoelen aan één kant ervan neer, gingen weer naar de ontvangsthal om nog een stoel te halen en die aan de andere kant van de tafel neer te zetten. De cassetterecorder op tafel, aan iedere kant een microfoon.

Hij kwam met twee bewaarders. Ewert groette hem, wees toen naar zijn begeleiders.

'Jullie kunnen buiten wachten.'

De ene glimlachte naar zijn collega met het lelijke blauwe montuur en protesteerde luidkeels.

'We blijven hierbinnen wachten.'

'Nee. Jullie wachten buiten. Als we jullie nodig hebben, horen jullie het wel. Bij dit verhoor is geen plaats voor meer deelnemers.'

Ewert Grens (EG): Ik zet hem nu aan.
Jochum Lang (JL): Juist.
EG: Je naam voluit.
JL: Jochum Hans Lang.
EG: Goed dan. Je weet waarom we hier zitten?
JL: Nee.

Ewert keek even naar Sven. Hij was moe. Hij had hulp nodig. Deze kerel wilde niets. Hij wist iets, maar wilde niet.

EG: Jij moet de vragen beantwoorden. Jij moet antwoorden op de vraag waarom Fredrik Steffansson viel toen hij de deur van de douche opendeed om meteen daarna van mens in lijk te veranderen.

Het bleef een moment stil in het vertrek. Ewert staarde naar Jochum, die uit het getraliede raam staarde.

EG: Geniet je van het uitzicht?
JL: Ja.
EG: Verdorie, Jochum! We weten dat Lindgren Fredrik Steffansson heeft afgemaakt!

JL: Mooi zo.

EG: Dat weten we!

JL: Mooi, zei ik. Wat moeten jullie dan nog van mij?

EG: Jij hebt om de een of andere reden Lindgren laten zakken. Ik wil weten waarom.

Ewert wachtte totdat Jochum antwoord zou geven. Hij keek hem aan. Hij begreep dat het een gevaarlijk sujet was als hij op vrije voeten was, lang en breedgeschouderd als hij was, met die kaalgeschoren schedel van hem en die doordringende ogen; hij had er wel een paar van kant gemaakt.

JL: Ik kreeg nog geld van hem.

EG: Ga weg!

JL: Nogal aardig wat.

EG: Kraam geen onzin uit! Dragan leidde de commandogroep af en jij nam Lindgren te grazen. Jullie waren kwaad op hem omdat hij Steffansson had neergestoken.

Ewert Grens stond op. Hij was rood in zijn gezicht. Hij boog zich over de tafel naar Jochum toe, ging zachter praten.

EG: Even goed opletten nu, verdorie. We staan immers voor de gelegenheid aan dezelfde kant. Als je nu gewoon vertelt dat Lindgren het heeft gedaan, dan beloof ik je dat niemand te weten komt wat jij hebt verteld. Snap je niet dat als niemand van jullie afdeling vertelt wat er is gebeurd, de moordenaar van Fredrik Steffansson vrijuit gaat?

JL: Ik heb niets gezien.

EG: Help me nu!

JL: Ik heb geen fuck gezien.

EG: Hallo?

JL: Zet de cassetterecorder uit.

Ewert keek Sven aan. Hij zwaaide met zijn handen. Sven haalde zijn schouders op en knikte toen. Ewert moest even zoeken voordat hij de knop vond die de cassetterecorder tot stilstand bracht.

'Tevreden?'

Jochum boog zich naar de cassetterecorder, controleerde of die echt uit stond. Toen keek hij op, met gespannen gezicht.

'Grens, verdorie! Je kent de spelregels hier. Ongeacht welk misdrijf hier binnen deze muren gepleegd wordt, is degene die zijn mond voorbijpraat er geweest, simpel gesteld. En nu moet je even heel goed luisteren. Ja, Grens, wij weten wie Steffansson heeft vermoord. En degene die het heeft gedaan zal de gevangenis voorgoed verlaten. Tussen zes plankjes. Dat was alles. Nu wil ik weer naar mijn cel.'

Hij stond op, liep naar de deur. Ewert Grens deed geen poging om hem tegen te houden.

H et was kwart over acht. Het verhoor met Jochum had nog geen halfuur geduurd. Ewert zuchtte. Hij had niet anders verwacht. Had hij ooit in een gevangenis iemand aan het praten gekregen? Die ellendige erecodes. Ze konden iemand doodsteken, dat was prima. Maar erover praten, dat gaf geen pas. Mooie erecode!

Hij sloeg met zijn hand op tafel, Sven schrok ervan.

'Wat denk je, Sven? Wat moeten we in vredesnaam doen?'

'We hebben niet zoveel te kiezen.'

'Nee, dat is zo.'

Ewert zette de cassetterecorder aan, spoelde de band een stukje terug, liet hem toen draaien. Hij wilde controleren of alles het had gedaan. Eerst de stem van Jochum, lijzig, ongeïnteresseerd. Toen zijn eigen stem, boos, geforceerd; hij wist wel dat hij zo klonk, maar het verbaasde hem altijd als hij het hoorde, zijn stem was altijd luider, agressiever dan hij zich herinnerde. Sven had ook naar de bandopname geluisterd, nu keek hij niet meer naar de vloer.

'Ik denk dat we hem vanavond niet meer moeten verhoren. We krijgen gewoon meer van hetzelfde te horen, hij zal niet meer vertellen dan Jochum. We moeten gewoon even bij hem langsgaan om een informeel praatje te maken. Erger kan het immers niet worden.'

De directeur van de Aspsåsinrichting, Arne Bertolsson, nam die avond het besluit om afdeling H in haar geheel te isoleren. Vanaf nu bleven ze allemaal een bepaalde tijd in hun eigen afgesloten cel zonder het recht de afdeling op te gaan. Ze aten, plasten en telden de uren af in afzondering. Ewert en Sven wandelden daarom vrij rond over een lege gang. Hier was zojuist iemand gestorven. Iemand die ze waren gaan respecteren en die ze sympathiek waren gaan vinden. Ze liepen de vernielde kamer van de bewaarders binnen, waar Jochum door de muur van de commandogroep heen gedrongen was en Lindgren had weten te bereiken om hem met zijn hoofd tegen de muur te rammen. Ewert voelde met zijn hand aan de muur; de plaats was duidelijk te herkennen, die was week van het bloed op de plaats waar het behang kapot gescheurd was. Toen ze naar buiten liepen, trapten ze met hun schoenen in de scherpe resten van een spiegel en van zendapparatuur. Daarbuiten, in de tv-hoek, lag een omgegooide tafel en er lag een spel kaarten op de vloer. Een stukje verderop een vernield aquarium, stukken glas op zand en dode, glanzende vissen. De kunststof vloerbedekking waar ze overheen liepen was nog steeds vochtig, ze gleden allebei bijna uit en hun zolen lieten afdrukken achter toen ze verder liepen naar de cellen.

Ze kwamen bij de doucheruimte, bleven staan, er zaten grote bloedvlekken. Daar had hij zonet nog gelegen. Ewert keek naar Sven, die zijn hoofd schudde. Ze volgden de vlekken de doucheruimte in, hij was al meerdere keren gestoken voordat hij bij een douche was gekomen, ergens bij de wastafel, het witte porselein lichtte felrood op.

Lindgren lag op bed, in een trainingsbroek en met ontbloot bovenlijf.

Hij lag een shagje te roken. Ze groetten, Lindgren gaf Ewert en Sven een hand. Hij glimlachte breed, met zijn kapot geschaafde gezicht, één oog verdwenen onder een zwelling, de gouden ketting glom op zijn blote borst.

'Grens en zijn hulpje. Tjongejonge. Wat verschaft mij de eer?'

Ze keken beiden nieuwsgierig rond in de cel. Knus. Iemand die hier al lang zat. Iemand die deze cel als zijn thuis beschouwde. Een tv, een koffiezetapparaat, kamerplanten in sierpotten, rood geruite gordijnen, één muur bedekt met posters, aan de andere een enorm uitvergrote foto.

'Mijn dochter. Dit is ze ook.'

Lindgren wees naar een fotolijstje op zijn nachtkastje. Hetzelfde meisje, nog niet zo oud, glimlachend, blond, vlechten met strikken.

'Willen jullie iets hebben? Thee?'

Ewert antwoordde.

'Nee, dank je. We hebben net bij Jochum al wat gehad.'

Lindgren deed net of hij het laatste niet had gehoord; als hij het al vreemd vond dat ze een van de anderen al hadden verhoord, dan liet hij dat niet merken.

'Nou ja zeg. Geen thee. Ik neem zelf wel.'

Hij pakte de kan met water die naast hem stond en vulde de waterkoker. Een paar flinke scheppen thee uit een plastic bus.

'Ga zitten, verdorie.'

Ewert en Sven gingen op het bed zitten. Het was schoon in het vertrek. Het rook er schoon. Hij had van die geurbolletjes aan de gordijnrails hangen. Ewert maakte een weids gebaar door de lucht.

'Je hebt het hier goed voor elkaar.'

'Ik heb nog even te gaan. Meer thuis dan dit krijg ik niet.'

'Planten en gordijnen.'

'Heb jij dat thuis niet, Grens?'

Ewert klemde zijn kaken op elkaar, kauwde intensief met zijn mond dicht. Sven bedacht dat hij het niet wist, hij wist niet eens of Ewert planten en gordijnen had, hij was gewoon nog nooit bij hem thuis geweest. Hij bedacht hoe merkwaardig dat was, hij kende hem goed, ze spraken elkaar vaak, Ewert was meerdere keren bij hem en Anita op bezoek geweest, maar hij was nooit bij Ewert Grens in zijn flat geweest.

Lindgren schonk zichzelf thee in en dronk van de hete drank. Ewert wachtte totdat hij het kopje had neergezet.

'We hebben elkaar wel eens vaker gesproken, Stig.'

'Ja, dat is voorgekomen.'

'Ik weet nog dat we jou als puber in Blekinge opgehaald hebben. Je had een ijspriem in de zak van je oom gestoken.'

De beelden kwamen weer op Lindgren af, hij zag Per, zag hem bloeden, hij wilde hem castreren, hij wilde de zak kapotsnijden en daarna gaan lachen.

'Je begrijpt dat je ervan wordt verdacht dat je weer aan het steken bent geweest. Nietwaar? Je begrijpt dat we hier zijn omdat we denken dat jij een paar uur geleden Fredrik Steffansson dood-gestoken hebt?'

Lindgren zuchtte en draaide zijn ogen naar boven. Hij zuchtte weer, speelde toneel.

'Ik begrijp dat ik verdacht word. Dat begrijp ik heel goed. Net als de rest van de afdeling.'

'Het gaat nu over jou.'

Lindgren werd serieus.

'Trouwens, zoveel kan ik wel zeggen, hij kreeg gewoon wat hij had verdiend. Meer zeg ik niet. Het was een verdomde kinder-verkrachter die zijn verdiende loon heeft gekregen.'

Ewert hoorde het. Hij hoorde het, maar begreep het niet.

'Stig. Hebben we het over hetzelfde onderwerp? Je kunt Fre-drik Steffansson vast voor een heleboel dingen uitmaken, maar beslist niet voor kinderverkrachter. Het tegendeel is eerder waar.'

Lindgren zette het kopje neer dat hij zojuist had opgetild. Hij keek de beide politiemannen verbaasd aan. Zijn stem klonk gejaagd.

'Wat bedoel je daar in godsnaam mee?'

Ewert zag zijn verbazing, voelde dat zijn stemming omsloeg. Die stemmingswisseling was echt. Lindgrens reactie was echt.

'Wat ik bedoel? Wat ik bedoel is: kijk je wel eens naar de tv?'

'Best wel eens, maar wat heeft dat ermee te maken?'

'Heb je de berichtgeving gevolgd over de vader die de moor-denaar en verkrachter van zijn vijfjarige dochter had doodgescho-ten?'

'Gevolgd, gevolgd. In het begin keek ik wel. Ik hou er niet zo van. Met mijn kleine meid hier, ik weet niet, het is niets voor mij.'

Lindgren wees weer naar de foto op het nachtkastje, het blonde haar met de vlechten.

'Ik heb er niet veel van gezien, maar ik heb er genoeg van

begrepen. Ik had wel door dat die vader een echte held was. Ze moeten echt dood, die schoften. Dood! Maar wat heeft dat met die kinderverkrachter te maken?'

Ewert keek naar Sven. Ze dachten hetzelfde. Hij richtte zich weer tot Lindgren. Hij keek hem aan zonder iets te zeggen.

'Verdorie, Grens, wat is er? Wat heeft dat met die kinderverkrachter te maken?'

'Die vader, dat was Fredrik Steffansson.'

Lindgren stond op van zijn stoel. Hij had zenuwtrekken in zijn gezicht.

'Hou op! Hou op! Je kunt nu niet met van die ongein aankomen!'

'Ik zou willen dat het ongein was.'

Grens keerde zich weer naar Sven, beduidde hem met een handgebaar dat hij iets uit zijn aktetas wilde hebben.

'Geef eens hier.'

Sven deed de aktetas open, ritste het grootste vak open. Hij bladerde in papieren en plastic mapjes, vond wat hij zocht, twee kranten, die haalde hij eruit, legde ze op tafel neer. Ewert pakte ze vast, hield ze Lindgren voor.

'Hier. Lees maar.'

Twee avondbladen. Van de dag nadat Fredrik Steffansson Bernt Lund had doodgeschoten. De koppen waren in beide kranten even vet en hadden dezelfde strekking: 'MAN SCHIET MOORDENAAR DOCHTER DOOD — TWEE MEISJES GERED'.

Twee foto's naast de tekst, de foto's die bij de lijkschouwing van Bernt Lund gevonden waren. Zijn volgende slachtoffers, al gefotografeerd en geselecteerd, op het plein van een kinderdagverblijf in Enköping, allebei glimlachend, een ervan met blonde vlechten.

Lindgren staarde een hele poos naar de voorpagina's van de kranten.

Naar de tekst.

Naar de foto's van twee vijfjarige meisjes.

Toen naar de foto die hij in een lijstje op het nachtkastje had staan en naar de vergroting aan de muur.

Alsof zij het was. Alsof het zijn dochter was, daar op die krantenpagina's.

Hij stond nog steeds rechtop.

Hij schreeuwde het uit.

Van de auteurs

Het schrijven van een roman is soms een eigenaardige bezigheid. Vanachter het toetsenbord regeer je als het ware de wereld, je wijst dingen aan en zegt hoe ze eruit moeten zien.

Dat hebben wij gedaan. We hebben gebruikgemaakt van gevangenissen, bossen en wegen die niemand ooit heeft gezien; we hebben kinderdagverblijven in Strängnäs en Enköping verhuisd; we hebben de politie van de afdeling Ernstige Delicten in Stockholm kamers laten gebruiken die nooit gebouwd zijn.

Er zijn meer dingen waarvan we zouden willen dat we ze alleen maar bedacht hadden. Dat het dramatische overdrijvingen van ons waren, in het leven geroepen om te verkopen.

Zo is het niet.

De destructieve mens, die op zichzelf spuugt en zichzelf uitroeit, bestaat immers echt. *Bernt Lund*, die de voetzolen van kleine meisjes aflikt, stukken metaal in hun vagina's steekt en het vermogen mist om zich emotioneel met andere mensen te identificeren, bestaat echt. *'Broekie'*, die als kind is misbruikt en later ijspriemen steekt in alles wat hem daaraan herinnert, bestaat echt. *Fredrik* en *Agnes Steffansson*, die alles hebben verloren wat ze hadden en vervolgens moeten proberen om desondanks hun leven op de een of andere manier weer op te pakken, bestaan echt. *Lennart Oscarsson*, die de kinderverkrachters minacht die tevens zijn carrière vormen, bestaat echt. *Hilding Oldéus*, die geen gevoelens meer aankan en zich daarom afsluit met behulp van heroïne, die bang is en in de bak zit en de hielen likt van iemand die bescherming biedt zodat hij even iets minder bang hoeft te zijn, bestaat echt. *Vieze Göran*, die een keer een vergissing heeft begaan en vervolgens door de mensen tot levenslang is veroordeeld, bestaat echt. *Bengt Söderlund*, die leuke kinderen heeft en een mooi vrijstaand huis met een tuin, die van mening is dat als de wet hun geen bescherming biedt, hij die wet op zíjn manier moet interpreteren totdat hij hen wel beschermt, bestaat echt.

Ze bestaan allemaal echt, ze zijn ergens in ons midden; zo absurd, dat verzin je niet.

Dank aan velen: aan Rolle omdat hij verteld heeft welke gedachten in je opkomen als je opgesloten zit, aan uitgever Sofia Brattselius Thunfors omdat ze erin is geslaagd zowel welwillend als veeleisend te zijn en ons met beide benen op de grond heeft gehouden zonder ons het vliegen te beletten, aan Fia omdat ze onze eerste lezer was en ons tot herschrijven heeft aangezet, aan Ewa, die onze kamerdeur heeft opengezet wanneer dat nodig was, aan Dick omdat hij ons de moed heeft gegeven het aan te durven, aan u, lezer, omdat u hebt doorgezet en helemaal tot het einde toe hebt doorgelezen.

Stockholm, maart 2004
Anders Roslund   Börge Hellström

Roslund & Hellström bij De Geus

Kluis 21

Politieman Ewert Grens heeft er weinig moeite mee om een onthullende videotape te laten verdwijnen als hij daarmee de weduwe van zijn vermoorde collega Bengt Nordwall een dienst kan bewijzen. Al evenmin heeft Ewert Grens last van zijn geweten als het erom gaat de persoon te grazen te nemen die een vrouwelijke collega (en geliefde) in een rolstoel heeft doen belanden. Hij is een goed mens die wat overheeft voor zijn vrienden. In *Kluis 21* laten Roslund & Hellström zien hoe goede mensen te ver kunnen gaan in hun goede bedoelingen.

De uitlevering

Bij een vechtpartij op een veerboot slaat een dronken man schijnbaar zonder reden iemand bewusteloos. Al snel blijkt dat het paspoort van de vechtjas vervalst is. Het spoor leidt naar Ohio in de Verenigde Staten, waar achttien jaar geleden een jongeman beschuldigd werd van moord op zijn vriendin. Kort voor het voltrekken van het doodvonnis is de man – toen John Meyer Frey geheten – onverwachts gestorven in zijn cel op Death Row.
Nu, zes jaar later, blijkt dat John Meyer Frey nog leeft.

Het meisje onder de straat

Wanneer er plotseling drieënveertig Roemeense straatkinderen op het Zweedse politiebureau staan en er tegelijkertijd in de kelder van een ziekenhuis het verminkte lijk van een vrouw wordt gevonden, worden commissaris Ewert Grens en zijn collega's in een razend tempo een nachtmerrie in gesleurd die hen naar de wereld onder het straatasfalt voert. Een wereld die je je nauwelijks kunt voorstellen, maar waar voormalig psychiatrisch patiënten, verslaafden en zelfs kinderen huizen. Wanneer het putdeksel is gelicht, worden onze zogenaamde welvaartsstaat, verantwoordelijkheid en solidariteit dringend en razend spannend aan de kaak gesteld.

Drie seconden

Ex-crimineel Piet Hoffmann raakt verwikkeld in een levensgevaarlijke zaak. Hij werkt sinds zijn ontslag uit de gevangenis als infiltrant voor de Stockholmse politie, en heeft het vertrouwen gewonnen van een Poolse drugsbende, de meest beruchte misdadigers van Zweden. Wanneer de infiltrant zijn leven niet meer zeker is, heeft hij nog welgeteld drie seconden om zich in veiligheid te brengen.